知って楽しい
カワセミの暮らし

著 笠原里恵　監修 森本 元

緑書房

カワセミの生態

口絵１　カワセミの成鳥（オス）

オスはくちばしが上下とも黒い。なおカワセミの細長いくちばしは、水に飛び込んだときに受ける抵抗が少ない巧妙な形である。

（撮影：吉野俊幸氏）

口絵３
カワセミの若鳥
成鳥よりも全体的に色がくすんでおり、腹の色は淡く、胸や脚が暗色。巣立ってしばらくは、くちばしもやや短い。
（撮影：内田 博氏）

口絵２　カワセミの成鳥（メス）
羽色はオスと似ているが、下くちばしが朱色。なおカワセミの翡翠色の羽は、光の当たり方で青にも緑にも見える。
（撮影：吉野俊幸氏）

口絵4　水中の獲物めがけてダイビング
鋭い角度で一直線に水に飛び込む。（撮影：吉野俊幸氏）

口絵5　水中で魚をとらえる
水中では瞬膜で目を覆い、保護している。
（撮影：内田 博氏）

口絵6　魚をとらえて水中から飛び出す

飛び込んだと思った一瞬で魚をとらえ、水から出てくる。お見事。
（撮影：吉野俊幸氏）

口絵7　とらえた魚を枝や石にたたきつける

魚の尾に近い部分をくわえ、何度もたたきつけてから飲み込む。獲物が大きいときは、より念入りにたたきつけるようだ。（撮影：内田 博氏）

口絵 8　羽繕い

飛ぶにも潜るにも羽は大切。丹念に繕う。
（撮影：吉野俊幸氏）

口絵 9　ホバリング

カワセミは羽ばたきながら空中の一点にとどまることができる。激しい羽ばたきとは対照的に、頭は固定されたかのように動かない。
（撮影：吉野俊幸氏）

口絵 11　求愛給餌

オスが差し出した貢ぎ物の魚を受け取ったメス。
（撮影：吉野俊幸氏）

口絵 10　争い

なわばりへの侵入者を見つけると、すぐに追い払いにむかう。（撮影：吉野俊幸氏）

口絵 12　巣穴掘り

くちばしや脚、趾（あしゆび）を使って土崖に横穴を掘る。作業を交代したところなのか、メスのくちばしには土がついている（繁殖活動については第2章参照）。

（撮影：吉野俊幸氏）

口絵 13　交尾

体のバランスを保つためか、上に乗ったオスは交尾の際にメスの頭の羽毛をくわえることが多い。（撮影：内田 博氏）

口絵 14　巣内で待つヒナに食物を運ぶ

ヒナが巣立つまで1日に何度も獲物をとらえて運ぶ。ヒナが飲み込みやすいように、親鳥のくちばしの先端側が魚の頭になるようにくわえている。ザリガニなどでは向きは逆になる（育雛については第3章参照）。（撮影：内田 博氏）

口絵 15　ヨーロッパのカワセミ

ヨーロッパに生息するカワセミの亜種（亜種については第1章参照）。日本に生息する亜種よりも体が大きく、頭に青みがあり、腹部の橙色は暗色気味とされる。（撮影：Audrey Sternalski氏）

口絵 16　スリランカのカワセミ

スリランカに生息するカワセミの亜種。体の大きさは日本に生息する亜種と同じくらいだが、上面に緑はあまり入らず、青みが強いとされる。

カワセミの仲間

口絵 17　ヤマセミ（オス）
日本で見られるカワセミ科の鳥では最も大きい。オスは頬の下部や胸に橙色が入る。
（撮影：吉野俊幸氏）

口絵 18　ヤマセミ（メス）
メスは頬の下部や胸ではなく、翼下面に橙色が入る。オスの翼下面は白色。（撮影：吉野俊幸氏）

口絵 19　ヤマセミのホバリング

大きな体でのホバリング。少し離れた場所からも羽ばたきの音が聞こえる（ヤマセミの生態については第5章参照）。（撮影：吉野俊幸氏）

口絵 20
水中で魚を
とらえるヤマセミ

体が大きいゆえか、潜った際にあがる気泡も迫力がある。（撮影：内田 博氏）

口絵 21　エゾヤマセミ

北海道や南千島に生息するヤマセミの亜種。
本州の亜種よりも、上面の色が薄めとされる。
（撮影：吉野俊幸氏）

口絵 22　アカショウビン

くちばしや全身の色から火の鳥とも呼ばれる渡り鳥。上面は赤褐色で、腰に水色がかった白斑が入る。初夏に北海道から九州まで広い範囲に渡来して繁殖する。（撮影：吉野俊幸氏）

口絵 23　リュウキュウアカショウビン

トカラ列島以南で繁殖するアカショウビンの亜種。本州に渡来する亜種よりも上面に紫色の光沢があり、腰の白斑が大きい。（撮影：吉野俊幸氏）

口絵 24　ミツユビカワセミ

カワセミよりもひと回りほど小さい。名前の通り、趾（あしゆび）は前２本、後１本の３本。インドや東南アジアに生息するが、日本でも記録がある。

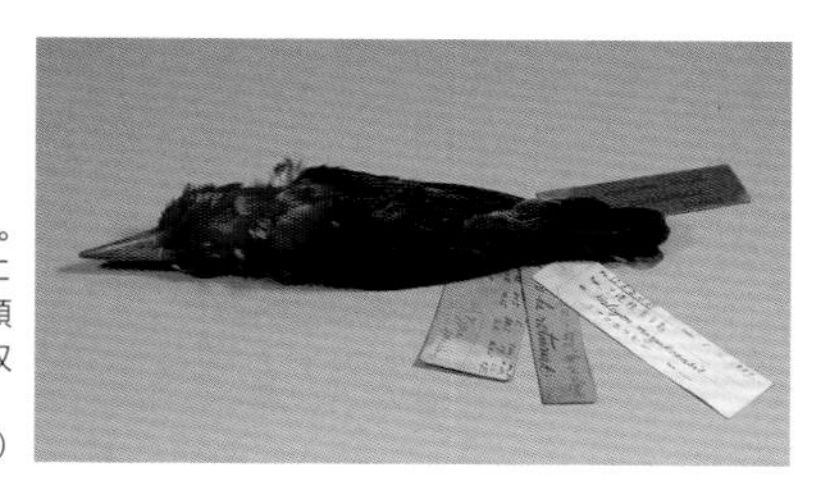

口絵 25　ミヤコショウビン

世界にただ1点の標本しかない謎多き種。沖縄県宮古島で採集され、黒田長礼侯爵によって新種記載された。日本で唯一の鳥類学専門研究機関である山階鳥類研究所に収蔵されている。

（画像提供：公益財団法人 山階鳥類研究所）

口絵 26　ヒメヤマセミ

ヤマセミと同様に白と黒を基調とした種。アフリカや中東、アジアの一部に生息する。
（撮影：上沖正欣氏）

口絵 27　ミドリヤマセミ
中南米に生息するヤマセミの仲間。頭や背中の光沢感ある緑色が美しい。

口絵 28　ワライカワセミ
世界のカワセミ科の中でも最大級に大きい種。オーストラリア東部に生息し、市街地から森林までさまざまな環境で見ることができる。（撮影：上沖正欣氏）

口絵 29　シラオラケットカワセミ
優美な白い長い尾羽が2本伸びているのが特徴的な種。パプアニューギニアやオーストラリア北東部の一部で繁殖する。

カワセミの体の部位

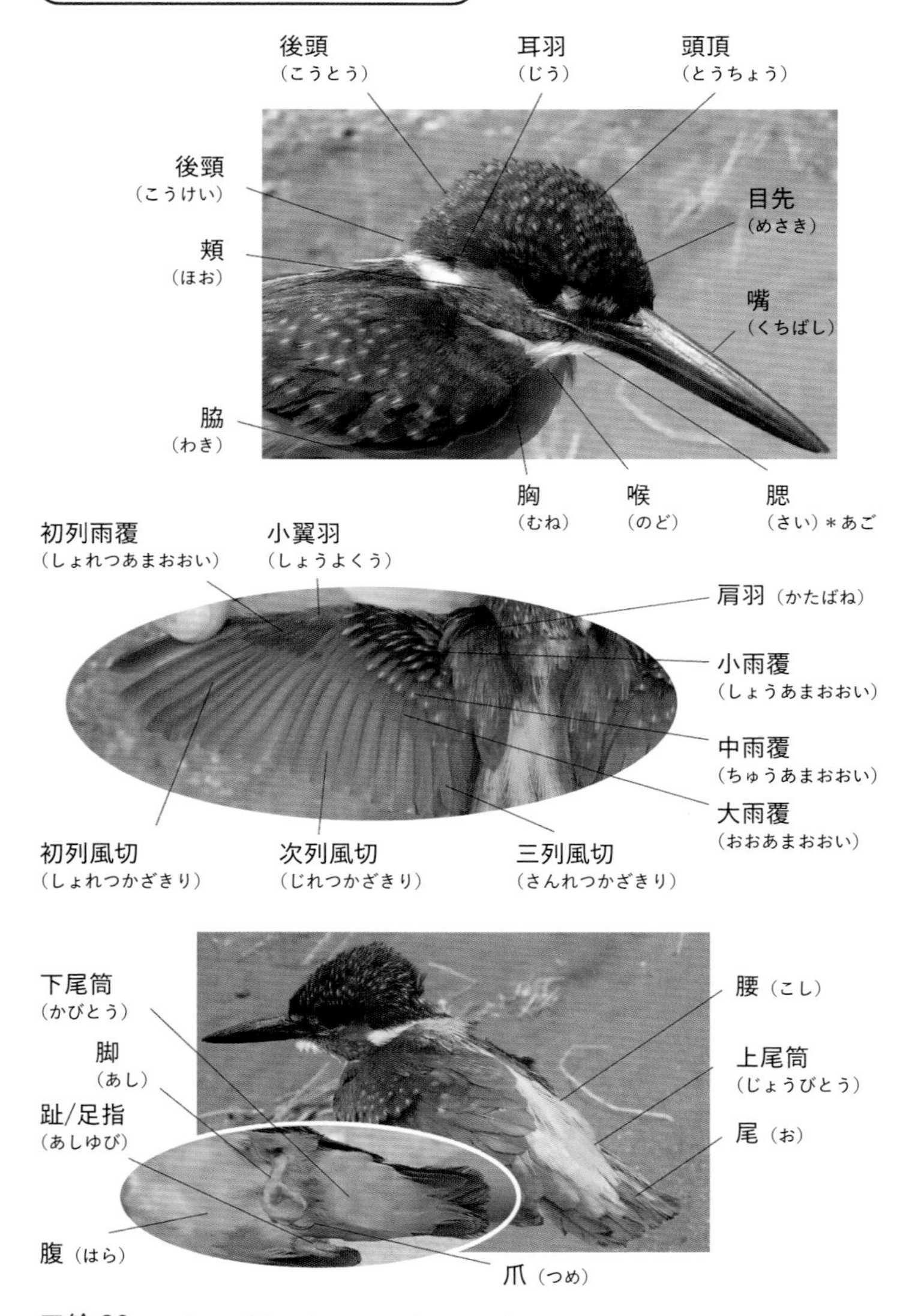

口絵 30　写真は、学術研究のために許可を得て撮影。

はじめに

私は河川にすむ鳥たちの研究をしています。この本の主役でもあるカワセミをはじめ、草のまばらな小石河原でそっと卵を抱いているイカルチドリやコチドリ、イソシギ、ヨシ原で大きな声でさえずるオオヨシキリ、昆虫から哺乳類まで幅広く獲物を狩るモズ、河畔林や周辺の里山の雑木林に集まって巣をつくり、子育てをするサギ類など、いずれも河川環境に馴染み深い鳥たちです。これまで、彼らが河川環境で生きていくために重要な環境や食物について調査をし、また、季節によって海外と日本を行き来する鳥たちの移動経路なども調べてきました。

あ、この著者はカワセミの専門家ではないのでは？

そう思われた方、なかなか鋭いですね。私の研究対象は河川に生息する鳥類全般であり、カワセミの専門家といえばそうともいえなくもないし、ちょっと違うともいえます。ですから、カワセミを主役とした本の執筆を森本元博士に打診されたとき、同じ緑書房から出版されている『ツバメのひみつ』の長谷川克博士や『知って楽しいカモ学講座』の嶋田哲郎博士のようには、即答できませんでした。

カワセミを含め、私が鳥類の生態研究を行うときには、国内外の学術論文や図鑑、書籍、プロの写真家による写真集などまで、さまざまな媒体から情報を集め、参考にしています。多くの鳥たちの中でも、やはりカワセミの情報はひときわ豊富で、緻密な調査による研究成果や美しい生態写真を見るたびに、著者らのカワセミへの深い愛情と、いかにこの鳥が多くの人々を魅了してきたかを、ひしひしと感じてきました。私自身の研究も、このようなカワセミ愛にあふれた既存情報に支えられているわけですから、カワセミを一途に研究してきたわけでもない私が、新規性のある内容を盛り込んだ本を書けるのか、甚だ心許なく感じたわけです。それでも、森本博士の、河川の話やカワセミ以外の川の鳥の話も含めていいですから、という甘い……いいえ、温かい言葉に背中を押されて書き始めました。

とにかくカワセミの情報にどっぷり浸かりたい、そう期待された方には、ええ、もう先に謝らせていただきます。けれども、まぁ、ちょっとお待ちください。この本を手に取られた皆さんは、カワセミへの愛情が深く、既存の書籍や写真集をご覧になって、さらなるカワセミ情報を求めた方かもしれませんし、カワセミの入門書として選んでくださった方かもしれません。カワセミを愛してやまない方々からすれば、河川環境やそこに生息するカワセミ以外の鳥たちにもかなり文章を割き、カワセミまみれとはいえない本書の内容を、物足りなく思う方もいらっしゃるかもしれません。けれども、カワセミがこれからも身近な河川や湖沼にあり続けるには、カワセミとともに彼らを取り巻く環境や、置かれている状況への理解を深めることも必要となります。本書はその一助となれるかもしれません。

各章でお話しするカワセミの情報は、国内とともに、できるだけ海外の研究にも言及するようにしました。カワセミは世界中に広く分布しており、どの国でも愛され、数多くの既存研究が存在し、さらに毎年のように新しい研究成果が出版されています。すべてを網羅することは到底できませんが、国内外のカワセミ研究を通して、この翡翠色の美しくも愛らしい鳥の生態を幅広くご紹介できればと思います。

本書の執筆は、私が信州大学に着任して間もない2020年初頭から開始しましたが、大学の仕事に、私事に、なかなか原稿をまとめられないまま怒涛のように日々が過ぎていってしまいました。発刊まで背中を押し続けてくださった編集担当の島田明子さん、石井秀昌さんをはじめとする緑書房の皆さん、監修の森本元博士にはたいへん、たいへんご迷惑をおかけしました。同時に、出版まで（相当）粘り強くご対応くださったこと、感謝の言葉しかありません。カワセミをはじめとしてさまざまな鳥たちの写真を提供くださった吉野俊幸さん、内田博さん、魚類の写真を提供くださった北野聡さん、フランスのカワセミ写真を提供してくれたAudrey Sternalskiさん、原稿を読んで助言をくださった今西貞夫さん、私の研究室の学生であり、味のあるイラストを描いてくれた井川洋くんと、魚類の写真や情報を提供してくれた龍野紘明くん、そして多くの皆さまのご助力に心からお礼申し上げます。

自身の拙い研究結果も既存の情報に合わせて整理しながら、カワセミや河川環境についで考えてみよう、そう思いながら書き上げました。あれもこれもと盛り込んでもまだ足りないくらいですが、本書が、皆さんと、身近な河川と、そこにすむ生き物たちとのご近所づきあいの仕方を考えるうえで少しでもお役に立てたなら、これ以上の喜びはありません。

2023年2月

笠原里恵

目次

口絵 2
はじめに 15

第1章 カワセミ(類)の基礎知識 23
カワセミは身近な鳥？ 24
カワセミの身体と基本的な生態 26
全長と体重／羽の色／換羽／目／くちばし／足指（または趾）／声／基本的な生態／年間の生活／カワセミの生物分類学的階級
日本で見られる（見られた）カワセミの仲間 38
世界に分布するカワセミの仲間 41
カワセミ亜科／ヤマセミ亜科／ショウビン亜科
カワセミの進化 48
豆知識 カワセミの色や形 ～発色や形態、バイオミメティクス～ 54

第2章 カワセミの繁殖 59
つがい（夫婦）で協力、繁殖の季節 60
調査地は千曲川の中流域 62
カワセミの巣 65
巣穴掘り／河川の崖に巣をつくる鳥
求愛給餌 74
卵と抱卵 76
捕食者 79
カワセミ同士の争い 82
なわばりの大きさと巣間距離
育雛 87
ヒナの巣立ち／繁殖期の長さ／巣穴の複数回利用／子育てを手伝う「ヘルパー」
カワセミこぼればなし❶ カワセミの産座 97

第3章 カワセミの採食行動と食物

第3章 カワセミの採食行動と食物 …… 103
かわいらしい姿とのギャップ？
鮮やかな採食行動 …… 104
2つの採食行動 …… 105
待ち伏せ／ホバリング（停空飛翔）
採食場所を突きとめる …… 110
色を使って個体を見分ける／
色に影響されるオスのモテ具合
親鳥がヒナに運ぶ食物を調べる …… 115
巣の中の手がかり／ビデオカメラで映す
何を食べてヒナは育つ？ …… 120
魚の大きさと形／巣立ちまでにヒナが食べる魚の量
カワセミの水浴び …… 132
カワセミこぼればなし② 再びペリット …… 133

第4章 カワセミの旅

第4章 カワセミの旅 …… 137
移動するカワセミ、しないカワセミ …… 138
鳥の「移動」 …… 140
鳥類標識調査 …… 142
日本でのカワセミの移動記録 …… 143
北欧、東欧で繁殖するカワセミは渡り、
地中海周辺では定住する …… 145
親から独り立ちをした後は、旅へ …… 148
長距離移動記録／海を渡るカワセミ／冬のカワセミ
GPSを使った小鳥の追跡 …… 159
カワセミの寿命 …… 163
カワセミこぼればなし③ 隣のつがいの巣を見に来たカワセミ …… 168

第5章 カワセミと一緒に河川にすむ鳥たちと増水 171

河川生態系と生き物のつながり 172

河川の陸域にすむ鳥 173
砂礫地では足元の巣にご注意！／初夏のヨシ原を賑わせる大きな声／河川周辺の草地や林にすむ鳥たち

水辺で魚を狙う鳥たち 181
魚を釣る鳥がいる？／水や泥を揺らす脚技／脅威の捕食者／益鳥でもあり害鳥でもある／猛禽のなかでも魚好き

ヤマセミ 190
ヤマセミに出会う機会が少ないワケ／営巣環境の違い／食物の違い／採食環境の違い／ヤマセミのホバリング／カワセミとヤマセミの関係性／都会ではすみづらい

釣り人とヤマセミ 204
巣穴に戻れない／緊張の巣立ち／気づかなければいないのと一緒？／ヤマセミが身近な鳥だった過去

河川の鳥たちと増水 215
河川環境を維持する増水／増水の発生時期と鳥たちの繁殖／増水と繁殖中のカワセミ

カワセミこぼればなし④ 河畔林の小径で採食するカワセミ 225

第6章 環境の変化、鳥たちの変化 229

感じる時の流れ 230

姿を消す鳥 231
ササゴイとヤマセミ／都市でのカワセミの消失と復活

鳥の増減──その傾向は地域か全国か 236

外来生物の影響 241
厄介なコクチバス／外来植物

気候変動……251
豪雨が増えると……254
プラスチックごみ問題……258
マイクロプラスチック／
カワセミのペリットからマイクロプラスチック
カワセミ こぼればなし⑤ カワセミと水質……266

第7章 生き物に配慮した川づくり……271

研究分野としては比較的新しい？ 河川の生き物……272
河川からの恩恵と災害……273
河川における治水の歴史……275
普及した生物多様性という概念……277
新たな川づくり……280
「その川らしさ」を千曲川で考える……283
かつての千曲川、現在の千曲川／
河道掘削と増水の違い／
増水の力を借りた河川の自然再生と維持
生き物同士のつながり、
河川間、環境間のつながり……293
河川の生き物と人とのつきあい方……298
おわりに……300
カワセミ こぼればなし⑥ カワセミは漁業に影響を与えるか……301

引用および参考文献……317
監修を終えて……318
写真・イラスト・音声提供者一覧……322

第1章

カワセミ（類）の基礎知識

カワセミは身近な鳥？

この本を手にとってくださった皆さんにとって、カワセミ（口絵1、2）はどんな存在でしょうか。かわいらしい、かっこいい、美しい、めったに見られない、それとも……？

私にとって、カワセミは今でこそ身近に感じる鳥ですが、河川の鳥の調査を始めた20年前はそうでもありませんでした。カワセミといえば小さくて青緑色をしていて、鳥を見ることが好きな人たちに人気の鳥という印象が強く、カワセミよりも体が大きく、白と黒のかのこ模様が美しいヤマセミ（口絵17、18）に至っては、一生に一度見られるかどうかの幻の鳥、という認識でした。それは、当時、これらの鳥が数少なかったからではありません。もちろん、20年前の時点でも、さらに過去から見れば、数は減っていたかもしれませんし、近年の数の減少（第6章でお話しします）はとても気がかりですが、私が当時、この2種について、なんとなく疎遠に感じていた理由は、これらの鳥たちの希少性ではなく、私自身がその存在や生態をよく知らなかったからです。

たとえば学校や会社で、存在は知っていても会話をしたことがない人というのは、結構いるのではないかと思います。それがふとした機会に話すようになり、ご飯を一緒に食べるなど過ごす時間が増えていくと、相手の性格や考え方がわかってきて、お互いの仲が深まることもあるでしょう。ときには相手のことをもっと知りたくなる……そうなれば、その相手はもうあなたにとって身近な存在といえるのではないでしょうか。

野鳥と友達のように仲を深めることは難しいかもしれませんが、相手を知ることで、身近な存在になっていくのは一緒ではないでしょうか。たとえば、どこに行けば姿を見られるのか、どこに巣をつくっていつ子育てをするのか、何を食べているのか、その食物をどこでとっているのか。天敵は何か、子育ての時期以外はどうしているのか、などなど、相手を知りたいと思ったら、疑問はたくさん出てきます。人同士と違うのは、鳥たちが積極的に情報を教えてくれるわけではない、ことでしょうか。彼らを知るためには、行動や生活をじっくり観察する必要がありますが、人同士でも、知りたがって無茶をすると敬遠されてしまうことがありますから、鳥たちへの接し方にも、常に注意が必要です。

この本を手にとられた皆さんは、もしかしたらすでにカワセミにはたいへん詳しく、身近な存在に感じている方もいるかもしれません。とはいえ、やはりこの本の第1章として、カワセミがどんな鳥なのか紹介することから始めたいと思います。

カワセミの身体と基本的な生態

全長と体重

同じカワセミでも個々の鳥、つまり個体によって多少の大きさの違いがあります。全長は16〜18㎝、体重は19〜40ｇで[1]、全長に大きな違いはありませんが、体重にはかなり幅があるようです。体に対して大きな頭と長いくちばし、短い脚と短い尾羽が特徴です。皆さんもよくご存じのスズメ（**図1-1**）の体長が約15㎝で体重が約24ｇ程度なので[2]、スズメよりひとまわり大きいくらいでしょうか。

羽の色

カワセミは、漢字で「翡翠」と書かれるだけあって、翼や背中の緑とも青とも見える色がこの鳥の代表的な色です（口絵1、2、30）。背中の中央には鮮やかな水色の羽が目立ちます。顔の目の前後とお腹は橙色で脚は朱色、顔やあご（腮（さい）ともいう）から喉にかけて差し色のように白が入り、色のコントラストも鮮やかです。雌雄で羽の色はほぼ同じですが、オスの方が青みがかっていて、全体的に色合いが鮮やかだともいわれます。一方で、巣立って間もない幼鳥や羽がまだ生え変わっていない若鳥は、色味は親と似ていますが、羽は緑味が強く、全体的に少し暗色がかったくすんだ色をしており、脚も若干黒みがかっています（口絵3）。

人を惹きつけてやまない翡翠色の羽は、光の当たり具合によって緑にも青にも見えるわけですが、実はこの色は羽を形作る素材自体がもつ色ではありません。私たちが普段目にしている色の多くは、見ている物そのものがもつ色素によるものです。それぞれの色素は特定の波長の光を吸収もしくは反射し、人間は自分の目が認識できる波長の中で反射した光を色として認識しています。木々の葉が緑に見えるのは、葉が赤や青の光の波長を吸収し、黄色や緑の光を反射しているからです。しかし、カワセミの羽の色はこのような色素由来ではありません。その複雑な内部で特定の光が強められることで、緑や青に見えているのです。このような現象で認識される色を構造色と言います（豆知識参照）。構造色というと金属質の輝きを放つクジャクの飾り羽やハチドリの仲間が有名です。残念ながら、ハチドリは日本には生息していないのですが、一部の、も

図1-1　スズメ
（撮影：内田 博氏）

しくは全身の羽毛が日光の下でキラキラ輝きます。日本でも、水辺にいるカモたちの羽の一部や、公園などにいるドバト（**図1-2**）の首部分などに構造色の発色を見ることができます。

換羽

換羽とは、その字の通り鳥の羽が生え換わることです。通常は、年に1～2回程度、成鳥の全身もしくは一部の古い羽が抜けて新しい羽に生え換わることや、その年生まれのヒナの羽が最初の冬を迎える前に生え換わることなどを指します。換羽の仕方は種によって違っていて、毎年全身換羽する種もいれば、複数年かけて換羽する種、季節によって部分的に換羽をする種など、さまざまです。カワセミの成鳥の場合、換羽は毎年子育ての時期（いわゆる繁殖期[*1]）の後期から始まり、晩秋頃までにはほぼ全身の羽が生え変わります（**図1-3**）。一方でその年生まれの幼鳥の場合、生まれた時期にもよりますが、部分的に

図1-2　ドバト

公園や市街地でおなじみの鳥。海外に生息するカワラバトが飼育や改良され家禽となったものが、再野生化したもので、一般にいう「野鳥」には含まれない。

（撮影：内田 博氏）

＊1 繁殖期　動物が交尾、造巣、産卵（あるいは出産）し、卵や子の世話をする時期のことをいう。温帯から寒帯、極地方では毎年1回あるとされ、種によって期間は異なる。これは、つがい形成から子の独り立ちまでにかかる時間が種によって数週間から数カ月と幅があること、食物事情など繁殖に適した条件下では一度子を育て上げても再度繁殖する場合があることなどによる。

換羽をしながら冬を越し、尾羽の一部や翼の大部分は、翌年に初めて繁殖期を終えた後に換羽するとされています[3]。ちなみに、敵に襲われるなどのアクシデントで羽が抜けると、時期にかかわらず新しい羽が生えてきますが、これは補助換羽といい、通常の換羽とは区別されます。

目

鳥の目は人間と違う点がたくさんあります[4,5]。まず、まぶたが3枚あります。通常の上下のまぶたのほかに、瞬きの際にほこりを払い、角膜、つまり黒目の部分を潤す薄い半透明の膜をもっています。これを瞬膜と言います。瞬膜は、鳥類全般、また爬虫類などももっています。カワセミは水に飛び込んで採食しますが（口絵4）、その際は瞬膜で目を覆って保護していますれるのは、目の中でピントを合わせる役割をもつ水晶体を支え（口絵5）。また、水の中でもしっかり獲物に狙いを定めていらる筋肉、クランプトン氏筋や、特にブリユック氏筋（**図1-4**）が発達しており、対象物との距離が変わっても柔軟にピントを

図1-3　換羽で伸長する羽（白矢印）

この個体は成鳥のオスで、撮影時（10月）には全身換羽の最中だった。白矢印は伸長途中であることがよくわかる羽を示している。研究のために許可を得て撮影。（撮影：内田 博氏）

調整することができるからです。これらの筋肉は、人間にはないものです。

鳥の目のすごさはこれだけではありません。人の目も鳥の目も眼球の大部分は硝子体というゲル状の透明な組織でできており、そのすぐ外側の膜を網膜と呼びます。網膜は角膜を通して入ってきた光を映像に変換します。網膜内の光を受容する細胞が多いほど高解像度で映像情報を得られるわけですが、鳥がもっている、その細胞の数は人間よりもはるかに多いことが分かっています。また、網膜の中でも光を受容する組織がたくさんあり、最もよく見える部分を中心窩といいます（**図1-5**）。中心窩は網膜の中でちょっとしたくぼみになっている部分で、人間では1カ所しかありませんが、鳥類の多くは中心窩とは別に、側頭窩をもっています。中心窩に相当する部分が2カ所もあるのです。

では、この中心窩に相当する部分が2カ所あることの利点はなんでしょうか。フク

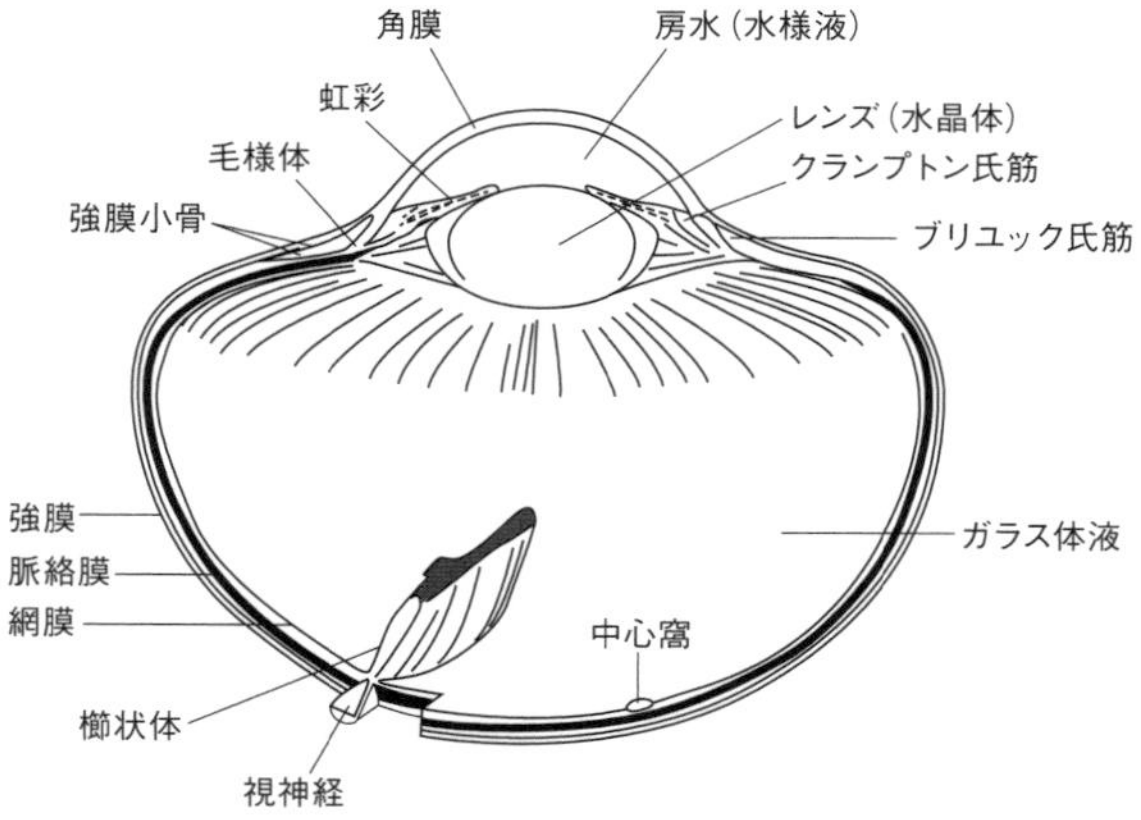

図1-4　鳥類の眼球の構造

鳥類は、人にないクランプトン氏筋やブリユック氏筋で水晶体の凹凸を調整し、遠くや近くの対象物に速やかに焦点を合わせることができる。
（文献4より引用·改変）

ロウなど一部の鳥を除いて、多くの鳥の眼は顔の横（もしくは側面に近い正面）についています。鳥はそれぞれの目で左右両側の風景を広い視野で見ることができます。ちょっとした油断が捕食者に襲われる隙となるような厳しい世界に生きている野鳥たちにとって、捕食者をいち早く察知するうえで重要なことです。中心窩はこの横方向の視界を鮮明にとらえるために使われます。これに加えて、空中から水の中を見て魚をとるカワセミや、はるか上空から地上の哺乳類などをとらえる猛禽類などでは、すばやく獲物との距離や速度を把握する必要がありますが、そのためには、片目で見るよりも、両目で見る方が映像の解像度はグンと上がります。側頭窩があることで、両目を使っての前方向の視野を確保でき、獲物に狙いを定めやすくなるのです。

このほか、鳥の眼球は人間と比べると頭に対して相対的に大きいことが多いですが、眼球の大きさは、像を結ぶ焦点距離と関係し、大きな眼球ほ

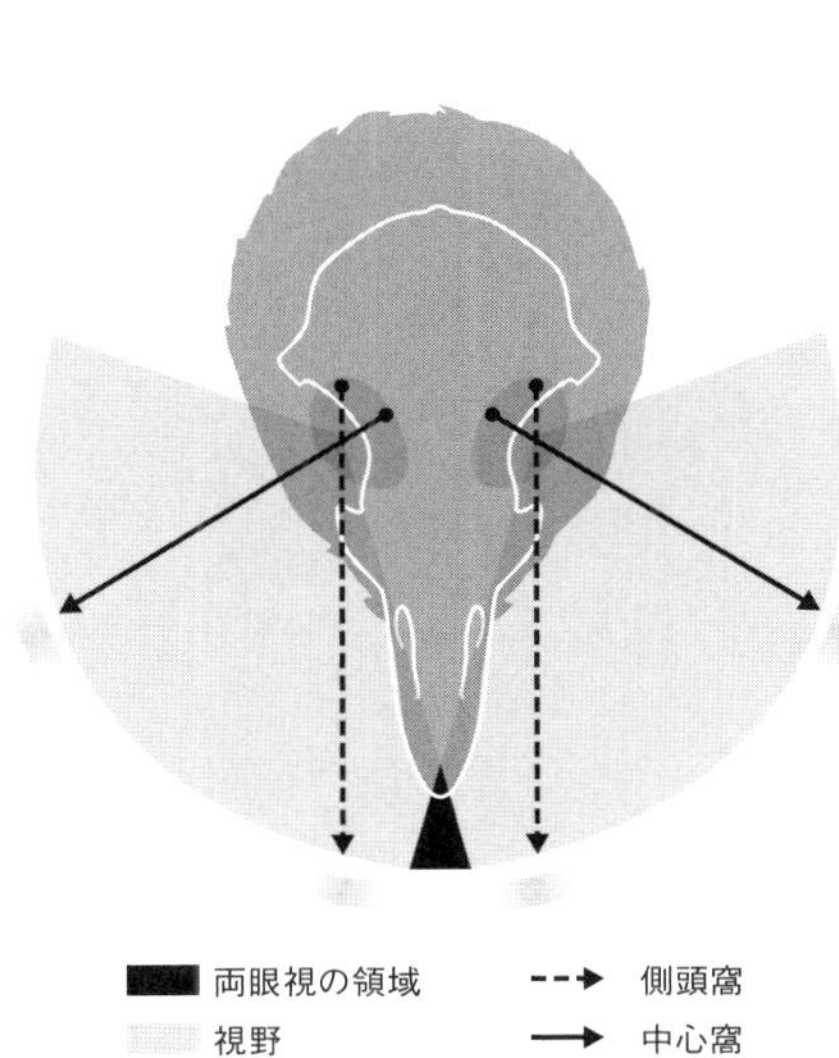

図1-5　鳥類の視野と解像度
（文献6より引用・改変）

ど解像度が高くなります。この大きい眼球を支えている強膜骨も、人間の目にはない構造の1つです。人々を魅了する鳥たちのつぶらな瞳には、人間の目とは異なった構造がたくさんあり、鳥の驚くべき能力を支えているのです。

くちばし

カワセミの特徴の1つが、頭に対して長いくちばしをもつことです。これまでの自分の調査でも、くちばしの先から後頭部までの長さ6～8cmのうち、くちばしは約4cmであり、数字で見ても、くちばしの長さが際立ちます。成鳥のオスは上くちばし、下くちばしともに黒く、メスの下くちばしは朱いのが特徴です（口絵1、2）。ただし、朱さや朱部分の多さには個体差がそれなりにあり、例外的に、くちばしのつけ根付近がやや朱いオスもいます。一方で、巣立って間もない幼鳥の場合は、親（成鳥）と比べると、くちばしは短く、先端がわずかに白くなっています（口絵3）。

足指（または趾）

カワセミの脚は他の鳥と比べてずいぶん短いですが、その指先も他の鳥にはない特徴があります。多くの鳥類の足指は4本で、さらにたいていの鳥では前方向に3本の指、後ろ方向に1本の指、というつき方をしています[6]（**図1-6A**）。樹木に垂直にとまることができるキツツキ類の足指は前に2本、後ろに2本のXのような形に指がついていますし（**図1-6B**）、空を飛ぶことに特化し、曲がった爪を岩にかけてとまるアマツバメ類では4本の指とも前方向についています（**図1-6C**）。カワセミの足の指は前に3本、後ろに1本という多くの鳥類と似たつき方ですが、前の足指は互いに部分的にくっついています（**図1-6D**）。私たち人間の足指は足の先から伸びていて、

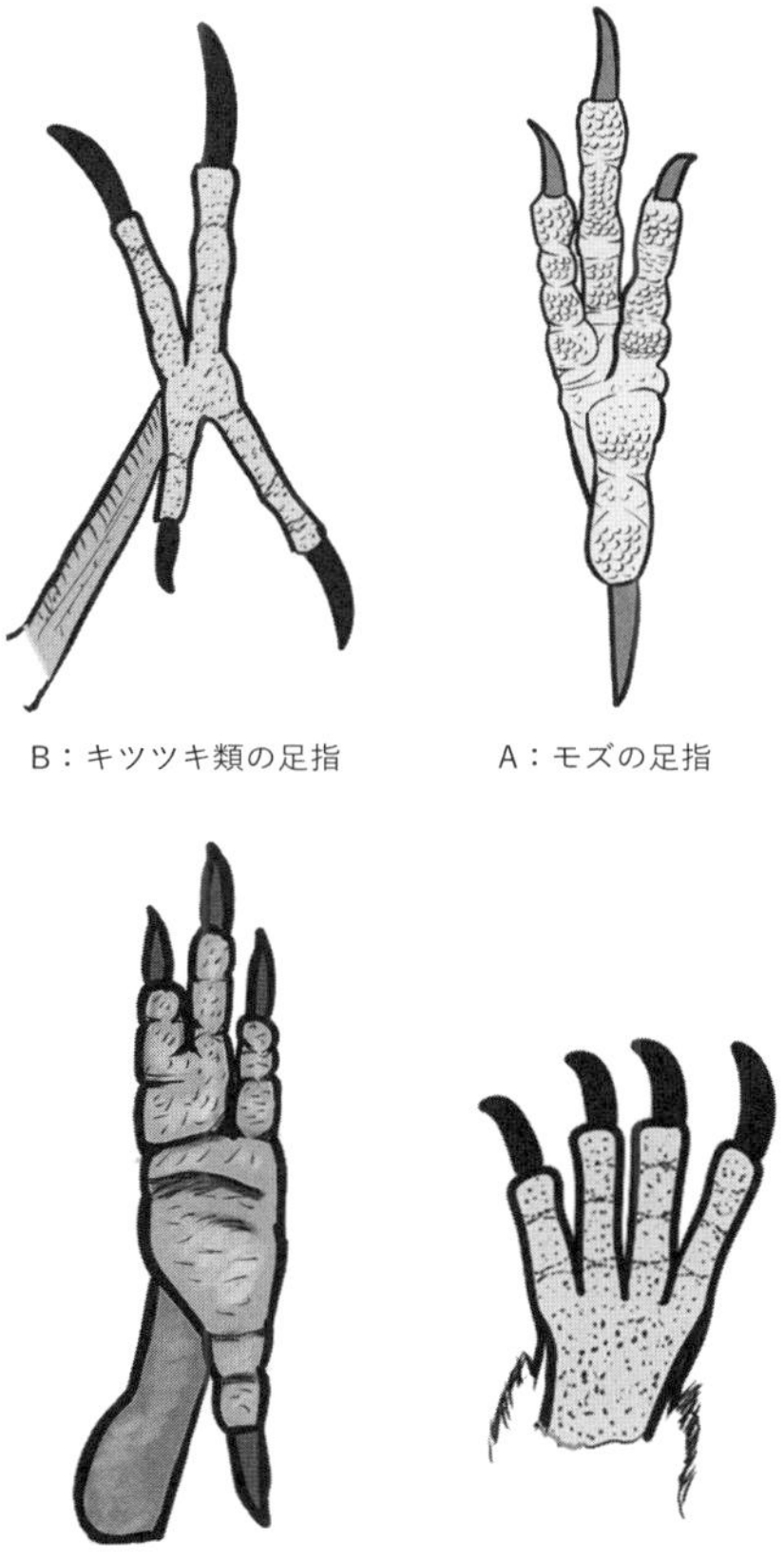

A：モズの足指

B：キツツキ類の足指

C：アマツバメの足指

D：カワセミの足指

図1-6　鳥の足指のつき方の例
（イラスト：井川 洋氏）

足の裏の広さがあるおかげで、地面を踏みしめて歩くことができていますが、カワセミも互いの指がくっつくことで、人間でいう足の裏のような部分が一部できています。カワセミは地面を踏みしめて歩くわけではありませんが、この足裏部分は巣づくりのときにとても役立ちます（第2章で紹介します）。

声

飛んでいるときに「チチッ」「チー」などと聞こえる高い声で鳴きます（**図1-7**）。声を聞いて「カワセミだ！」と思っても、飛んでいるカワセミとの出会いは、青緑の小さな物体が目の端を過ぎていくだけで終わることもしばしばです。カワセミの声は自転車のブレーキ音と間違えることもあります。警戒しているときは「チリッ、チリッ」もしくは「チリリ、チリリ」と震えるような連続した声を出すことがあります。ヒナの声を聞く機会はなかなかないかもしれませんが、子育てをしている巣からは、大きくなったヒナが盛んに「シャワ、シャワ、シャワ」と鳴く声が聞こえてくることがあります。巣立ったヒナは、「チピッ、チピッ」と鳴いて親に魚をねだります。鳥たちの声がどう聞こえるかは人によって違うので、鳥の声を聞いたときは、その声をどう表現するかを考えてみるもの面白いかもしれません。

基本的な生態

池や穏やかに流れる川辺で、水面に張り出した枝先や、ヨシなどの植物にとまり、尾羽を上下にピピコピコ動かしながら、じっと水の中をのぞき込む姿がよく見られます。魚の動きに合わせているのか、魚が見えやすい位置を探しているのか、ときおり細い枝の上や水際の石の上を横歩きで行き来しながら水面を見ていることもあります。カワセミの頭に取りつけられるようなとても小さなビデオカメラが開発されたら、彼らが枝の上から何を見ているのかわかるかもしれません。カワセミといえば、開けた川や池の水面上を直線的に飛ぶ姿や、空中で羽ばたきながら静止し、水の中の小魚を狙う姿が印象的です。冬には川や池だけではなく、海辺でもよく見かけます。川の河口や岩がむき出しの岩礁、漁港など、食物となる小魚がいて凍結しないところであれば、淡水から海水までさまざまな水辺に出没するようです。[1,7]

年間の生活

早春から、つがい形成や子育てのためのなわばり形成（同種や異

図1-7　カワセミの鳴き声

QRコードから、認定NPO法人バードリサーチが提供しているカワセミの鳴き声を聞くことができる。

種の他個体に対して、排他的な行動を示して保持する領域をなわばりといいます）など、繁殖をするための活動が始まります。地域によりますが、3～4月頃に巣をつくり始め、4～5月頃に卵を産み、6～7月頃にヒナが巣立ちます。その後、ヒナが独り立ちして子育てが終了すると、つがいは解消され、雌雄それぞれでなわばりを形成して暮らすようになります。成鳥の換羽は繁殖期の終わり頃から秋までに終了します。そして冬を越え、再び春が近づくと、雌雄それぞれのなわばりが解消され、つがいとしての繁殖なわばりが形成されて、新たな繁殖が開始されるのです。

カワセミの繁殖についての詳細は、第2章でお話しします。

カワセミの生物分類学的階級[*2]

現在発見されていて、名前がついている生物は必ずなんらかの生物学的なグループ、いわゆる階級に分類されています。たとえば、カワセミはざっくりいえば鳥類ですが、もう少し詳しくいうと、ブッポウソウ目カワセミ科の鳥、となります。この目や科とは、生物を階層的に階級化したもので、界→門→綱→目→科→属→種の順番で大きい階級から小さい階級にまとめられていきます。そのなかには、中間的な亜門や亜科、そして亜種という階層もあり、少し複雑であいまいな部分もありますが、地球上に生

＊2 **生物分類学的階級**　生物の分類の際に、その分類群の地位（階層）を表す名称。

息している生き物の多様さを思えば、複雑さが生じるのも無理もないことです。そのようなあいまいさや分類の手法の発展などにより、種の分類階級はときどき変更されることがあります。この本を書いている2022年4月時点で、カワセミという種を界の階層から表してみると、「動物界 脊椎動物門 脊椎動物亜門 鳥綱 ブッポウソウ目 カワセミ科 カワセミ亜科 カワセミ属 カワセミ」となります。なんとも長いですね。

カワセミはアジアからヨーロッパまでかなり広い範囲に生息しており、2022年時点では7つの亜種[*3]が記載されています[1,8]。亜種といっても、「結局は同じカワセミっていう種なんでしょ」と言われれば、そうかもしれません。しかし、たとえば文献[1]を見ていると、日本で繁殖しているカワセミの亜種[*4]よりもヨーロッパで繁殖している亜種の方が体重が重いように感じられますし、青みも強いように感じられます(口絵15)。また、インドやスリランカ、スンダ列島に生息する亜種は、日本に生息しているカワセミと体の大きさは同程度ですが、羽の色は緑よりも青が勝っているそうですし(口絵16)、ソロモン諸島などに生息する亜種は、深みのある青い羽毛をもち、日本のカワセミでは橙色をしている目の前後の羽毛も瑠璃色になっています。分布する地域によってそれだけ色味が違っていると、現地で出会ったとき、日本で見るカワセミと同種だとは、すぐにわからないかもしれませんね。

＊3 亜種　日本に生息する亜種は、その学名を *Alcedo atthis bengalensis* といい、日本を含めインド中央部から東南アジア、中国の南部および東部からシベリア南東部、モンゴル東部などに分布している。また、学名とは、国際的な分類学の基準に従って命名された、生物、または生物群に対し付与される名称のことで、基本的には属名と小種名で構成される。カワセミの場合は *Alcedo* が属名、*atthis* が小種名となる。*bengalensis* は亜種名を示しており、亜種まで区別して記載する場合に用いられる。学名は斜字体で表記される。

このように、亜種とは、基本的には同種であるけれども、地域の気候や生息環境の違いによって、色や形などの特徴が異なる場合に用いられる分類区分です。亜種の多さは種によってさまざまです。

日本で見られる（見られた）カワセミの仲間

日本でこれまでに確認されているカワセミの仲間は8種います。[9] 国内で比較的よく見られるカワセミ、ヤマセミ（口絵17、18）、アカショウビン（口絵22）の3種に加え、旅鳥として日本を通過していくヤマショウビン、八重山諸島などで1990年代に記録があるアオショウビン、琉球諸島などでまれに観察されるナンヨウショウビン、2006年に沖縄島で観察されたミツユビカワセミ[10]（口絵24）、そして1887年に1体の標本が採取されたのみで、すでに地球上からいなくなってしまった絶滅種とされているミヤコショウビン（口絵25）です。

先ほどカワセミがカワセミ亜科、と表記されることをお話ししましたが、カワセミ科にはカワセミ亜科以外にヤマセミ亜科とショウビン亜科が含まれています。ヤマセミとアカショウビンはそれぞれヤマセミ亜科、ショウビン亜科に分類されています。

＊4 カワセミの亜種　ヨーロッパに生息するカワセミには、*Alcedo atthis atthis* と *Alcedo atthis ispida* の２亜種がある。前者はアフリカ北西部やスペイン東部および南部からブルガリア東部、アフガニスタンやインド北西部、またシベリア北部から中部、中国北西部などに分布している。後者はノルウェー南部、イギリス、南部や東部を除くスペインからロシア西部やルーマニアなどに分布している。

ちなみに、北海道で見られるエゾヤマセミ（口絵21）はヤマセミの亜種、沖縄県で見られるリュウキュウアカショウビン（口絵23）はアカショウビンの亜種です。

ヤマセミ（口絵17、18）はカワセミのような愛らしさもありますが、身体が大きく、精悍な印象のある鳥です（もちろん印象には個人差があります）。青や緑を基調としたカワセミに対し、ヤマセミは白と黒のかのこ模様が主体で、渋めの色合いです。頭上から後頭まで長さも色味も異なる羽で構成された冠羽があり、羽が立っているときは少しぼさぼさに見えます。腹部は白く、オスは胸に、メスは翼の内側に橙色が入ります。体長は38～43㎝、体重は230～305gで[11,12]、公園で見かけるドバト（**図1‐2**）くらいの大きさです。体長はカワセミの約2・5倍、体重は約9倍ですから、カワセミよりもだいぶ大きいですね。

カワセミやヤマセミと見た目が似ているようでも、食物や生息場所が異なっているのがアカショウビン（口絵22）です。アカショウビンは声が特徴的ですが、普段薄暗い森の中にいることが多く、火の鳥とも呼ばれる所以のその赤い姿を見ることは簡単ではありません。体長は25～27㎝、体重は73～80gで[13]、カワセミとヤマセミの中間的な大きさですね（**図1‐8**）。子育ての場所は、木の洞を利用するか、朽木に穴を直接掘って巣とします。茅葺屋根の茅葺部分に巣をつくったという記録もあります[14]。食物として魚類もとりますが、水辺のカエル類や陸生昆虫類などを積極的に食べるようです。

また、アカショウビンは他の2種と違って、初夏に東南アジアから日本全国に渡ってきて子育てをし、秋にまた南へ戻っていく渡り鳥です。これに対し、カワセミとヤマセミは1年中同じ場所で生活する留鳥とされています（ただし、北海道のカワセミは春に渡ってきて繁殖をし、寒い時期には南に移動する渡り鳥です[9]）。アカショウビンの亜種であるリュウキュウアカショウビンは、名前にリュウキュウが入っているだけあって、基本的にはトカラ列島や琉球諸島、奄美諸島に渡ってきますが、２００６年５月には本来の生息地よりもだいぶ北に位置する鳥取大学の構内で、成鳥の新鮮な死体が発見された記録があります[15]。

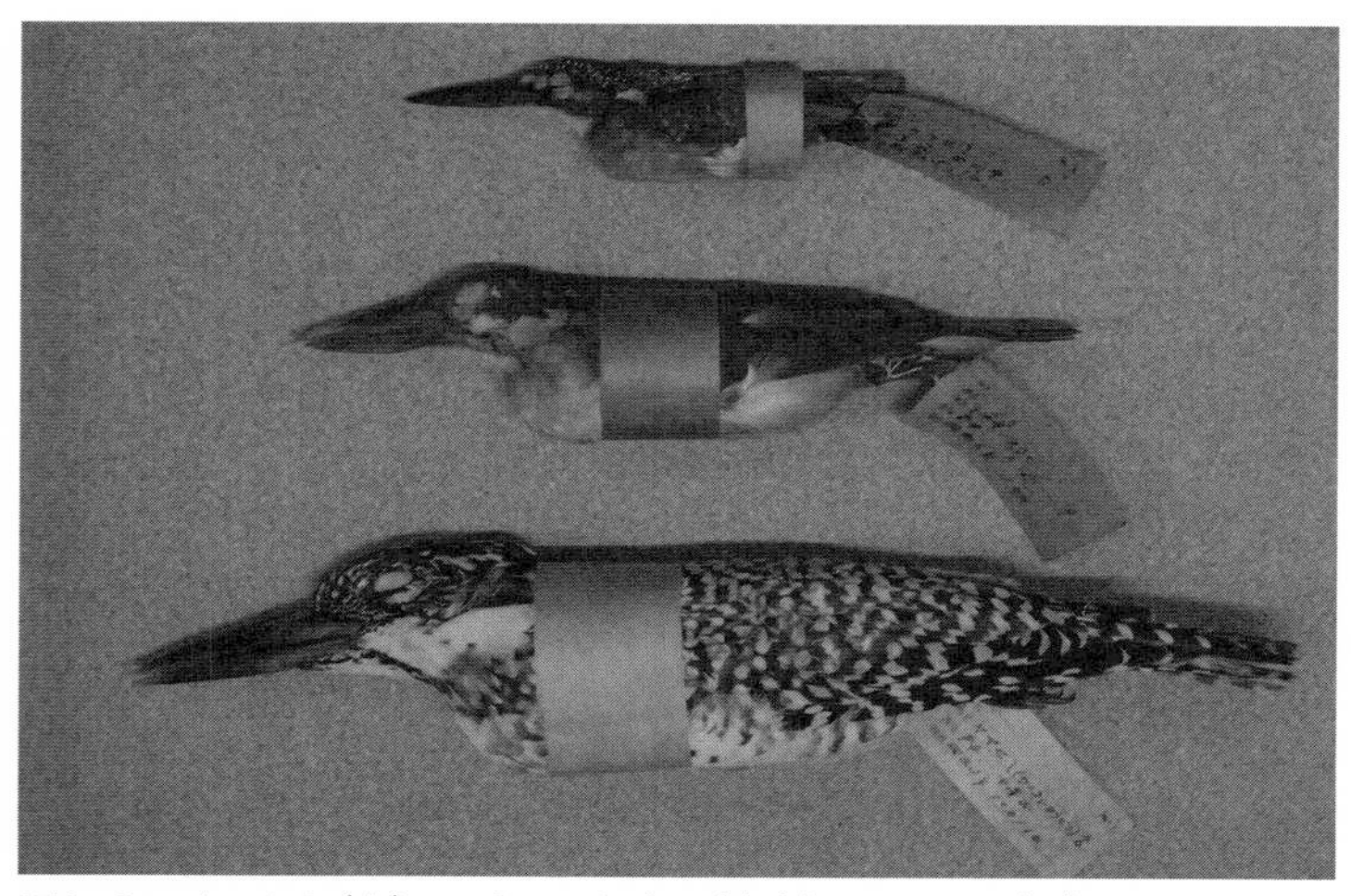

図1-8　カワセミ（上）、アカショウビン（中央）、ヤマセミ（下）の大きさ比較
信州大学理学部自然科学館所蔵。（撮影：著者）

世界に分布するカワセミの仲間

ここまで、日本で見られるカワセミやその仲間についてお話ししてきましたが、カワセミの仲間は世界にも広く分布しています。国際鳥学会が発表している2022年時点の世界の鳥リスト[8]には、カワセミ科の鳥が116種掲載されています。このなかで最もたくさんの種を含んでいるのが、アカショウビンも含まれるショウビン亜科です。カワセミが含まれるカワセミ亜科は35種、ヤマセミが含まれるヤマセミ亜科には9種がいますが、ショウビン亜科にはなんと72種が含まれます。たくさんの種が含まれているだけあって、姿かたちも種によってかなりさまざまです。この3つを「カワセミ3亜科」と呼びます。それぞれについてお話ししていきましょう。

カワセミ亜科

カワセミ亜科のカワセミたちは大きさや色はさまざまですが、目で見てパッと感じるような形態的違いはあまりありません。ただ、じっくり見る機会を得られれば、ミツユビカワセミ（口絵24）の仲間は、その名の通り少しだけ違う体の特徴をもっていることに気がつきます。それはかれらの足の指の本数です。通常カワセミ類のほとんどは前に3本、後ろに1本で合計4本の指をもっていますが、ミツユビカワセミ類の指は前に2本、後ろに1本の計3本です[16]（図1-9）。そこからミツユビカワセミという名前がついたのでしょう。

カワセミ亜科にもかかわらず、ショウビンと名のつくヒメショウビンの仲間は、カワセミの仲間のなかでも特に小さな種です。ヒメショウビンは、南半球に位置するアフリカのサハラ砂漠以南の湿地周辺や川沿いの森林に生息しており、その体長は12cm、体重は9〜16gです。スズメ（図1-1）よりも小さなカワセミ類ですが、南アフリカやジンバブエなどに生息するヒメショウビンたちは、冬になると2500km離れたウガンダやスーダン南部まで北上するそうです[17]。また、アフリカ中央西部に生息するヒメショウビンの仲間のコビトカワセミは、世界でも最小とされるカワセミ類です。体長は10cm、体重は9〜12gしかありません[18]。官製はがきの短辺に収まってしまう、本当に小さなカワセミです。

カワセミ亜科の種の多くは熱帯地域に生息しており、生息地域が限られている種も少なくありません。そのなかにあって、日本でも見られるカワセミの生息範囲の広さ

図1-9　ミツユビカワセミ（左）とカワセミ（右）
カワセミの足指は4本（前3本、後1本）だが（**図1-6**参照）、ミツユビカワセミはその名の通り足指が3本（前2本、後1本）である。（イラスト：井川 洋氏）

はカワセミ3亜科のなかでも特徴的です。カワセミはヨーロッパやユーラシアなどに広く分布しており、世界のカワセミ類のなかでも北の地域まで生息している種といえます。

ヤマセミ亜科

カワセミ以外で比較的緯度の高い北の地域まで分布しているのは、ヤマセミ亜科のアメリカヤマセミくらいかもしれません。この種は、北はカナダから南はメキシコ、コスタリカ周辺まで広く生息し、季節によって北から南、そしてまた北へと移動しながら生活しています[19]。また、同じくヤマセミ亜科のヒメヤマセミ（口絵26）は、アフリカ中南部や中東、またインドから中国南部などのアジア地域まで分布しており、カワセミほどではありませんが、生息範囲が広い種です[20]。

ヤマセミ亜科は、カワセミ科のなかで最も種数が少ない亜科です。ヤマセミ亜科のうち、複数の地域に分布するヒメヤマセミを除くと、ミドリヤマセミの仲間すべてとヤマセミの仲間1種の計5種が中～南アメリカ大陸に、またヤマセミの仲間が1種ずつ、北～中アメリカ大陸、東アジア、アフリカ大陸に分布しており、全体として生息範囲は限られています。

ミドリヤマセミ[21]（口絵27）の仲間は、日本のヤマセミとはだいぶ色が違っています。頭や背中は落ち着いた深い緑色ながら、艶やかで美しい金属光沢があります。北米に生息するアメリカヤマセミは灰色の渋い羽色をしていますし、アフリカなどに生息するヒメヤマセミ、オオヤマセミの羽色は日本のヤマセミと同じように白と黒を基調としています。興味深いことに、ヤマセミ亜科の鳥たちには、カワセミの特徴的な色である青を強く感じる種はいません。ヒメヤマセミを除いては、渋めの色をした翼や背中とは対照的に、お腹や脇には鮮やかな橙色が入ります。このお腹や脇の羽毛の色で雌雄を見分けられるのも、ヤマセミ亜科の特徴です。最初にお話しした通り、日本で見られるカワセミは、メスは下くちばしが朱いことで雌雄を見分けることができますが、羽毛の色はよく似ています。それ以外のカワセミ亜科の鳥たちも、多くは雌雄で羽毛の色が似ており、羽毛で雌雄が見分けられる種はごく一部です。たとえばフィリピンに生息するアオオビカワセミやマレーシアなどに生息するアオムネカワセミは、腹の羽毛の模様や色が、雌雄で違っています[7]。

ヤマセミ亜科に話を戻しましょう。オオヤマセミは、ショウビン亜科のワライカワセミ（体長42cm、体重465g[22]、口絵28）と並んで、カワセミ科のなかで最も大きいとされる鳥で、最大で46cm、426gが記録されています[23]。一方で、小さいヤマセミもいます。中~南アメリカ北部に生息するコミドリヤマセミは、日本のカワセミよりも小さく、全長は13㎝、重さは16gほどしかありません。[24] さまざまな大きさの種を含むヤマセミ亜科の鳥たちですが、共通点として、大なり小なり冠羽をもっています。また、主食は魚類ですが、水辺にいる甲殻類や両生類、爬虫類なども捕食します。

興味深いことに、ヤマセミ亜科の種は、ほかの2つのカワセミ亜科の種が多く生息する東南アジア周辺の島々には分布していません。この理由として挙げられているのが遺伝子[*5]の解析からわかってきたヤマセミ亜科の進化の道筋です。ヤマセミ亜科の祖先は530万~2300万年前の中新世[*6]の後期、もしくはその後の鮮新世の中期頃にアジアからアメリカ大陸に分布が広がったといわれています。[25,26] そのうちの一部がアフリカや再びアジアに移動し、アフリカに分布するオオヤマセミや日本にも分布するヤマセミの祖先となったのではないか、と推定されています。ヤマセミ亜科の祖先分布については、北半球の東アジアからユーラシア大陸、北アフリカを含む広大な地域（動物地理区[*7]でいう旧北区）、もしくはインド半島、東南アジア、東アジアの一部を含む範囲（生物地理区でいう東洋区）であり、中新世中期頃に多様化し、その後にアフリカやアメリカに分布を広げていった、という研究もあります。同じ研究のなかでは、ショウビン亜科も同様の時期に多様化しながら現在の分布域全体に分布を広げていっ

＊5 遺伝子　親から子に伝えられ，親と同じ形質を子に発現させる物質の総称。生物の設計図とも言われる。
＊6 中新世　生物の化石などの記録から、その存続期間を基に区分された地質年代の1つ。新第三紀を二分割したうちの前半の地質年代で、約530～2300万年前にあたる。後半は鮮新世と呼ばれ、260万年前までの期間とされる。

たことや、カワセミ亜科の多様化は他の2亜科よりも遅く、中新世後期かそれ以降であったことなども推定されています。

ヤマセミ亜科の進化を見たとき、この亜科のなかでも不思議な位置にいるのがヒメヤマセミです。ヒメヤマセミは、複数の亜種がアフリカやアジアなどに分布しており、この生息域や羽の色からすれば、ヤマセミ亜科のなかでもヤマセミの仲間に近いように思われます。しかし、遺伝子解析の結果から、ヒメヤマセミはヤマセミというよりは中〜南アメリカに分布するミドリヤマセミの仲間だとされています。またヒメヤマセミはカワセミ科のなかで、唯一集団で繁殖する種でもあります。

ショウビン亜科

たくさんの種を含むショウビン亜科には、ニューギニア島やその周辺の島々に生息するラケットカワセミの仲間など、不思議な姿をしている種がいます。ラケットカワセミの仲間は中央尾羽の2本が飛びぬけて長く伸びているのが特徴です。通常の尾羽は7〜12cmですが、中央尾羽だけ20cm近くあります[27]。たとえば、シラオラケットカワセミ（口絵29）は、中央以外の尾羽は青く5〜7cmですが、白い中央尾羽だけさらに7〜18cm長く、先端まですっと伸びています。また、先端に卓球やテニスのラケッ

＊7 動物地理区　生物相の特徴に基づいた地理区分を生物地理区といい、たとえば植物相で区分した植物区系や動物相で区分した動物地理区がある。動物地理区には大きく分けて旧北区、新北区、エチオピア区、東洋区、新熱帯区、オーストラリア区の6つがある（**図1-12** 参照）。

トのような丸い部分がついているアオムネラケットカワセミ[7]などもいます。オーストラリア東部に生息し、独特の鳴き声が大声で笑っているように聞こえるワライカワセミもショウビン亜科に含まれます。ショウビン亜科には、雌雄で羽の色がよく似た種もいれば、背の色や腰の色など羽色が違う種もいます。この亜科の鳥たちは、日本にいるアカショウビン同様、魚以外にも昆虫類や爬虫類を捕食し、また大きい種では小型哺乳類や他の鳥類のヒナまで、さまざまな生物を食物とします。地上で採食するショウビン亜科の種は、魚食性の種よりも相対的に短く幅広のくちばしをしており、土を掘り返してミミズなどを食べるハシブトカワセミ[28]などはそのよい例です。

ショウビン亜科のカワセミたちは、アジアに生息している種もいますが、多くが赤道周辺や南半球の熱帯地域の島々に生息しています。種ごとの生息範囲を見

図1-10 マンガイア島の位置

南太平洋に浮かぶマンガイア島は、ニュージーランド領クック諸島（南クック諸島）の1つ。

ると、コウハシショウビン[29]のようにインドから中国南部、東南アジアまで広く生息している種もありますが、多くのショウビン亜科のカワセミ種の生息域は限られており、極端な例では、マンガイアショウビンのようにクック諸島のマンガイア島（**図1-10**）にしか生息していない種もいます。

カワセミの進化

ここまで、カワセミ3亜科の特徴などについてお話ししてきましたが、少し進化的な視点からこの3亜科を眺めてみたいと思います。さきほどのヤマセミ亜科の紹介の部分でさらっと「進化」という言葉を使いましたが、そもそも進化とは何でしょうか。これに正確な答えを返すことは難しいかもしれませんが、生物が世代を経るにつれて、周囲の変化やそれ自身の内部変化からもとの種や属などのグループとの違いを蓄積していき、多様な種や新たなグループとなること、と言えるかもしません。つまり、カワセミやヤマセミ、アカショウビンという種のもともとの祖先は同じカワセミ科というグループ（さらにたどればブッポウソウ目というグループ）ですが、それが長い時間をかけた変化のなかで段階を踏みながら、カワセミ科のなかでカワセミ亜科やヤマセミ亜科などに分かれ、最終的にそれぞれの種になった、ということです。そうすると、カワセミ科のなかで、最初に分化した亜科は、最も祖先グループに近い亜科といえます。また、後から分化した亜科同士は、分化するまで一緒のグループだった時間が長いぶん、互いに近い関係ということになります。

先にお話ししたカワセミ、ヤマセミ、アカショウビンの採食方法や食物内容を考えると、魚を主食とし、水に飛び込んで採食するカワセミとヤマセミの方が近く、水中の魚だけでなくカエルや陸上にいる昆虫やカタツムリなどもとらえるアカショウビンはちょっと遠い関係に感じないでしょうか。実際、少し前までは、ショウビン亜科の食物の利用性の広さなどから、祖先に近いのはこの亜科で、より魚に特化した他の2亜科は後から分化したのだろうと考えられていました。しかし、遺伝子解析が行われるようになって、どうもそうではないことがわかってきたのです。

遺伝子解析を伴う研究は1990年代から複数あり、ヤマセミ亜科が先に分化したという説やカワセミ亜科が先に分化したという説などが提唱されてきました[25,30]。2018年に発表された遺伝子解析の結果[26]からは、やはりカワセミ亜科がカワセミ3亜科のなかでより祖先種に近く、今から2300万~3400万年前の漸新世[*8]に先に分化し、その後、漸新世後期にはショウビン亜科とヤマセミ亜科も分化して、中新世

＊8 漸新世　先にでてきた中新世などと同じく地質年代の1つ。恐竜が絶滅したのが6500～6600万年前の中生代白亜紀末であり、その後、古第三紀となった。古第三紀は暁新世、始新世、漸新世に三分割され、漸新世は後半の約2300万～3400万年前にあたる。日本はその頃まだユーラシア大陸の一部であり、火山活動の活発化などで、これから日本海が形成されるかという頃だった。

中期までに多様化したとされています。つまり、ヤマセミとアカショウビンが近く、カワセミは少し遠い関係にある、ということになります（図1-11）。

最初にこの説が研究者によって提唱された当時は、これまでの考えと異なる結果に懐疑的な意見もあったようですが、現在はカワセミ亜科が祖先に近いという説が受け入れられています。また、カワセミ科そのものの起源については、フィリピン諸島からニューギニア島までの島々を含む範囲（植物相の特徴から、この地域は「旧熱帯植物区系界のマレシア植物区系区」とも呼ばれます）を起源とする説[31]や、動物地理区でいう東洋区を起源とする説[26]などが提唱されており（図1-12）、後者の説では、現在見られるカワセミ科の祖先は、漸新世の頃には東洋区に分布していたのではないか、と推測されています。

遺伝子解析以外にも、カワセミ科の祖先の起源は化石を使って議論されてきました[32]。化石は、その当時生きていた生き物の遺骸が、その時代の砂や泥に埋もれ、はる

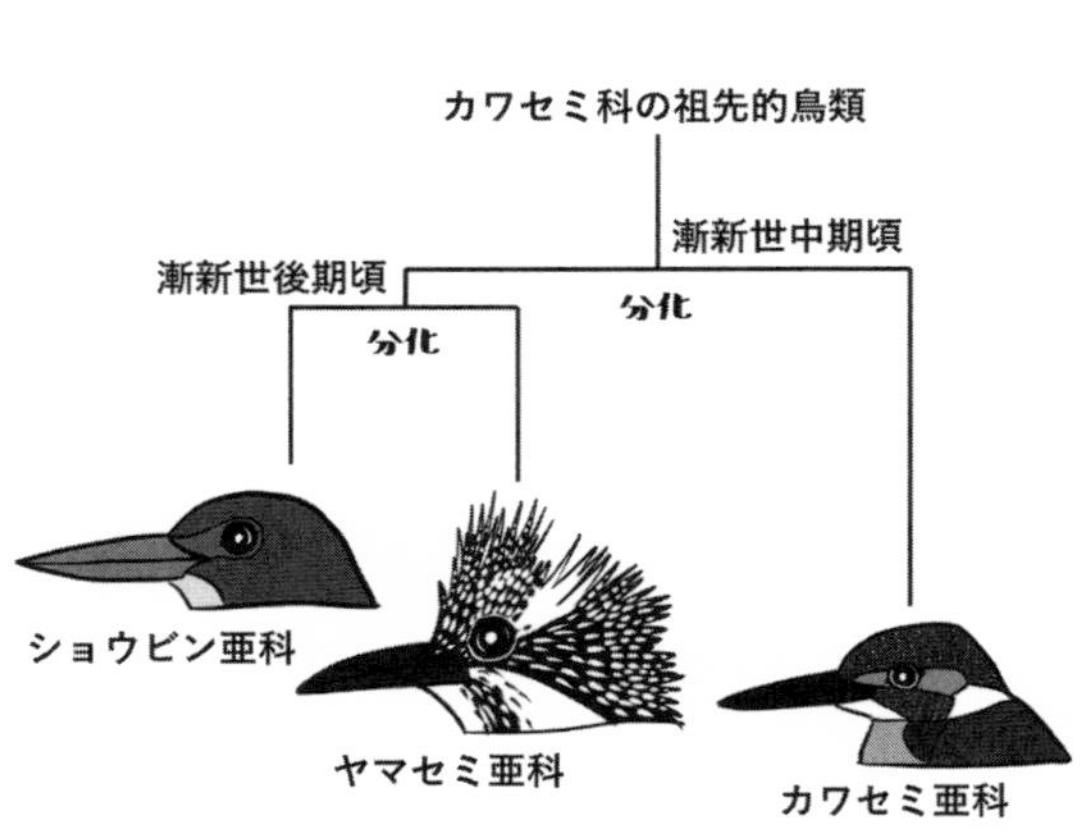

図1-11　近年の遺伝子解析から推定された
カワセミ科3亜科の分化の順番と時期
（文献26をもとに作成。イラスト：井川 洋氏）

か長い時間をかけて地層が堆積していくなかで、そこに残されたものです。つまり、生き物の祖先がどこにいたのかを推測するうえで重要な、過去に存在していたという証拠になるわけです。動物の骨や植物の葉、花粉、また足跡など、地層はさまざまな情報を化石として閉じ込めています。私たちは化石を通して、はるか昔には今では想像もつかないような生き物が、たとえば恐竜や三葉虫がいたことを知ることができますし、花粉の化石から、それらが地球上に生息していた時代の気候についても推測できるのです。

とはいえ、実はカワセミ科の仲間の化石はほとんど見つかっていないよう

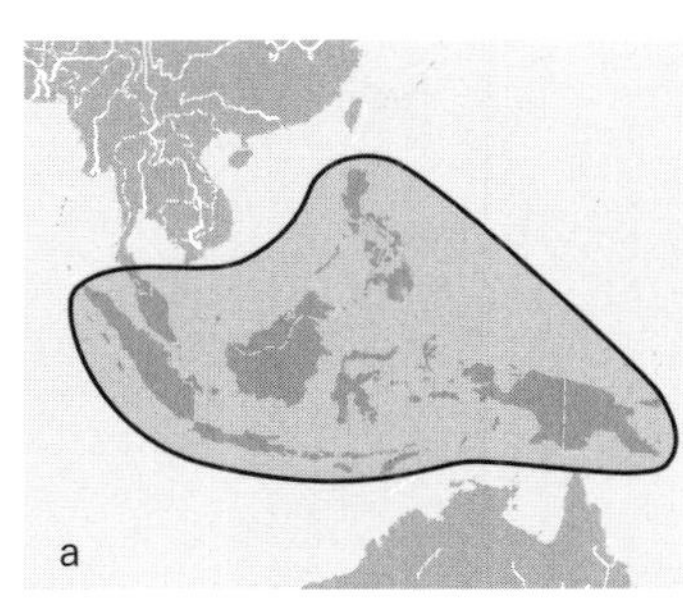

図1-12　マレシア植物区系区（a）と東洋区（b）

植物の分布（植物相）と動物の分布（動物相）の特徴から分類される地域区分をそれぞれ植物区系、動物地理区という。どちらもおおまかに6つの地域に分類されている。

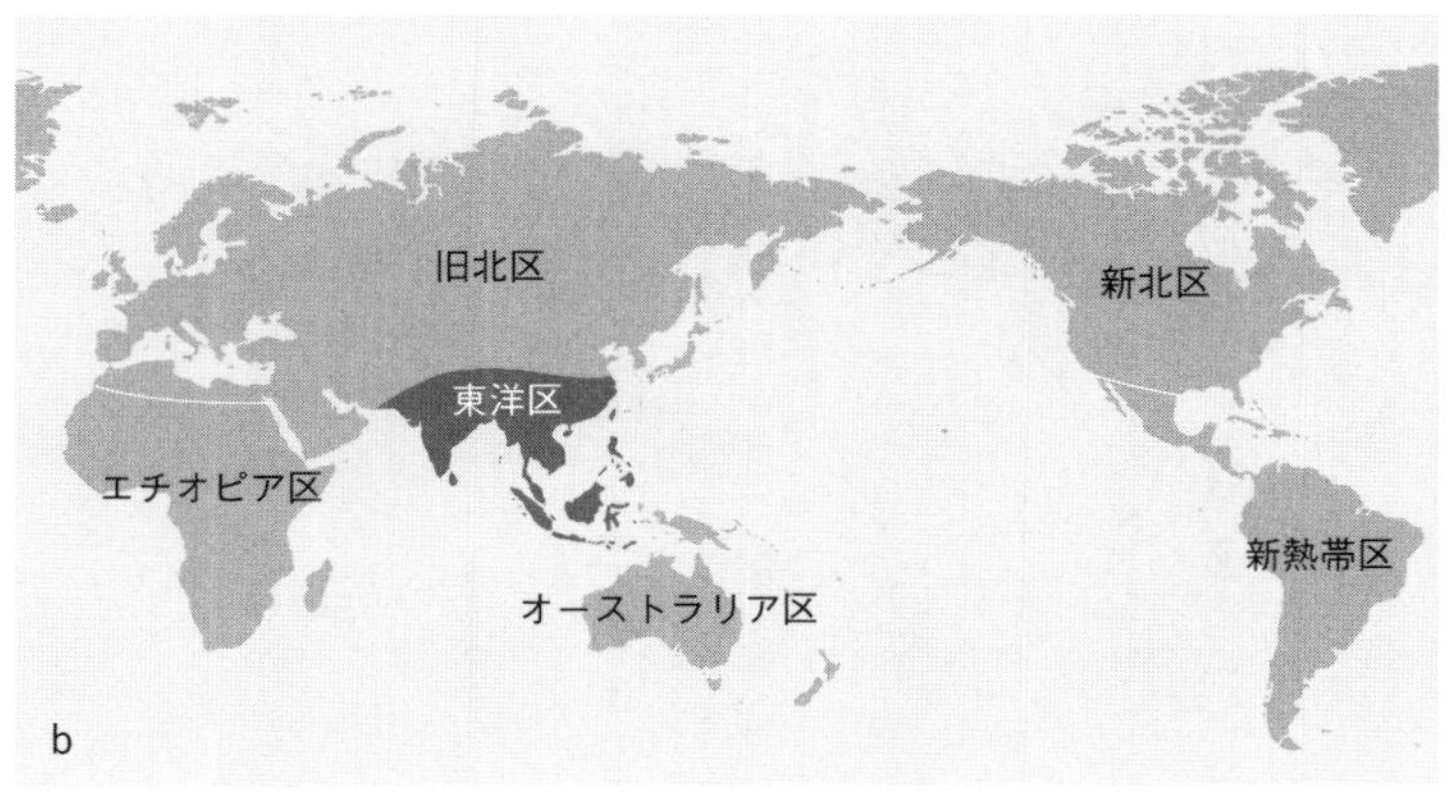

です。わずかな化石から、カワセミ科が含まれるブッポウソウ目は今から６０００万年前の古第三紀初頭には、北アメリカやヨーロッパで樹上を利用する鳥として優占していたのではないかと推測されています。アメリカのワイオミング州やドイツで見つかったカワセミ科に近い鳥類の化石は、今から３４００万～５６００万年ほど前の古第三紀の始新世初期の地層からのものでした。また、フランスやスイスでも、漸新世の地層から同様の化石が見つかっています。オーストラリア[33]やアフリカのケニア[34]では、カワセミ科と思われる鳥類の化石が、もっと最近の、５３０万～２３００万年前の中新世の地層から見つかっています。１００万年前までの地層からは、現在生息している種と区別が難しいようなカワセミの仲間の化石が、世界中で見つかっており、その頃にはすでにカワセミ科の鳥の種や個体数が豊富になっていたことがうかがえます。

遺骸は、死んだ後に運ばれたり流されたりすることもあり、化石が見つかった場所に実際生息していたかまでは不明確な部分もありますが、たとえば、オーストラリアからはワライカワセミやコシアカショウビン、ニューカレドニアからはヒジリショウビン、イスラエルからはオオヤマセミ、北アメリカからはアメリカヤマセミ、ブラジルからはオオミドリヤマセミ、そして、イギリスやヨーロッパからはカワセミ科の化石が報告されています。

人もそうですが、現在見られるカワセミやその仲間の背景には、はるか長い時間のなかで進化や分化をたどってきた道筋があります。日本にいる亜種がどうやって日本に到達して、現在の姿になったのかを想像してみるのも楽しいかもしれません。

次章ではカワセミに話を戻して、巣づくりや子育てについてお話ししたいと思います。

カワセミの色や形
～発色や形態、バイオミメティクス～

山階鳥類研究所　森本　元

カワセミはバードウォッチャーだけでなく、多くの人々に人気の鳥です。たとえば環境問題関係のポスターなどにて、美しい水辺で撮られたカワセミの写真が使われることもあるでしょうし、企業や行政のロゴや商品のパッケージなどで精緻なイラストだけでなく「ゆるキャラ」化されているケースも目にします。このように、カワセミが多くの人々に愛されているのは、水辺にすむことからくるクリーンなイメージもさることながら、クリっとした眼や大きなくちばし、短足でずんぐりしたかわいらしい特徴的なシルエットが印象に残るためかもしれません。さらには、翡翠色とも呼ばれるキラキラしたあの美しい青色が、人々を惹きつけるのだと思います。そしてこの翡翠色は「構造色」による発色です。

構造色とは、色素によらずに物理的な構造によって発色した色を指します。構造色と対比する言葉は「色素色」です。構造色を理解するために、まず色素色を説明します。皆さんが今読んでいる本書のカラーページ（口絵p.2－14）は色素色によるものです。光源である太陽や室内灯の光に含まれる光の波長のうち、色素が一部を吸収し、吸収されなかった波長の光が私たちの眼に届いて色として認識されます。これに対し、フワフワしたシャボン玉が虹色にキラキラして見えるのは、色素によるものではありません、構造色による発色です。シャボン玉の材料であるシャボン液（石鹸水）は皆さんがご存知の通り、透明な液体で色がついていませんね。これをフーッと吹いて膨らませると、薄い膜でできたシャボン玉をつくれますが、シャボン玉には色があります。つまり、透明な液体が形を変えただけで色が生み出されているのです。これは、薄い膜内の光の屈折によって生じた光の波長同士の干渉（薄膜干渉という光学現象）によって、特定の光成分が強まって発色が起こっています。ほかにも身近な例を挙げると、光の散乱で生じている夕焼けの赤色や青空の青色も構造色です。

カワセミの美しい青色もこうした構造色の一種です。カワセミの羽毛の内部を調べてみると、網目状の泡のような部分があります（**図1**、**図2**）。羽毛内のこの部分は「スポンジ層」と呼ばれる構造体です。このスポンジ層は一見するとランダムな網目状構造に思えますが、実は周期的なパターン構造（近距離秩序のある構造）が隠されています。この微細構造の繰り返し的なパターンによって、特定の長さの光波長（青色の光）を強める働きが起こり、カワセミはあの美しい青色に見えているのです。

　ところで、カワセミは「バイオミメティクス」の分野でも有名です。バイオミメティクスとは、生き物の形や機能に学び、人の生活に活かす学問分野です。たとえば、水をはじくハスの葉の表面構造を真似てつくられたヨーグルトの内ブタなどが有名です。このフタは内側にヨーグルトがくっつかず便利で、まさに生物に学んだ研究成果と言えます。構造色もバイオミメティ

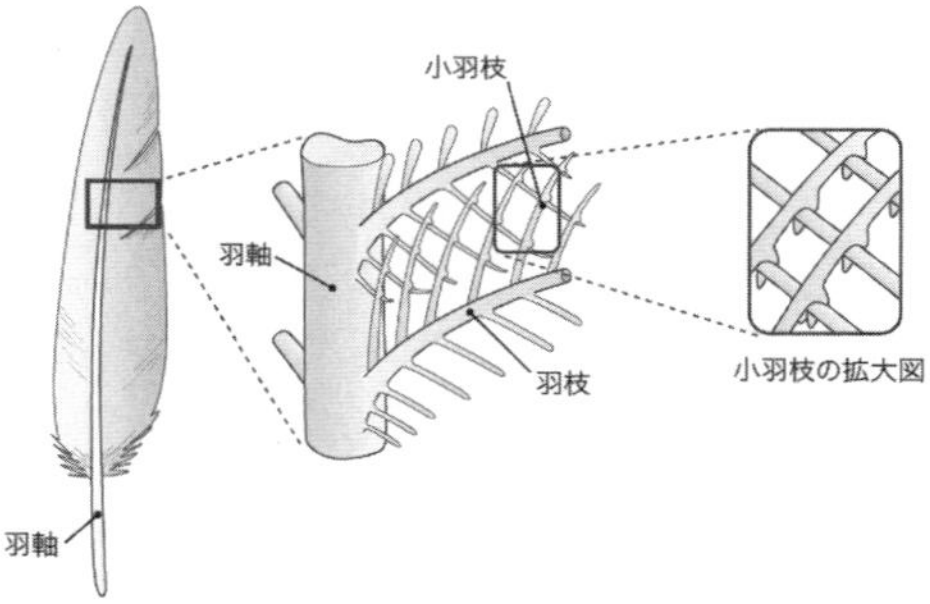

小羽枝
羽軸
羽枝
小羽枝の拡大図
羽軸

図１　鳥の羽の構造
羽枝や小羽枝といった繊維状の構造で構成されている。

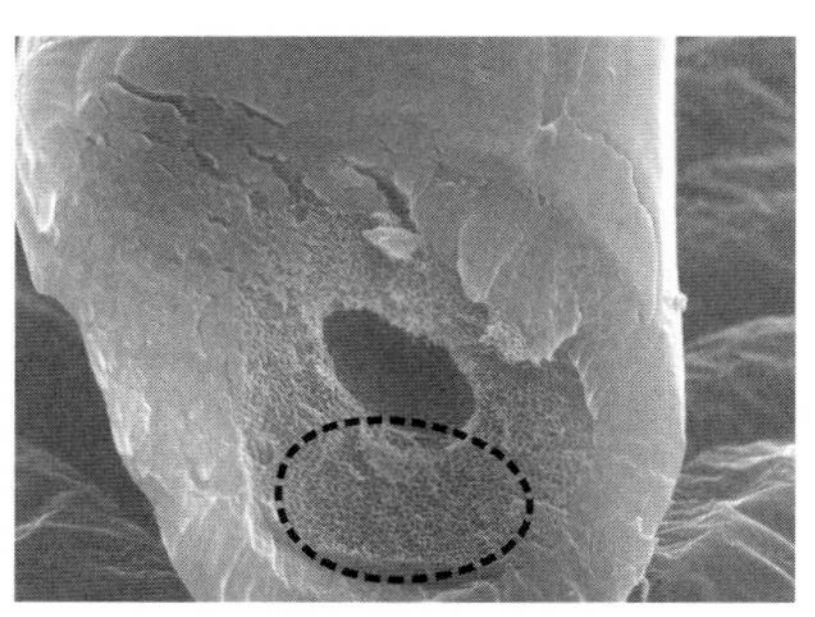

図２　カワセミの羽毛内部構造の電子顕微鏡写真
羽毛の繊維構造（羽枝）の断面。網目状に見える（◌部分）のがスポンジ層と呼ばれる部位。

クス研究がいくつもあり、カワセミではないですが、他の鳥の構造色を参考につくられた塗料材料なども開発されています。カワセミの最も有名なバイオミメティクス事例は５００系新幹線です。高速で走行する新幹線の先頭車両は、空気抵抗を減らすためにデザインされた流線型をしていますが、５００系の形状は水に勢いよく飛び込むカワセミの姿からヒントを得たことが知られています（**図3**、**図4**）。

このようにカワセミは、生態分野や環境分野の研究だけでなく、発色の研究やバイオミメティクスなどさまざまな分野において注目されている人気者と言えるでしょう。

図3　流線型であるカワセミの頭部形状

図4　500系新幹線（右）の先頭車両（左は300系）

第2章 カワセミの繁殖

つがい（夫婦）で協力、繁殖の季節

冬の寒さがゆるむと鳥たちのさえずりも盛んになり、繁殖の季節がきます。厳しい冬の間、雌雄それぞれで形成していたカワセミのなわばりも、2〜3月に解消され始めます。オスがメスのなわばりに入り込み、断続的に鳴いて、メスに自分の存在をアピールします。[3] 最初はメスに侵入者として追い払われますし、オスもメスに対して攻撃的な姿勢を見せることもあるようです。しかし、互いの鳴き声も賑やかに、木の上から水面まで縦横無尽にすばやく飛びまわる追いかけっこを何度も繰り返すうちに、メスがオスを受け入れると、つがいが形成されます。

イギリスなどでは前年の夏につがいを形成していたオスとメスがそのまま冬を越す場合、冬のなわばりは、前年に繁殖をした場所の周辺に形成され、雌雄でなわばりが隣り合う例が観察されています。[35] その場合でも、春のつがい形成の際には、メスとオスの追いかけっこから始まります。つがいが形成されると、オスからメスに魚をプレゼントする求愛給餌（口絵11）などが見られるようになります。

カワセミは基本的に一夫一妻で、つがい形成後の4〜5月には雌雄の協力のもと数日〜1週間（巣をつくる場所に問題があって、つくり直せばそれ以上）をかけて巣がつくられ、交尾などが行われます。それから卵を産み、最後の卵を産んだ日から、オスとメスで交代しながら、卵が孵化するまで約20日間、卵を腹の下に抱えて献身的に温めます（これを抱卵と言います）。ヒナがかえればやはりオスとメスが協力してせっせと魚を運んで食べさせ、約22～27日間かけて巣内で育て、巣立ち後もヒナが独り立ちするまで世話をします（家族期は、観察が難しいことから明確な期間は不明ですが、海外の図鑑[3)]では数日との記述がありました。私自身の観察ではもう少し長い印象ですが……）。この一連の流れにはおおよそ2カ月かかります。たとえば4月下旬に巣づくりを開始して5月初旬に産卵したとすれば、5月下旬にヒナが孵化し、6月中旬から下旬頃にヒナが巣立つことになります。

さて、鳥の子育てといえば、木の枝や草で編まれた巣の中で、首を伸ばしたヒナが口を開けて大きな声で鳴き、翼をバタバタさせながら食物をねだっている姿や、木の洞の中から外の様子を窺うあどけない姿などが思い浮かぶかもしれません。時期がくると、市街地に立つ電柱の金具の隙間からスズメが顔を出したり、軒先につくられた土の巣でツバメのヒナ（**図2-1**）が元気よく鳴い

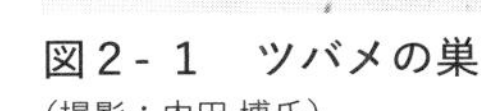

図2-1　ツバメの巣
（撮影：内田 博氏）

ていたり、街路樹や電柱につくられたカラスたちの巣（**図2-2**）が注目されたりと、鳥の巣を目にする身近な機会は案外あるものです。

では、カワセミの巣はどこにあるのでしょうか。

調査地は千曲川の中流域

私が本書でお話しするカワセミの生態は、図鑑や学術論文から調べた結果もありますが、主に長野県を流れる千曲川（ちくまがわ）で私が行ってきた調査結果に基づいています。そこで、カワセミの巣や繁殖の話に入る前に、千曲川についてお話しします。

千曲川は日本で最も長い川です。「一番長いのは信濃川でしょ」と思ったあなた、素晴らしい。正解です。ですが、千曲川も一番なのです。千曲川と信濃川は同じ河川の別名なのです。どこかで本流と合流する支流ではなく、本流として同じです。つまり、長野県、埼玉県、山梨県の境に位置する甲武信ヶ岳（こぶしがたけ）を源流として長野県を流れる間は千曲川、新潟に入って萬代橋（ばんだいばし）を抜けて日本海に流れ出るまでを信濃川と呼ぶので

図2-2　電柱につくられたハシボソガラスの巣

（撮影：松原 始氏）

す。千曲川は信濃川の上流域にあたる部分の名称です（**図2-3**）。

千曲川から信濃川に名前をかえて日本海に流れ出るまでの総流路延長[*1]は367kmで、日本第2位である利根川の322kmよりも45km長い河川です。長野県内での千曲川区間は214kmですが、これだけでも、日本第10位の長さである天竜川（源流は長野県の諏訪湖）の総延長213kmより若干長いのです。

千曲川は中流域になると川幅[*2]が広がり、堤防と堤防の距離が1kmを超える場所もあります。流れる水の量も多い河川ですが、それにもかかわらず本流の上流に大きいダムがほぼありません。これは珍しいことです。たとえば関東では、流域面積[*3]国内第1位を誇る利根川の上流には9

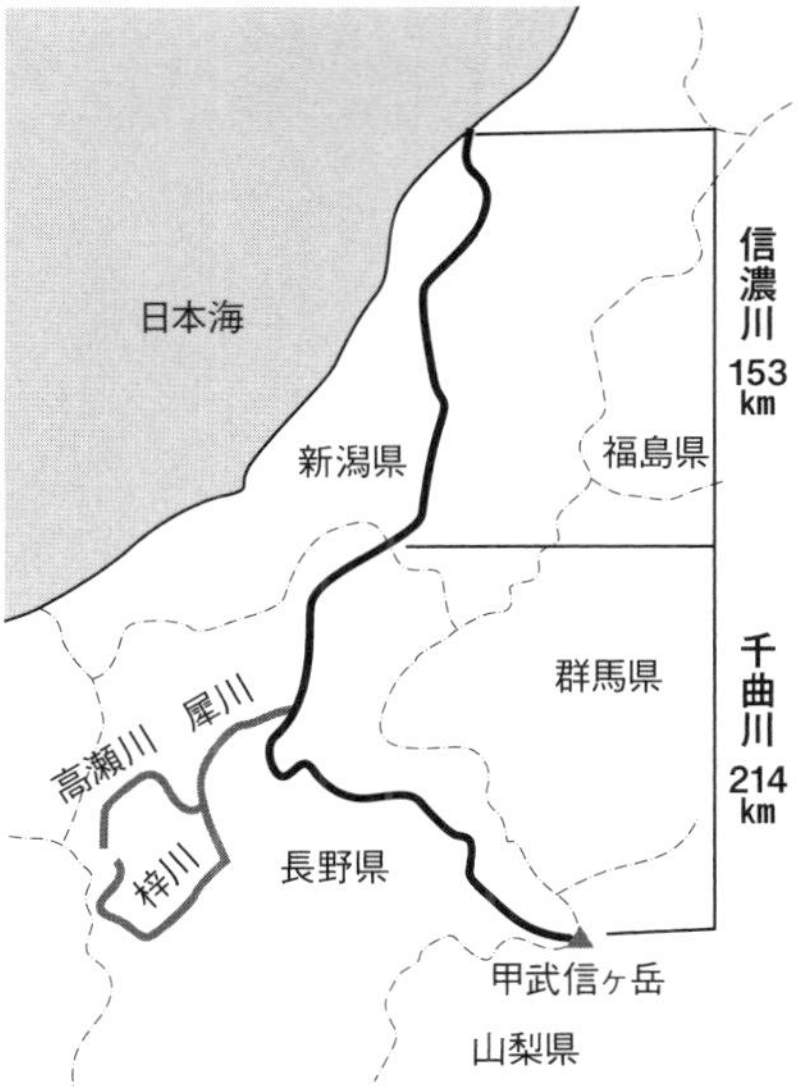

図2-3　千曲川の位置図
筆者の調査地は、千曲川が「くの字」に曲がったあたりで、中流域にあたる。

＊1 総流路延長　幹川流路延長ともいう。河口から水源もしくは流域の境目である分水界までの流路の長さ。
＊2 川幅　一方の堤防から、対岸の堤防までの幅を川幅という。そのなかには水が流れている低水路と、そこから高い場所にある陸地部分の河川敷が含まれ、河川敷が農地になっていても川の一部とみなされる。千曲川の広い河川敷が広がる地域では、リンゴやモモなどの果実や野菜などの栽培が行われている。

基もダムがあり、それぞれ、流入量[*4]、貯水容量[*5]、水源地[*6]への近さなどの利点を生かしながら効果的に流量調節[*7]が行われています。栃木県を流れる鬼怒川も茨城県と千葉県の境あたりで利根川に合流しますが、この鬼怒川上流にも大きなダムが3基あります。また、多摩川には東京の水がめと呼ばれる、国内でも有数の貯水量を誇る小河内ダムがあります。もちろん、千曲川の支流にはいくつかのダムがあり、長野市で千曲川に合流してくる犀川にも上流の梓川と合わせてダムが複数あり、梓川上流の奈川渡ダムは国内でも貯水量が多いダムです。しかし、千曲川本流には大規模なダムは存在しません。

世界のほとんどの川にダムがあり、川を流れる水量は調整されていると言われているなかで、千曲川は特異的な河川といえるかもしれません。相対的に自然な状態での水位や流量の変化が維持されているということは、自然の降水や融雪によって、河川を流れる水の量が大きく変動するということです。このことの重要さと人の生活との折り合いについては、第5章や第7章でお話ししたいと思います。

＊3 流域面積　雨や雪などの地上への降水がその川に流れ込む土地面積の合計、「集水域」ともいう。

＊4 流入量　ダム湖に入ってくる水の量。一般に1秒当たりの容積（㎥／秒）で表す。

＊5 貯水容量　ダム湖にためることができる水の総量。総貯水量ともいう。似た言葉に有効貯水容量があるが、これは総貯水量からダムにたまる土砂容量を除いた、実際にためることができる水量をいう。

カワセミの巣

さて、あらためて、カワセミの巣はどこにあるでしょう。

答えは、「土の中」です。といっても、ツカツクリ類[*8]のように、土の塚の中に卵を産むわけではありません。

カワセミは川などの水辺近くの露出した土の崖に奥行きのある横穴を掘って巣をつくります。春から夏に崖をじっくり眺めると、ポツンとあいた穴を見かけることがあります（**図2-4**）。丸というよりはちょっと縦長で、直径は縦がおおよそ6～9㎝、横が4～5㎝ほど、そして穴の下縁の左右にくぼみ（巣に入る際に足指をかけるのでくぼみができます）が見えたら、カワセミの巣である可能性が高いです（穴が大きかったらヤマセミの巣かもしれません）。

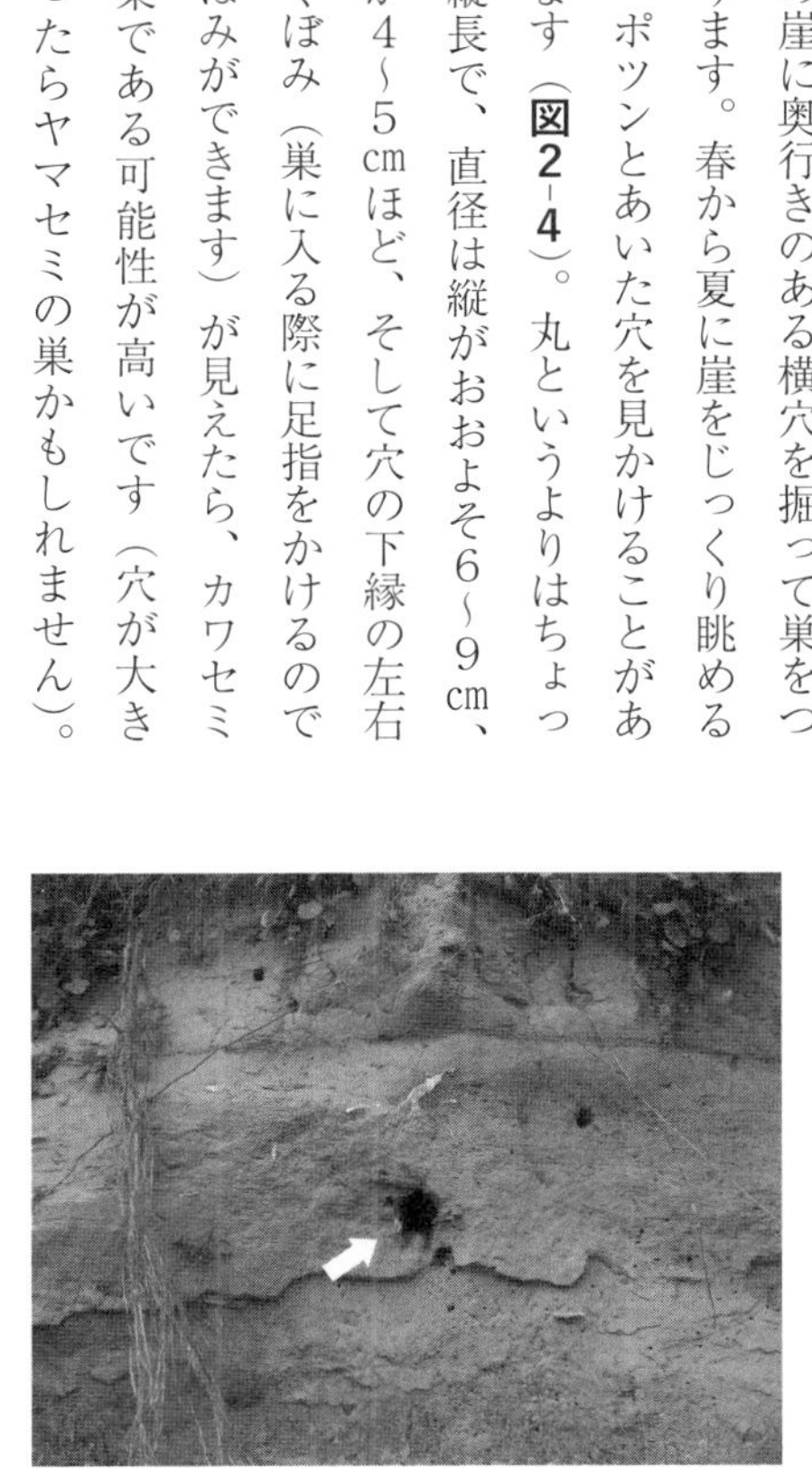

図2-4　土崖につくられたカワセミの巣穴
穴の下側の両端に小さなくぼみが見える。（撮影：著者）

＊6 水源地　川となる水が流れ出る源をいうことが多いが、ここではダム湖に水を供給する上流域全体のこと。

＊7 流量　川を流れる水の量のこと。1秒間に河川のある地点の横断面を流下する水の体積（㎥／秒）で表される。一般的に、流量Q（㎥／秒）＝流速V（m／秒）×断面積A（㎡）で計算される。

穴の中は出入り口から奥に向かって若干上向きに傾斜しており、50〜80cmほど進むと少し広くなった部屋のような場所があります。そこは産室と呼ばれ、親鳥が卵を温め（**図2-5**）、孵化したヒナが巣立ちまで滞在する場所です。産室は入り口から距離があり、また周囲は土で密閉されていますから、寒くはなさそうです。実際、小型カメラを巣に入れて調査すると、カメラのレンズが曇ることがよくあります（**図2-6**）。温度とともに湿度も高そうです。

巣をつくる崖は水に張り出したように傾斜している方が好みで、小魚をとる採食場所の近くによい崖があればそこに巣をつくりますが、なければ採食場所から300〜500mほど離れた場所にも巣をつくります[36,37]。崖でなくとも、露出した土面がある場所、たとえば畑に掘られた穴や、川辺に設置された工事用の土盛りなどにも巣穴を掘ることがあります。東京都内ではゴミ捨

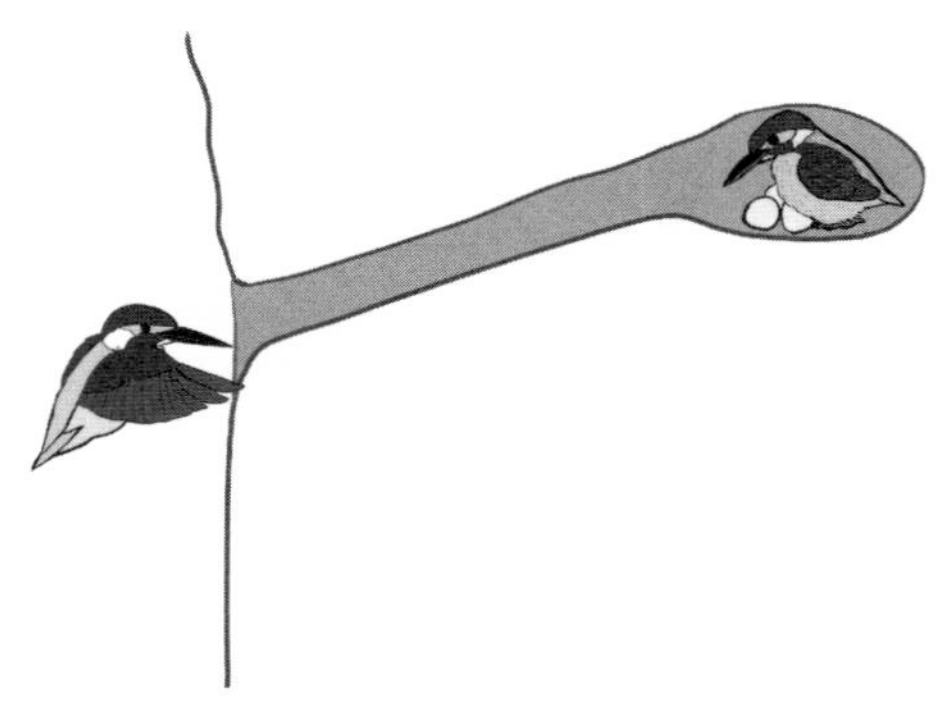

図2-5　カワセミの巣の断面図
（イラスト：井川 洋氏）

＊8 ツカツクリ類　オーストラリアなどに生息しているキジの仲間の大きな鳥。枯れ葉や土などを盛り上げて、小山（塚）をつくり、その中に卵を産んで、微生物が枯れ葉を分解する際の発酵熱で卵を温め孵化させる。

て場として掘られた穴の壁面に巣をつくった記録があり[38,39]、ときには、コンクリートにあけられた水抜き用の穴も利用するようです[40]。第1章でカワセミの足指のつき方を紹介しましたが、前方向の足指が互いに部分的にくっついていることは、土崖に巣穴を掘る際にとても役立ちます。くちばしを鑿（のみ）のように使って土を削りとりながら穴を掘り、足指のくっついた部分をスコップのように使って土を掻（か）き出すのです。

巣穴を掘り始めても、土の中には大小の石が埋まっていることや、木の根が長く伸びていることがあります。このような障害物をどうにもよけきれなかったのか、そこで穴掘りをやめてしまっただろう中途半端な深度の穴もしばしば見られます。うまく障害物を避けて、トンネルをカーブさせて産室まで続いている巣もありますが、障害物にあたった場合は、諦めてほかの場所に再度穴を掘ることも多いように思います。戦前の鳥類研究者である仁部富之助（にべとみのすけ）氏は、カワセミの巣のトンネルの長さになぜ違いが生じるのかについて、興味深い記述をしています[41]。トンネルの長さは巣穴の方位や土の状況よりも、トンネルの内部に差し込

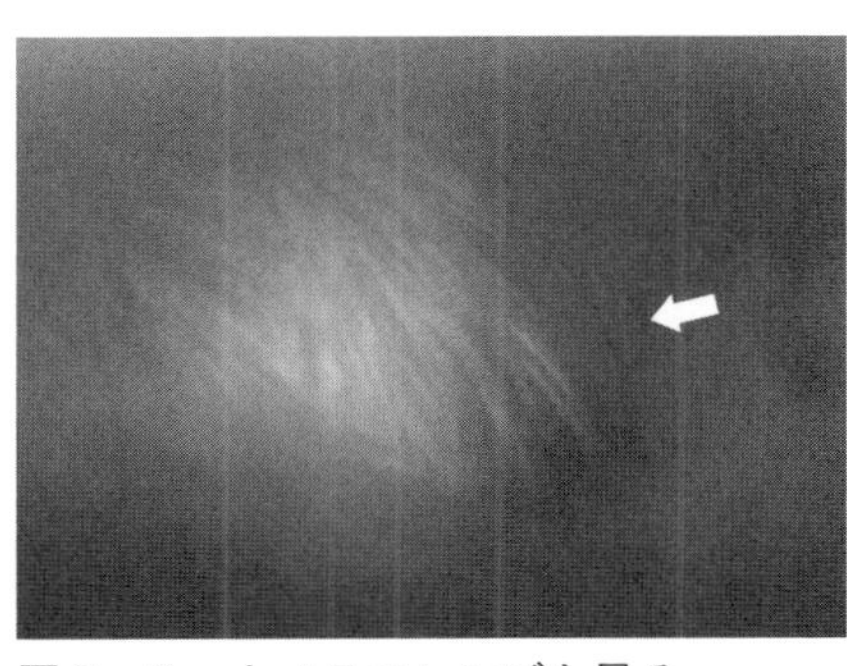

図2-6　カメラのレンズも曇るカワセミの巣内

巣の中に見えるのは、羽鞘（うしょう）が伸びたヒナ（白矢印）。この鞘の中では羽がつくられており、いずれは鞘が剥がれて柔らかな羽毛が現れる。温度と湿度の高さでレンズが曇り、室内の確認はなかなか難しい。（撮影：著者）

む光、つまり明るさに関係しているのではないか、というものです。カワセミの巣穴の入り口から産室までは上向きに傾斜していますが、この傾斜が急だとトンネルは短く、傾斜がゆるいとトンネルは長くなるのではないかと推察されていました。これについて詳細に検討した研究を私は知りませんが、とても興味深い記述です。最後に産室を掘り進める作業は、きっと光のまったく差さない暗闇の中での作業となるのでしょう。産室の大きさはつがいによってさまざまだと思いますが、ヨーロッパに生息する鳥類の生態を詳しく解説した図鑑[3]では平均的な大きさとして、床から天井までの高さが約11cm、左右前後の広がりが約16~17cmと記述されており、南アジアに位置するバングラデシュや日本と地理的に近い韓国でも、ほぼ同様の記載[42,43]があります。

さて、カワセミが巣をつくる崖の高さはどれくらいでしょうか。千曲川での調査では、おおよそ2m程度の崖に巣をつくることが多く、2002~2007年に見つけた42巣の平均の崖の高さは約240cmでした。そして、巣穴は崖の上部、おおよそ上端から50~60cmまでによく見られ、高い崖につくった巣ほど水面から高い位置になりました。この結果は、秋田[41]や京都[36]などで行われた研究ともおおよそ一致しています。海外では、崖の高さは不明なものの、水面から90~180cmに巣が多く見られ、ときには水面から36mというとても高い場所に巣をつくった記録もあるようです。[44]

一方で、ときには、どうしてこんな低い崖に？　と心配になる巣もあります。ある巣は、高さ50㎝の土崖の、水面からの高さが20㎝の場所にあり、親鳥はすでに抱卵をしていました。人が川底に膝をついて頭を低く下げてのぞき込まなければわからないほど低い場所です。このような場所につくられた巣は、雪解け水や、ちょっとした雨による川の水位変動によって水没してしまう危険が高く、この巣も残念ながら、雪解け水で巣穴の形が崩れるほどの流水にさらされ、繁殖に失敗してしまいました。この例は極端だとしても、これまでの調査のなかで、水没によって繁殖を失敗してしまった巣はいくつもありました。

カワセミが繁殖に失敗する理由には、巣の水没以外にも、卵やヒナを食べる捕食者の存在があります。水際を歩くような捕食者からすれば、低い位置にある巣は狙いやすいのかもしれません。実際、千曲川でヒナを巣立たせることに成功した巣の多くは、繁殖が失敗した巣よりも水面から高いところにある傾向が見られました。カワセミにとって巣場所選びは繁殖をするうえで重要な条件だと考えられます。

巣穴掘り

巣穴の位置決めと掘り始めは雌雄で行います。土の表面をくちばしで掘り込んでいくのですが、足場もない土崖ですから、造巣位置に向かって飛んでちょっと削ってはすぐに身をひるがえす、という繰り返しです。すばやく羽ばたきながら空中に停止している姿は土崖と対峙しているようにも見えます。表面が掘れ、足指がかけられるようになると、主にオスが巣穴を掘り進めていきます（口絵12）。トンネルの中は狭く、1羽が通るのでやっとです。そこでカワセミは頭から入り、後ずさりするようにしてお尻（尾羽）から出てきます。メスといえば、巣穴がある程度掘り進むまで、オスが運んできた魚を受けとって、高みの見物をしているようなお手伝い程度のことしかしないメス、オスと一緒に最初から協力してどんどん巣穴を掘るメスなど、かかわり方はさまざまなようです。時期による違いも報告されており、東京で行われた研究[45]では、同じ年の2回目以降の繁殖では雌雄が協力して巣穴を掘る傾向が見られ、造巣にかかる時間も1回目より短かったそうです。ヨーロッパでも、巣穴掘りは雌雄での共同作業ですが、やはり主担当はオスのようです。働き者ですね。

さて、造巣前半ではあまり手伝わないメスだったとしても、オスがトンネルを掘り進め、産室を整えていると思われる期間には、積極的に巣づくりに参加しているように見えます。産室はトンネルと比べて広い空間になっており、そこで体の向きを変えるのでしょう、カワセミは頭から入って頭から出てくるようになります。この頃になると、メスも巣穴に入り、中での作業の名残か、くちばしに土をつけたまま出てくることがよくあります。また巣の中に滞在している時間が長くなります。卵を産み、ヒナを育てるために、こだわりの一室を整えているのかもしれません。

河川の崖に巣をつくる鳥

カワセミ以外でも土崖に巣をつくる鳥たちがいます。たとえばカワセミの仲間であるヤマセミがそうです（**図2-7**）。カワセミ同様、水の上に張り出すように傾斜した崖を好み、神奈川県[46]や島根県[47]の研究から、70～80度程度傾斜した崖に巣がよく見られることがわかっています。ヤマセミは体が大きいぶん、穴の直径も大きくなり、カワセミの巣と見間違えることはそうそうありません。既存の研究報告には、ヤマセミの巣穴の入り口の大きさは、縦方

図2-7　ヤマセミの巣穴（白矢印）
巣穴はカワセミよりも大きい。（撮影：著者）

向がおおよそ9～21㎝、横方向が10～22㎝と記載されています。官製はがきの大きさか、それよりも少し大きいくらいでしょうか。そんな大きい穴が崖にあいていれば目立ちますから、ヤマセミが巣穴を掘るのは、たいてい、カワセミが巣を掘るよりも高い崖のようです。京都で行われた研究では2ｍ以上の高さをもつ崖に、神奈川県や島根県[48]で行われた研究では、3ｍもしくは5ｍ以上の崖に巣穴が見られ、30ｍ以上の高さの崖にも営巣があったと報告されています。また、10ｍもしくは20ｍ以上の幅がある広い崖地を好む傾向もあるようです。千曲川での調査でも、高さが3～4ｍほどで川の流れに並行して幅が広い崖に営巣していることが多く、過去の調査で見つけた16巣の平均の崖の高さは約320㎝でした。そして、カワセミ同様、高い崖ほど高い場所に巣穴があり、また巣穴の位置が水面から高い方が、ヒナが巣立つ確率が高い傾向が見られました。入り口から奥の産室までの距離もカワセミより長く、80～100㎝で、産室の大きさは幅が30～40・5㎝、高さが14～20㎝、奥行きは70～100㎝とされています。ヤマセミの脚もカワセミと同様に短めなので、ヒナに届ける魚をくわえたまま長いトンネルの中を歩くの

図2-8　アカショウビンの巣穴(白矢印)
朽ち木につくられた巣穴の縁に親鳥がとまり、ヒナが顔をのぞかせている。(撮影：吉野俊幸氏)

は大変そうですね。

ちなみに同じカワセミの仲間でも、アカショウビンは比較的柔らかな朽ち木にくちばしで巣穴を掘って営巣します（**図2-8**）。朽木以外にも茅葺屋根の中（茅の下の麻殻）やスズメバチの古巣などに営巣した事例が知られています[49,50]。沖縄などに生息するリュウキュウアカショウビンはタカサゴシロアリの巣に穴を掘って営巣します[7]。巣をつくる場所は種類によってだいぶ違いますね。

海外に生息する、カワセミに近縁なハチクイの仲間も同様に土崖に巣を掘ります。また、カワセミの仲間ではありませんが、北海道で繁殖するショウドウツバメも土崖に巣穴を掘ります（**図2-9**）。カワセミやヤマセミはそれぞれのつがいでなわばりをもつため、お隣のつがいの巣穴とは距離が生じますが、ハチクイの仲間やショウドウツバメは集団で営巣します。まるでマンションのように土崖一面に穴があき、親鳥たちは入れ代わり立ち代わり出入りして子育てをします。その情景を思うだけでも賑やかな声が聞こえてきそうですね。

河川などの崖は、人からすれば普段なかなか気に留める環境

図2-9　ショウドウツバメの巣穴
崖部分（白点線枠内）に複数の穴が見える。互いの巣穴の距離も近く、集合住宅といったところ。
（撮影：今野美和氏）

ではないかもしれませんが、鳥たちには重要な営巣場所となっています。

求愛給餌

つがいを形成してから抱卵に入るまでの間は、頻繁に「求愛給餌」が見られます（**図2-10**）。まだ葉が展開されていない枝の上や、2羽がとまれる程度の大きさの石の上などで、オスがメスに小魚をプレゼントするのですが、魚やカワエビなどの貢ぎ物をくわえたオスがメスの隣にとまっても、つがいになって間もない頃のメスは、知らん顔をすることがよくあります。オスが時間をかけてメスににじり寄ったり、メスの反応を見ながらじっと待ったりして、メスに小魚を渡そうと健気に、粘り強い姿勢を見せます。そのうちオスがくるとメスの方から魚を受けとりに近づいたり、くちばしを開いて翼をふるわせ、ヒナが親に餌をねだるような姿勢を見せるようになります。オスはメスが飲み込みやすいように、魚の頭がくちばしの先になるようにくわえてメスのくちばしに近づけ、メスはそれをくわえとります。無事に貢ぎ物を渡した後、オスはメスから少し離れてそっぽを向いたり、翼をたたんだ状態でくちばしの先を空に向けて、直立したままじっとしていることがあります（**図2-11**）。雌雄が近距離でとまった際に、メスが同様の姿勢をとることもあります。この行動の明確な理由はわかりませんが、くちばしは争うときの武器にもなるので、もしかするとくちばしを互いに向けないことで、敵意がないことを示しているのかもしれませんね。

巣穴が完成に近づく頃から、交尾（口絵13）を繰り返し、いよいよ産卵に入ります。1日1卵ずつ産み、1回に温められる数の最後の卵を産むと同時に抱卵を開始すると言われています。[3] 卵の数は1回の繁殖で6～7卵とされますが、これより少ないことも多いこともあります。私が調査をしている千曲川では9卵という多産な巣がありました。また、海外などでは、10卵という記録もあるようです。

図2-10　求愛給餌

オスからメスに魚の贈り（貢ぎ）物。（撮影：内田 博氏）

図2-11　くちばしを上に向け直立するオス（右）

左はメス。求愛給餌の後などによく見られる光景。（撮影：内田 博氏）

卵と抱卵

多くの鳥たちの卵には、色と模様がついています。たとえば、お店などで売られているウズラの卵を思い浮かべると、黄褐色や淡黄色の地色に濃茶色の大小の斑点がありますよね。斑や線模様があるもの、模様のない地色だけの卵もあります。また地色も、水色や薄桃色、黄緑色など、鳥の種によって卵の色や模様は千差万別です。なぜ鳥の卵にさまざまな色や模様があるのか、については、たとえば、捕食者に見つかりにくいように周辺環境に紛れさせて隠蔽する、確実に自分の卵だと認識しやすいようにする、など、さまざまな説があります。近年の研究では、気温が関係しているのではないか、という説[51]も発表されています。アメリカの研究者らが博物館に所蔵されていた世界各地の６４３種の鳥の卵について、色合いや明るさを調べたところ、捕食者対策の隠蔽などの影響を除いて考えると、日射量が少なく、寒冷な地域で繁殖する鳥の卵は色が濃く、逆に、日射量が多く温暖な地域の卵は色が薄くなる傾向が見られました。濃い色の卵は、薄い色の卵よりも多くの熱を吸収し、卵の温度を長時間維持することができるので、卵が冷えやすい寒い地域では、親鳥の抱卵による保温効果を補助していると考えられます。卵は、その中で新しい命が健やかに育つための精密な保育器なのです。

　では、カワセミの卵は何色でしょうか？

　カワセミの卵は白色で、何の模様もありません（**図2-12**）。卵の大きさは、長径約22mm、短径約18mmで[12]、ウズラやニワトリのような卵型というよりは丸く球に近い形をしており、重さは約3・8gです。バングラデシュ[42]では、長径約25mm、短径約22mmで約5・3g、ヨーロッパ[3]では長径約23mm、短径約19mmで約4・2gなので、日本のカワセミの卵の重さはヨーロッパの値よりも少し軽いくらいですね。カワセミ以外にも、樹洞に営巣するフクロウの仲間の卵もまた、白色で何の模様もなく、やはり球に近い形状をしています。日光が当たらない穴の中では、色を濃くする必要がないのかもしれません。また、暗い穴の中では、白い卵の方がわずかな光でも目立つ、という可能性もあります。しかし、この考えには、私たちの目には白く見える卵が、人の目には見えない色[6]も識別できる鳥たちから見たら実*9

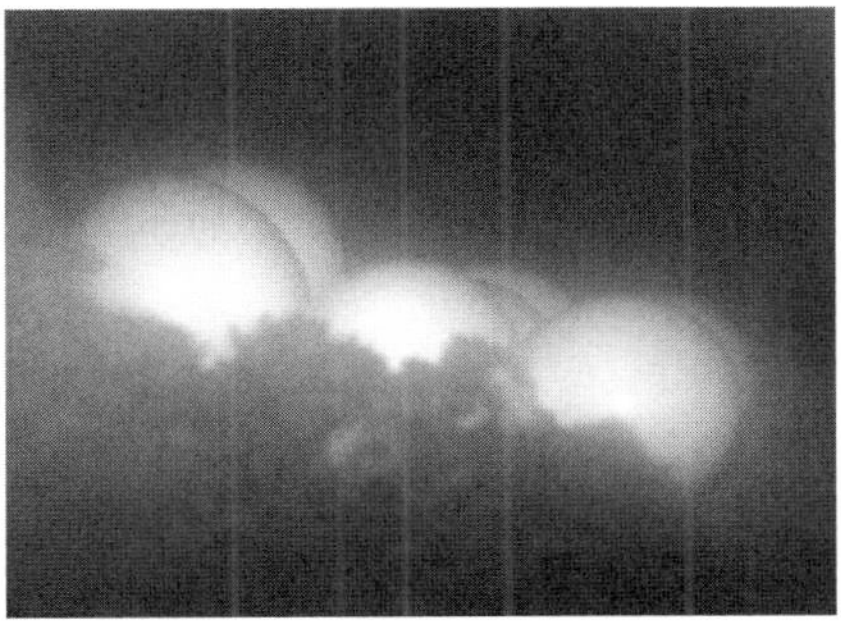

図2-12　カワセミの卵
白くて丸い卵が巣内に7つ見える。（撮影：著者）

＊9　鳥が見ている色　人の目は赤・緑・青の３つの光の波長を知覚し、その組み合わせによって多くの「色」を識別している。鳥類はこの３つの光の波長に加えて、紫外線光を知覚できるため、人よりも識別できる色の組み合わせが多いことがわかっている。

際は何色なのか、という疑問も残ります。卵の謎、ですね。

卵が孵化するまで、カワセミは雌雄で交代しながら抱卵をしますが、夜間の抱卵はメスが担当します。[52] また、抱卵交代の際、外から巣穴に戻ってくる方が「チー」と鳴いて合図を送るという観察記録があります。[45] 合図によって交代時間を短くし、卵が冷えるのを防いでいるのではないか、と考えられています。また、行き違いが難しい狭い巣穴で親同士が鉢合わせをしないようにする意味もあるかもしれません。

カワセミの巣を見つけると、中の卵の数やヒナの孵化状況が気になってしまいますが、何度も巣に近づいたりのぞいたりするのは、決していいことではありません。鳥たちが巣をつくるのは卵を産んで次の世代を育てるためです。野外で目的の鳥を観察することはとても大切ですが、配慮を欠けば、鳥たちの子育てを邪魔してしまうかもしれません。育雛（いくすう）期の調査を予定していた私は、ヒナの孵化を判断するため、一度卵があると確認した巣は、その後1週間に1回程度、親の巣への出入りの様子を離れたところからビデオカメラで撮影していました。運が良ければ、孵化後の卵の殻を、親鳥がくわえて穴の外に捨てに行く様子を撮影できるかもしれません。そうでなくとも、親鳥がそのくちばしに隠れるくらいの小さな魚を運び始めたら、ヒナが孵化した証拠です。

一方で、雌雄が協力して一生懸命抱卵をしても、卵が孵化しない事例もあります。千曲川で調査していたときのこと、ある1つの巣だけ、いつまでも食物を運び始めなかったことがありました。カワセミの平均的な抱卵期間は約20日間ですが、その巣のつがいは25日を過ぎても、30日を過ぎても、小魚を運ばず、2~3時間おきに親鳥が出入りを繰り返すばかりでした。35日を過ぎ、「もしかして、とても少ないヒナしか孵化せずに、魚を運ぶ頻度が低いだけなのかもしれない」と考えて再度巣の中を確認しましたが、産室には白い卵が並んでいるだけでした。次に同じ巣を見に行ったのは約2週間後、哺乳類のしわざでしょうか、巣は掘り返され、割れた卵が崖の下に転がっていました（**図2-13**）。かえらない卵をいつまで温め続けていたのかはわかりませんが、親が無事でさえあればまた繁殖はできるでしょう。次の繁殖はガンバレ、と割れた卵を見ながら心の中で応援しました。

捕食者

カワセミの巣穴は、流れに面した傾斜の急な崖につくられるこ

図2-13　割れたカワセミの卵

繁殖失敗は残念だが、こういう時以外に卵を直接見る機会はなかなかない。（撮影：著者）

とが多く、一見、捕食者の接近が難しそうですが、巣の中の卵やヒナが何者かに捕食される事例が、少なからず見られます。どんな生き物がカワセミの捕食者となるのでしょうか。千曲川で見つけたカワセミの巣の繁殖過程を調べるために、小型カメラで巣の中を確認していたとき、卵かヒナが見えるはずの穴の中に、ちょっと太めの縄のようなものが映る、ということがたまにありました（**図2－14**）。アオダイショウ（**図2－15**）というヘビが巣穴に侵入したのです。もし抱卵中などで親鳥が巣の中にいるときにヘビが入ってきたらどうなるでしょうか。カワセミの巣穴は狭いので、入ってきたヘビと行き違って外に出られるのかを考えると、難しいようにも思えます。東京都で行われた

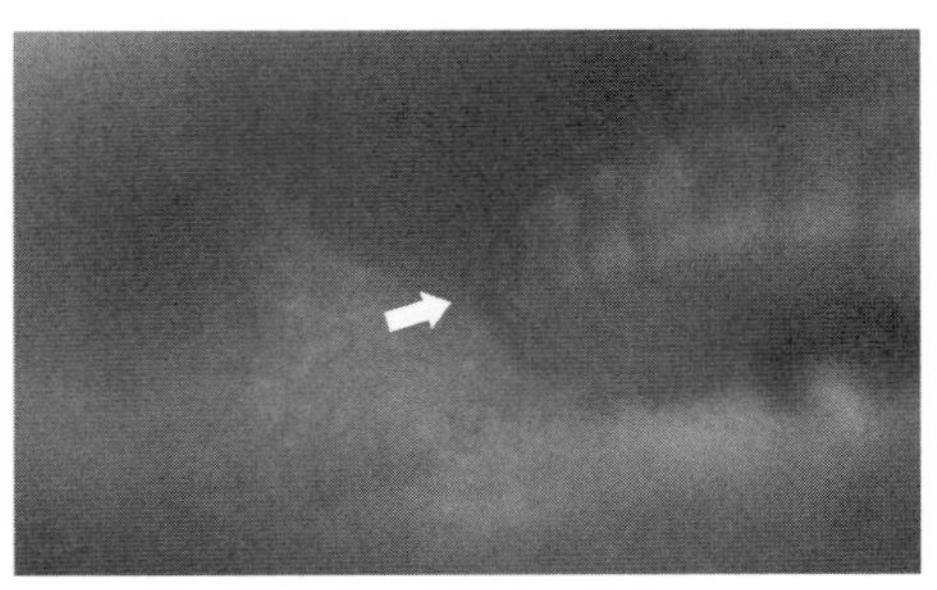

図2-14　カワセミの巣に侵入したアオダイショウ（白矢印）

崖の上から直接、または巣の周辺のちょっとした植物や木などを伝って、器用に巣穴に侵入する。千曲川で繁殖するカワセミにとって、かなりの脅威。（撮影：著者）

図2-15　アオダイショウ

成体の胴は青みがかった草色や褐色をしており、目の後ろの黒い線が特徴。毒はない。地上を徘徊するだけでなく、植物や樹木などを器用に登ることができる。鳥類の代表的な捕食者。（撮影：著者）

研究[38]では、抱卵まで進んだ40回の繁殖のうち、10回がヘビによる捕食で失敗したとされており、アオダイショウに代表されるヘビによる捕食は、カワセミの繁殖失敗の主要な要因であるといえます。

千曲川での観察では、ヘビに捕食された場合、増水で浸水して繁殖が失敗した場合と比べて、周辺に新たな巣穴を掘り再度繁殖を試みる、いわゆる再営巣の事例が少ないように見えました。親鳥そのものの命も危険にさらされる捕食者の存在は、営巣場所の選択に大きな影響を与えそうです。

ヨーロッパでは、イタチやキツネなどによる巣の破壊を伴った捕食が見られています[3]。また、興味深い繁殖失敗の理由も2つ報告されています。1940年代から1970年代に行われたイギリスの調査[37]では、カワセミの繁殖失敗の理由のいくつかは、人による卵の持ち去りや巣穴の破壊だったそうです。2000年代に行われたバングラデシュの研究では、卵だけでなくヒナも持ち去られたとの報告もされています。卵やヒナを持ち去ってどうするのでしょうか。カワセミを育てるのか、もしかして食べてしまうのでしょうか。イギリスでの調査年代を考えると、19世紀にはその美しい羽根を装飾に使うために捕獲されていたようですので、その名残はあるかもしれませんが、残念ながら真相はわかりません。また、人による繁殖行動の攪乱(かくらん)は、卵やヒナの盗難のような直接的なもの以外にも、河川整備の作業に使われる重機によって巣穴が崩されたり、崖の傾斜が流れに向かってゆるやかにつくり変えられて営巣場所となる崖がなくなるなど、多岐にわたります。

巣の外でも、捕食の危険性とは常に隣り合わせかもしれません。芸術的な飛翔技術をもったハヤブサなどの猛禽類や、ときにはカワセミと同じように水辺で魚類をとらえて食物とするアオサギ（**図2-16**）も、カワセミを捕食することがあるからです[53]。

図2-16　アオサギ
（撮影：著者）

カワセミ同士の争い

捕食者ではありませんが、カワセミの敵には、カワセミそのものも含まれるかもしれません。イギリスやチェコ共和国では、カワセミ同士のなわばり争いで、ライバルに巣や巣の中の卵を壊される事例が観察されています[37, 54]。カワセミの争いといえば、互いに並んで背を伸ばして直立し、声も発さずにときどき首を上に伸ばしたり、翼を広げてくちばしを開くような姿勢を見せたり、ちょっと飛びまわったり、を繰り返す平和な（?）印象がありますが、それは嵐の前の静けさかもしれません。ときにはそのくちばしを武器にして戦うこともあります。一方が相手のくちばしや頭をがっちりとくわえて、相手が飛ぼうともがき羽ばたいても、頭を左右に振りながら、逃すまいとばかりに踏ん張ったり、相手の胸元に向かって鋭くくちばしを突き出すような攻撃的な行動を示すこともあります。また、一度確立したなわばりに他のカワセミが侵入すると、すばやく反応して飛来し、追い出そうとします（口絵10）。その際も、相手を追いかけるだけではなく、相手に体当たりをするかのような肉弾戦を繰り広げることがあります。

繁殖期にはつがい相手や子育てをするための繁殖場所を確保するために争い、秋冬には厳しい季節の生存をかけて、食物となる小魚がとりやすい採食場所やなわばりを得るために争います。それが激しくなるのは当然のことなのかもしれません。

なわばりの大きさと巣間距離

カワセミのなわばりの大きさは、具体的にどれくらいでしょうか。一般に鳥類におけるなわばりは、持ち主が排他的な行動を示す範囲をいうので、巣の持ち主を長時間追跡し、他個体との争いを記録することで範囲を推定することができます。カワセミでは厳密に調査した例はあまりないのですが、韓国では500㎡という報告[43]があり、またチェコ共和国では、川に沿っておおよそ2～3㎞、イギリスでは3～5㎞が1つのなわばりの大きさだという報告[35]があります。なわばりではなく、動きまわった範囲である行動圏*10を示した研究もありました。オス2個体をラジオテレメトリー法*11で追跡したベルギーの研究[55]では、それぞれ、河川に沿って5・2㎞と7・2㎞が行動圏だったそうです。さらに近年では、小型のGPS*12を組み込んだデータロガー*13を個体に装着して、より細かな移動履歴を調べた研究もフランスで行われました[56]（GPSについては第4章で詳しく説明します）。この研究では、繁殖中の13個体を約1週間追跡しており、その平均の行動圏は約0・025㎢だったそうです。調査方法の違いなどから記録の精度は異なりますが、報告されているなわばりや行動圏の大きさはずいぶん違いますね。この背景には、調査方法以外にもさまざまな要因が関係していると思われます。たとえば、巣をつくることができる崖の分布、採食に利用できる環境の量や質、実際の食物となる魚類などの生き物の分布や数、同種の数、他の魚食性鳥類の存在などです。

＊10 行動圏　動物の個体やつがい、もしくは集団が生活環のとある時期に、生活のために動きまわる範囲。なわばりとの違いは、利用空間を独占できるか（なわばり）、できないか（行動圏）であり、行動圏の一部がなわばりとして確保される。

＊11 ラジオテレメトリー法　野生動物などに電波発信器を装着し、複数の位置からアンテナで電波を受信し、その方向をもとに動物の位置を調べる方法。ラジオトラッキング法ともいう。

千曲川では、厳密ななわばりは算出していませんが、行動圏は、川幅約４００ｍの流れに沿って約８００～１２００ｍでした。そして、行動圏はしばしば個体間で重なっていました[57]（**図2-17**）。行動圏の重なっているあたりには、採食のための池や小川が含まれ、複数の個体が魚をとりにきていました。鉢合わせをすると追いかけあいのケンカになることがほとんどでしたが、たまに２個体のオスが池を挟んで枝

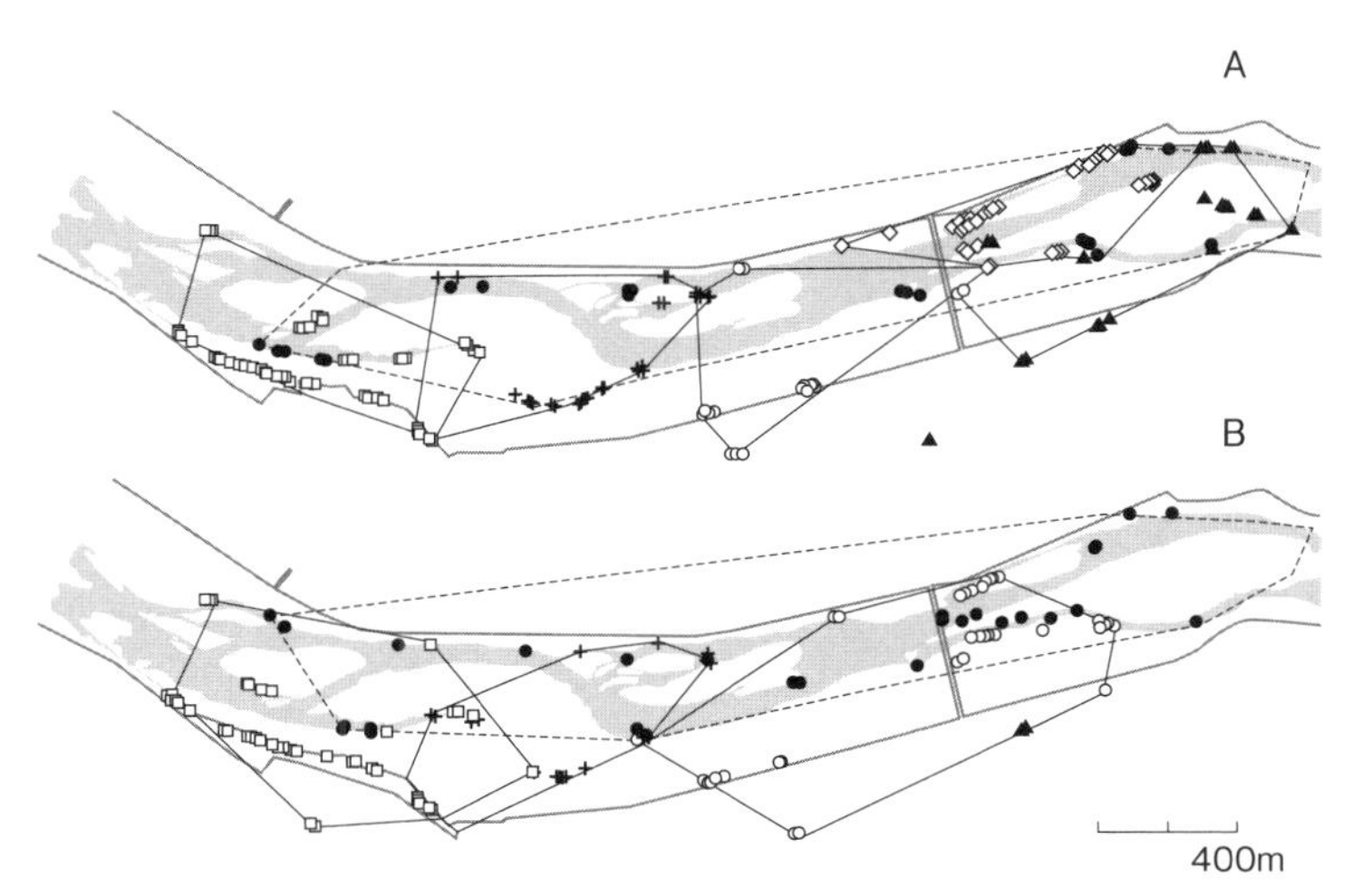

図2-17　千曲川でのカワセミの行動圏

千曲川流域で2005年（A）と2006年（B）に調査したカワセミ（実線）とヤマセミ（破線）の生息域。□、+、○、▲、◇はカワセミの採食地点、●はヤマセミの採食地点。同じ個体でも、異なる年には異なる記号を使用している。灰色の線は堤防を、灰色に塗られた部分は水域を示す。（文献57より引用·改変）

＊ **12 GPS**　Global Positioning System の略で、日本語では全地球測位システム。複数の人工衛星からの電波を受信して位置情報が計算される。

＊ **13 データロガー**　各種センサーの計測値（データ）を時系列で自動的に記録する装置やシステム。

にとまり、水の中の魚をずっと目で追いかけていることもありました。

先ほど紹介したベルギーでオス2個体を追跡した研究でも、類似した傾向が報告されており、互いの行動圏は大きく重複し、採食場所も共有することがあり、攻撃的な行動を示すのは巣の周辺だけだったそうです。この研究では、それでも採食場所を同時に使う場合にはオス同士の距離は50mほど離れていたそうです。互いの存在を気にはしつつも、ヒナに魚を運ぶことに一生懸命で、争っている余裕などないのかもしれません。

カワセミではまた、巣間距離もよく調べられています。巣間距離は営巣ができる崖などの存在に左右されるため、なわばりとも行動圏とも意味は異なるのですが、崖が長く連なっている場合には、それらに類似した目安になります。イギリスでは、巣間距離は少なくとも1kmと報告されていますが[3]、スウェーデンでの最短の巣間距離は125m、セルビア[58]では120〜430m、スロバキア[59]では816m、チェコ共和国では280mや、なんと50mという報告もあります。また、京都では最短で700m、東京では同じ川に面しているわけではありませんが、巣間の直線距離が100mであったことが報告されており[38]、なわばりや行動圏の大きさ同様、場所によってかなり幅があることがわかります。ちなみに、千曲川でのカワセミ同士の巣間距離は300

~600m、平均すると436mでした。行動圏の大きさを考えると、巣間距離はもっと大きくなりそうですが、巣が必ずしも行動圏の中央付近に位置するとは限りませんでした。また、巣間距離が近いつがいでは、親鳥が巣から飛び出した後に飛んでいく方向が一方はいつも下流側、一方は常に上流側と真逆になっており、子育てに忙しいなかで、お隣さんと余計な干渉を起こさないようにしているようにも見えました。カワセミ流のご近所づきあいのコツなのかもしれません。

育雛

卵が無事孵化した巣では、親鳥がヒナに食物を与え始めます（**図2-18**）。生まれたヒナは全身淡い桃色で、羽毛はなく、目は開いていません。くちばしもちょこんとついている程度に短く、それだけを見たら、カワセミとは思えない外見です。目が開いていないヒナにも親鳥は上手に食物を与えます。その後はヒナが冷えないように抱雛もするからでしょうか、育雛初期の頃は、親鳥は巣穴に頭か

図2-18　孵化後間もないヒナに食物を運んできた親鳥
（イラスト：井川 洋氏）

ら入って、頭から出てくることが多いように思います。

孵化後、1週間や10日程度経過すると、ヒナの目も開き、親鳥にも盛んに食物をねだる声をあげるようになります。育雛中期のカワセミの巣に近づくと、巣穴の奥から、「シャワ、シャワ」とヒナが盛んに鳴く声が聞こえます（どのように聞こえるかには個人差がありますので、皆さんにも同じように聞こえるかはわかりません）。何かに例えるのであれば、セミの鳴き声に近いように思います。ヒナの成長にともなって産室は狭くなりますが、ヒナはいったん食物を受けとると産室の奥（ヒナたちの後ろ）に回り、ほかのヒナが食物を受けとれるように、互いに巣内での位置をうまく移動していることが、古くはヨーロッパの研究[3]や、日本でも東京での観察[45]からわかっています。この頃になると、ヒナに食物を運んだ親鳥は後ずさりしながら出てくるようになり、さらには、巣穴に入ったと思ったら、あっという間に出てきて飛び去るようになります。食欲旺盛なヒナが、トンネルの途中や巣穴の出入り口付近まで出てきて親鳥から食物を受けとっているのでしょう。親鳥の巣内への滞在時間はぐっと少なくなり、ひたすらヒナ

図2-19　食物を巣に搬入するカワセミ
（撮影：内田 博氏）

に魚を運ぶために巣と採食場所を往復するようになります（**図2-19**）。

巣内育雛期間は約22〜27日間。親鳥がかいがいしく食物を運ぶことで、カワセミのヒナの体重は、生まれてから18日目までにおよそ10倍になり、外見もカワセミらしくなってきます。年賀状などで見る知人のお子さんの成長はたいへん早く感じられるものですが、鳥たちの短期間での成長は、羽毛のない孵化直後の姿からすれば、もはや変身といっても過言ではないように思えます。

育ち盛りのカワセミのヒナがどんなものを食べているのか、親がどこでそれをとらえているのか、たいへん気になるところですが、それは長い話になりますので、第3章で詳しくお話しします。

ヒナの巣立ち

孵化から14日くらいまでは、親が食物をヒナに運ぶ1日当たりの回数は増えていきますが、その後は多少波があるものの、減っていきます。そして、いよいよ巣立ちが間近に迫ると、親鳥は魚をくわえて巣穴の前にやってきますが、中に入っても魚をもったまま出てきたり、巣に入らずに魚をくわえたまま、ヒナを呼ぶように、濁った声を出したりします。これを1日もしくは2日ほど繰り返してヒナに巣立ちを促します。

ヒナの方も、この頃にはすっかり羽が生え揃い、羽繕いや翼を広げるストレッチをしながら、外の世界に飛び出す準備を整えます。巣立ちはいろいろな文献を見てもおおよそ早朝に行われるとされています。巣立ったばかりのヒナはまだうまく飛べないので、捕食者の活動が活発ではない早朝に巣立つのは、ヒナが生き残るために納得の戦略だといえます。もちろん何事にも例外はつきもので、巣立ちに午前中いっぱいかかることもあれば、午後になってようやく巣立つことも、2日にわたることもあります。このような場合は、親鳥が周囲を警戒しながら巣立ちのタイミングを調節しているのかもしれません。また、親鳥は両親揃って巣立ちを見守っているわけではなく、1羽の親鳥が、巣立ったヒナを巣から離れた隠れ場所、たとえば繁ったヨシ原の中や低木の茂みに連れて行き、すでに巣立ったヒナたちや、その世話をしているもう1羽の親鳥と合流します。

ヒナの巣立ち率に関する研究はあまり多くないのですが、東京では、平均産卵数の6・44卵に対して巣立ちビナ数が6・23（繁殖成功96・7％）や、平均卵数6・25卵に対して巣立ちビナ数5・25（繁殖成功84％）などが報告されています[38]。海外では、イギリス[60]で巣立ちビナ数5・5（繁殖成功約80％）、バングラデシュで2・0羽（繁殖成功36・1％）などが報告されています。千曲川では卵の数に対する巣立ちビナ数の割合を正確に調べてはいませんが、営巣数に対する巣立ち成功巣数の割合を見ると、捕食や水没などが多い年は、営巣した巣の25％程度でしか巣立ちに至りませんが、捕食が少ない年には70％の巣で巣立ちが確認されています。営巣場所周辺の捕食者の多さや、捕食者に狙われにくい場所、もしくは水没しないような崖に営巣できるか（そのような営巣場所があるかどうか）が、カワセミの子育てを成功させる鍵なのかもしれません。

巣立った後もしばらくの間は、ヒナは親鳥に食物をもらいながら、枝や葉っぱを魚に見立てての（魚だと思っての？）採食練習を始めます。巣立ち直後は並んで同じ枝にとまり、親の帰りを待つようなヒナたちも、日を追うごとにケンカをするようになり、ときには親から与えられた食物を奪い合うこともします。そうして独り立ちまでの日々を過ごし、その後は各々新天地を求めて移動していきます。独り立ちをした若鳥の初めての旅については、第4章で詳しくお話しします。

繁殖期の長さ

カワセミが巣づくりを始めてからヒナを独り立ちさせるまで、だいたい2カ月程度かかることは、この章の最初でお話ししました。多くの鳥で、巣立ったヒナは、遅かれ早かれ、巣の中で生えた最初の羽毛である幼羽から親たちと同じ成羽に生え換わる時期を迎えます。小鳥では、生まれた年の冬前までに生え換わることが多いようです。一部、もしくは全身の羽が生え換わるので、換羽には相当なエネルギーを必要とします。ヒナの成長に必要な栄養十分な食物があり、換羽をして冬に備えられる期間を考えると、繁殖できる期間や回数は種によっておのずと限られてきます。たとえば昆虫を与えてヒナを育てる種では、昆虫の発生時期が繁殖期の長さに関係します。

カワセミではどうでしょうか。第3章で詳しくお話ししますが、カワセミの主食は魚です。回遊[*14]するような魚種を除いて、多くの魚は周年その付近に生息していると仮定すれば、発生が時期的な昆虫などを食物とする鳥たちよりも繁殖期は長いかもしれません。また、その年生まれの幼鳥は、換羽が部分的で、飛翔に重要な翼も大部分は翌年まで換羽しないので、全身が換羽する種よりはエネルギー消費が少ない可能性があります。実際、日本と同じように3~4月に巣づくりや産卵が始まるイギリスでの観察[37]から、7月や8月でも卵を産んでいた事例が報告されています。この時期は、多くの鳥類が繁殖をほぼ終えているか、最後の子どもを育てているような頃です。千曲川でも、8月初旬の調査中にせっせと魚を巣に運んでいるカワセミを見たことがあります。観察を続けたところ、8月下旬に少なくとも3羽のヒナが巣立ったのを確認で

＊14 回遊　魚などが成長段階に応じて、または生息に適した水温や食物を求めて、もしくは産卵のために海洋や河川などの異なる環境を季節的、年的に移動すること。

きました。また、9月中旬頃に巣立ちビナへ魚を運んでいる姿を観察したこともあります。このような繁殖の遅い事例はまれかもしれませんが、ほかの鳥たちと比べるとやはり繁殖できる期間は長い印象があります。だからでしょうか、早く繁殖を開始してうまくヒナを育て上げたつがいは、早々に2回目の繁殖[*15]に入ることが多いようです。北海道[61]や東京[38]では同じ年の繁殖期の間に3回繁殖した（ヒナを育て上げた）可能性が指摘されている事例もあります。巣立ちから次の繁殖までの期間は明確に決まっているわけではありませんが、1回目のヒナを育てながら、2回目繁殖のための巣穴掘りを始めることが多いようです、東京[39]での観察からは、1回目のヒナが孵化して10日程度で、ヨーロッパ[3]では、10～16日（早ければ孵化後6日！）で、次の繁殖のための巣穴を掘り始めたという記録があります。繁殖にかけるただならぬ情熱を感じますね。

捕食や巣の浸水などで、繁殖が失敗することもあります。その場合、子どもを育てられる季節であれば、カワセミは何度も挑戦します。チェコ共和国では、5年間に317のつがいを調査した結果、そのうち半数のつがいが2回、3割のつがいが1回、そして1割強のつがいが3回繁殖をしたという研究報告があります[54]。しかも、失敗も含めると、4回も繁殖を試みた事例もあったそうです。さらには、スロバキアで5回繁殖の試みも報告されています[62]。失敗を含めても、驚異の回数です。この研究では、

＊15 **繁殖回数**　一般的に、繁殖期間中に子を育て上げた（巣立たせた）回数を繁殖回数として数える。つまり、2回繁殖とは、繁殖期間中に2回巣立たせることをいう。子が巣立つ前に捕食などで繁殖に失敗し、再度繁殖を試みることは再営巣という。基本的に再営巣の回数は、繁殖回数に含まれないことが多い。

遺伝子を用いた解析で、オスは5回の繁殖を通して同じ個体、メスは3回目以降に別個体となったこともわかりました。4回や5回の繁殖では、最後のヒナの巣立ちが9月末になってしまうようですが、中央ヨーロッパに位置するこれらの地域は、10月には最低気温が10度を下まわるようですので、巣立ちビナがその後生き延びられたのかが気になるところです。

巣穴の複数回利用

ヨーロッパでも日本でも、カワセミが複数回繁殖をするなかで同じ巣が使われることはよく知られています[3,38]。とはいえ、1回使われた巣の中はヒナが食べた魚の骨などでできたペリット*16が落ちています。また、おおむねトンネルの外へ向かって排泄がされるとしても、糞*17だって落ちているでしょう。それらが空気の出入りの少ない保温されたトンネルの奥で、春から夏にかけて長時間置かれるわけですから、発酵してもおかしくないでしょう。そう考えると……住居環境はなかなかすごそうですね。産室内の、特に卵が置かれる部分を産座といいますが、それを掘り出して縦断面を見たという秋田県の研究[41]では、同じ巣が複数回使われた場合、産座にはヒナの糞などが見られる層と、その上に新しく土が盛られて積み重ねられた層が見られる、という記述があ

＊16 ペリット　魚の骨などの未消化物を固めて吐き出したもの。サギ類やカワセミ類などの魚食性鳥類や、哺乳類などを捕食するフクロウ類などでよく見られる。

ります。やはり子どもを育てるなら少しでもきれいにしたいのかもしれません。

カワセミは基本的に一夫一妻ですが（スウェーデンやロシアでは一夫多妻の事例[3]も報告されています）、同じ年の繁殖期間中につがいの相手がかわることも、翌年の繁殖の相手が前年と違うことも、珍しくはないようです。そう考えると、巣穴を使うつがいが、前の繁殖と同じなのか、別なのか、その判断は難しいのですが、同一巣穴の複数回利用は千曲川でも確認されています。

驚くことに、チェコ共和国[54]では、なんと50年も同じ巣穴が使われ続けた記録があるそうです。長年使われる理由として、中央ヨーロッパに位置するこの国では、カワセミの繁殖開始時（3月末から4月）にはまだ土が凍っているので、新しい巣穴を掘りにくいのではないか、と推察されていました。千曲川ではカワセミの繁殖時期に土が凍っていることはありませんが、巣穴を掘るのが大変な作業なのは想像に難くありません。それにしても、崩れることも、増水で流されることもなく、50年もの間、ずっと巣穴が維持されるというのは、たいへん珍しいことだと思います。

子育てを手伝う「ヘルパー」

北海道では、つがいの子育てを手伝う第三者的なカワセミが観察されたという興味

＊17 **ヒナの糞**　一般的な小鳥の場合、ヒナの糞はゼラチン質の膜につつまれており、それを親鳥がくわえて巣の外に運び出して捨てるか、親鳥が食べることで処理される。少なくともカワセミでは糞を捨てる行動は見られず、ヒナは成長して移動できるようになると、産室から巣穴の出口近くまで歩き、外に向けて排泄する（孵化して間もない移動が困難な時はどうしているのか不明）。だからなのか、カワセミの巣穴の入口は外から見てもわかる程度に糞で汚れていることが多い。

深い事例があります。[61] 8月上旬に観察していた巣が孵化に近づいた頃から、親鳥ではない個体の飛来を確認し、育雛期に入ると、その個体が巣へ魚を運んだそうです。個体識別が明確にできている観察ではないようですが、新しく現れた個体は脚の色が少し黒ずんでいたことから、若い個体ではないか、と推測されていました。この若いと思われる個体と、育雛中のつがいとの関係はわかりませんが、若いと思われる個体が確かに巣の中のヒナたちの親ではない場合、この個体は、ほかの個体の繁殖（抱卵や育雛など）を手伝う存在として「ヘルパー」と呼ばれます。

カワセミのヘルパーについては、東京で行われた観察[38]でも、親鳥以外のオスの成鳥がヒナに食物を与えていたことから、存在が示唆されています。また、海外ではチェコ共和国で行われた研究[54]でも報告されており、5年間の調査中に4例確認されたそうです。ヘルパーは若いオスで、7月頃に巣に飛来し、育雛中の親鳥たちとともにヒナに食物を運んだそうです。観察された4例中2例の若いオスは育雛中の親鳥の子どもだったとのことで、早熟な個体だったのではないかと推測されていました。この事例とは別に、巣立ち後のヒナに若鳥が食物を与える姿も観察されており、チェコ共和国のカワセミの繁殖事情は興味深いところです。

カワセミの仲間では、ほかにもヘルパーをもつ種が知られており、海外に生息するワライカワセミやヒメヤマセミなどが有名です[63]。ワライカワセミでは主に繁殖しない若鳥がヘルパーとなって親の繁殖を手伝うことが多いようですが、ヒメヤマセミでは、血がつながっている親を手伝う場合と、血がつながっていない他人の繁殖を手伝う場合の両方があるそうです。これまでの報告からは、カワセミの場合は血がつながっている親を助けているように思えますが、実際はしっかりと調査をしてみないとわかりませんね。

カワセミ こぼればなし❶

カワセミの産座

鳥の巣の形や材質は種によってさまざまですが、親鳥が卵を産んで温める部分、いわゆる「産座」は、卵を傷つけないように、よりていねいにつくられていることがほとんどです。草で編まれた巣や木の枝で組まれた巣も、中をのぞいてみると、産座の部分はより細く柔らかい草や獣毛、ときには親鳥の腹の羽毛が敷かれ、触り心地がたいへんよさそうなつくりになっています。ではカワセミはどうでしょうか？　親鳥がていねいに掘った産室の床の土は柔らかそうですが、彼らはそこに、さらに吐き出した魚の骨（**図2-20**）を敷くことが知られています。本文でもお話しした、魚の骨などの未消化物を固めて吐き出したペリットですね（**図2-21**）。

研究を始めたばかりの学生だった当時、私は親鳥が吐き出して敷き込んだ巣材としてだけではなく、ヒナに運ばれた食物の手がかりとしても産室のペリットがとても気になっていました。海外の研究に、ヒナが巣立った後に掃除機（！）で産室の中身を抜きとり、魚の骨から食物を同定したという報告[64]があったからです。当然ながら、魚の骨から種を判定するには、種に特徴的な骨を見分ける識別眼とそれぞれの魚がもつ骨の特徴などの知識が必要です。当時の私は、そのような知識をもっていませんでしたが、にもかかわらず、まずはやってみれば何とかな

図2-20　ペリットを吐き出すカワセミ

ペリット（白矢印）を吐き出すのは簡単ではなさそうだ。くちばしを大きく開き、首を振ったりしながら、やっと吐き出すように見える。（撮影：吉野俊幸氏）

るかも、と無謀にも、カワセミのヒナが巣立って数日経過した巣を1つだけ掘り出してみたことがあります（残念体験談ですが、学術研究目的で行っています。決してマネしないでください）。

多くの鳥の繁殖が終了した8月中旬、残暑のまだ厳しい日差しに焼かれながら、トンネルの長さから推定して産室が位置していると思われる地面を、スコップを使って注意深く掘り返していきました。無事、産室の空間に到達し、すくいあげた内部の土は、巣立ち後から数日経っても、まだなんとなく湿って黒っぽく、魚食性鳥類らしい生臭さがありました。私のイメージでは、黒い土に紛れて白い魚の骨がわんさか出てくるはずでした。しかし、魚の骨はほとんど見つけられなかったのです。ヒナの巣立ちを確認した巣なのに……と、苦労して掘り出したわりに成果がなく、ちょっとがっかりしながら、骨を敷かないとか、あまりヒナのペリットが残らない巣もあるのかな、と考えたことを覚えてい

図2-21　カワセミのペリット（白矢印）
魚をよく食べている場合、ペリットはその骨でできるので白く、エビなどをよく食べている場合は赤みを帯びる。大きさ比較のために10円硬貨を置いて撮影。（撮影：内田 博氏）

ます。

今思い返しても、ほとほと残念な行動の記憶です。

カワセミが産座にペリットを敷くことについては、国立科学博物館附属自然教育園でカワセミの繁殖を詳細に観察された矢野亮さんも、小魚の骨やザリガニの殻が産座に敷き込まれていたことを写真とともに記述していますし[45]、記録をたどれば、昭和16年に発刊された山階芳麿侯爵の著書『日本の鳥類と其生態第二巻』（科学総合出版所）にも記述があります[65]。おそらく産卵から育雛まで、産座には親鳥やヒナが吐き出したペリットがずっと存在していると思われます。そのようなカワセミの産座に関するいくつかの報告を見れば、私が掘り出した土にも、量の多寡はあれど、魚の骨は入っていたはずです。なぜ見つけられなかったのかと考えれば、先に行われた数々の研究から、確実にそれを遂行する方法を検討する事前準備が圧倒的に不足していたからでしょう。

日本の三大随筆といわれる兼好法師（吉田兼好）による『徒然草』には、「仁和寺（にんなじ）の法師」という有名なお話があります。これは、長年気に留めていた京都の石清水八幡宮に、1人で参詣しに行った仁和寺の法師のお話で、目的の本宮は山頂にあったにもかかわらず、山麓のお寺や神社を本宮と勘違いして参拝し、それだけで満足して帰ってきてしまったというものです。その最後に、兼好法師がこう綴っています。

「少しのことにも、先達はあらまほしき事なり」

今になって思えば、あの日、私は掘り出した土の中に魚の骨を見ていたのではないか、と思うのです。カワセミが食べる魚は、そう大きくありません。その魚の骨格を構成しているそれぞれの骨はミリ単位の小さなものでしょう。それらが産座の土と掘り返した土に紛れ込んだ状態では、魚の骨に関する知識のなかった私には、骨は見えていたものの、それだと気づけなかったのではないか、と考えています。また、骨を敷かない巣もあるのかもしれない、という勝手な思い込みで、土と骨を分離することも試みませんでした。それは、先達が残した論文、すなわち先行研究をよく読んでいれば、回避できたであろう過ちだと思うのです。

失敗したら改善策を練って再挑戦、という考えもありますが、当時の私には、カワセミが苦労してつくった巣穴を掘り返したにもかかわらず、成果がなかったこと（正しくは、成果を得る努力を怠ったことですね）への罪悪感が少なからずありました。現在も小型カメラで彼らの巣を調査する機会があり、巣立ち後の産室の映像から、魚の骨の破片に気がつくようにもなりました。いつか、今度こそ産座からペリットを集めて研究をする日がくるかもしれません。そのときには、十分な準備をもって臨みたいと思います。

第3章 カワセミの採食行動と食物

かわいらしい姿とのギャップ？鮮やかな採食行動

カワセミが多くの人に人気がある理由の1つには、採食行動のダイナミックさがあるのではないでしょうか。木の枝にとまって水面をじっと見ていたかと思えば、さっと飛び込み、魚をくわえて水から飛び出す鮮やかな姿はまさに、お見事！と言いたくなります。その後にとらえた魚を何度も枝にたたきつける荒々しい行動も、普段のかわいらしい姿とのギャップを生み、人の心をとらえるのかもしれません。心理学には「ゲインロス効果」というものがあるそうです。人に対する印象において、良い印象と悪い印象の変化量が大きいほど、影響を与える度合いが大きくなる心理的効果のことです。たとえば漫画などで、一見、言動が不良っぽくてちょっと近づきにくい人物が、事故に遭いそうになっている子どもを捨て身で助けるとか、雨の日に凍える猫を温めようとする場面などが描かれることがあります。現場を見た人の、人物へのそれまでの印象がマイナスであればあるほど、その出来事によって人物に対する印象が変わる程度は大きくなるものです。同様に、野性味あるカワセミの採食行動は、かわいらしいこの鳥がもつ、思いがけない一面を見せてくれるようで、より魅力を感じさせるのかもしれません。

2つの採食行動

さて、カワセミの採食行動には大きく分けて2つの様式があります。

待ち伏せ

水面に張りだした木の枝や、ススキのような外見で水辺に生える、ヨシなどの背の高い植物などにとまって水中の獲物を狙います。枝の上では体全体や尾羽を上下にピコピコ動かしながら、水面をのぞきこんでいる姿がよく見られます（**図3-1**）。獲物との間合いを測っているようにも見えますが、水中に視線を向けていないときにも尾羽や体を上下に動かしているようです。不思議な動きですね。水中の魚影を追っているのか、枝の上を右に、左に、横歩きで移動することもあ

図3-1　水面をのぞきこみ、獲物を探す
（撮影：吉野俊幸氏）

ります。興味深いのは、細い枝やヨシなどの植物にとまって水中をのぞきこんでいるとき、風などで枝や植物が揺れ、それに伴ってカワセミの体も揺れるのに、頭は固定されたように一点から動かないことです。狙いをつけたら一瞬で水に飛び込み、獲物をとらえます（**図3-2**）。とまっていた場所から水中に向かって真っすぐに飛び込むというよりは、少し斜めに飛び込んでいるようにも見えます。第1章でお話ししたように、カワセミのくちばしは頭に対して長いのが特徴ですが、同時に細長い（幅が細く、高さがない）形状をしています（口絵1～3、30）。このくちばしと、そこから頭へと続く滑らかな形が、カワセミが水に飛び込んだ際に受ける水の抵抗を減らし、飛び込み速度からの減速がほとんどないままの潜水を可能にするとされています[66]。

獲物をとらえた後は、とまっていた枝に戻ることもあれば、そのまま獲物をくわえて飛び去ることもありますが、それらを飲み込む前には、一度枝や石の上にとまって、首をひねり、くちばしにとらえた獲物を何度もたたきつけます（口絵7）。とらえられたばかりでまだ元気な魚は、飲みこむときに暴れるかもしれません。たたきつける

図3-2　水の中で獲物をとらえたカワセミ
（撮影：吉野俊幸氏）

ことで弱らせて（もしくは命を奪って）いるようです。[12] 千曲川での調査では、カワセミの採食行動の約8割がこの待ち伏せによるものでした[57]。

待ち伏せて採食する場合、カワセミにはそれぞれお気に入りのとまり場があるようで、そこへ別のカワセミがくれば当然ケンカになります。イギリスでは、カワセミが、お気に入りのとまり場にきたさまざまな鳥、たとえばヨーロッパコマドリやキセキレイ、ミソサザイやカワガラスなどを追い払ったという観察もあります[35]。お気に入りゆえに他の鳥に使われたくないのか、もしくは他の鳥がくることで、水中の魚に気づかれて採食がしづらくなることなどを嫌ってのことかもしれません。

ホバリング（停空飛翔）

カワセミは、すばやく羽ばたきながら空中の一点にとどまるようにして、水中の獲物を狙うことがあります（**図3-3**、口絵9）。前傾姿勢で頭は固定されたように動かず、水の中をじっと見ています。その状態からスッと頭を下げ、羽ばたいていた翼を閉じて、まるで弾丸のように水に飛び込んで魚をとらえます。ホバリングの場合、

図3-3　ホバリング
（撮影：内田 博氏）

水に飛び込まずにそのまま木の枝や石の上に降りることも多く、何度もこれを繰り返した後、結局飛び込まず、別の場所に移動する姿も見られます。1回のホバリングは数秒ですが、何度も繰り返すとなると、エネルギー消費が激しそうな採食方法です。しかも、ホバリングでの採食成功率（獲物をとらえられる割合）は待ち伏せと比べるとあまり高くありません。

千曲川で複数のカワセミを追跡し、合計586回の採食行動を調べた結果、とまり場を利用した場合の採食成功率は78％、ホバリングでは61％でした。同様の傾向は、インド北部で行われた調査でも報告されており、そこでは、とまり場を利用した場合の採食成功率は71％と高かった一方で、ホバリングでは38％程度だったそうです[67]。

待ち伏せとホバリングでは、水中へ飛び込む直前の高さも異なるように感じられます。たとえば、千曲川での観察では、待ち伏せによる採食の場合、水面からとまり場までの高さは、おおよそ1m以下であり、最大でも5m程度でした。先ほどのインド北部の研究でも、待ち伏せて水中に飛び込んだ際の、水面からのとまり場の高さは約1mかそれ以下でしたが、ときには5m以上、最大で12mの高さのとまり場から飛び込んだ記録がありました。一方で、ホバリングでは、飛び込む直前の水からの高さは、千曲川ではだいたい1・8mほどで、最大でも3mほどでした。

ではなぜ、採食方法が異なると、飛び込む高さが異なるのでしょうか？

1つ考えられるのが、それぞれの採食方法を行った場所の水深です。カワセミがとまり場を使って待ち伏せ採食する場合の水深は、千曲川の調査では、おおよそ40㎝程度でした。インド東部で行われた研究[68]でも（採食の観察数がたった9回と少ないのですが）、おおよそ同じ水深での採食が報告されています。一方で、千曲川の事例では、ホバリングを行った場所の水深は、とまり場からの採食のときよりも浅い傾向がありました。もともとホバリングはとまり場がない場合に有効な採食方法ですが、水深が浅い場所でも、空から狙うことで自分の存在を魚に悟られにくくできる方法なのかもしれません。

このほか、飛びながら、スイッと高度を下げて水面をかすめたと思ったら、魚をくわえていたこともあります。同様の行動はヤマセミでも見られますが、本当に鮮やかで、しかもなかなか見かける機会はありません。この採食現場に出会えた人は、その日、ちょっとツイてる、かもしれませんよ？

採食場所を突きとめる

第2章からここまで紹介してきた、カワセミのなわばりや行動圏、採食行動やその成功率などの数値は、紹介したどの研究でも、基本的に複数の個体を長時間追跡して得られたものです。カワセミはいつでも開けた環境に姿を見せてくれるわけではありません。弾丸のように川面を飛び、ときにはヤナギの枝先やヨシ原の中にそっと潜むようにとまって水面を見つめています。そんな彼らを追跡するのは短時間でもなかなか大変です。ここでは、千曲川での調査の話を中心に、カワセミの追跡についてお話ししたいと思います。

カワセミを追跡するには、まずは巣穴を把握する必要があります。この地域のカワセミを調べよう、と事前に調査範囲を決め、カワセミが繁殖に入った頃に、定期的に調査範囲内の崖をじっくりと双眼鏡や望遠鏡で眺め、巣穴の目星をつけておきます。しかし、巣穴を掘っていると思われる時期は巣に近づくことはできません。巣を見にきた人間にカワセミが驚いて、巣穴掘りをやめてしまう可能性があるからです。

色を使って個体を見分ける

カワセミの行動観察などを通して巣穴を特定したら、今度はどの個体がどの巣を使用しているかを明らかにする必要があります。私が学生時代に調査をしていた十数年前は、千曲川にはカワセミの巣穴が数多くあり、水面にはカワセミが飛び交っている、といってもよい状況でした。なので、巣穴から離れた場所で見つけたカワセミが、どの巣の持ち主なのかを見分けるなんて（外見からだけで彼らを見分けられるでしょうか？）、到底できそうにありませんでした。野鳥の個体識別[*1]によく使われるのは色のついたプラスチック製の足環（あしわ）ですが、カワセミの体は小さく、また脚もとても短いので、足環をつけても、今度は見つけたカワセミが足環をつけているのかを判断することが難しい、という問題がありました。

「過去の研究では、どうやってカワセミの個体識別をしていたのだろう？」先人の知恵を求めて文献を探したものの、見つかったのは、なんらかの色素やピクリン酸[*2]を用いて尾羽や体の一部を染めたなど、現在実行するには、薬品の性質などからやや躊躇する事例ばかりでした。困った私に、思いもよらないアイデアを授けてくれたのは、別の鳥の研究でお世話になっていた比企野生生物研究所の内田博さんでした。

＊1 野鳥の個体識別　野鳥をはじめ、動物たちの行動や生態、社会を研究するために、同じ種のなかでもそれぞれの個体を、なんらかの方法で識別すること。身近な例として、飼い猫や犬に装着されるマイクロチップには飼い主の情報が登録されており、外見からは個体の区別がつきにくくても、飼い主がわかるようになっている。野鳥研究ではカラー足環の利用が一般的。

カワセミの身体の中でも目立つのはそのくちばしです。内田さんの提案は、そこに色を塗ることでした。もちろんくちばし全体を塗ってしまうのではなく、ほんの目印程度に色を載せるだけですが、問題は塗料です。カワセミは水に潜るので、水性絵具ではすぐに落ちてしまいます。プラモデルなどの塗料はしっかりつくかもしれませんが、乾くのに時間がかかるかもしれません。繁殖中のカワセミを捕まえるのですから、作業は手早く済ませて放鳥する必要があります。この塗料についてもアイデアを授けてくれたのは内田さんでした。発色がよく、すぐに乾き、水にも強いけれど、時間が経てば落ちる……どんな塗料だと思いますか？

それは、爪に塗るマニキュアです。家にあった1本3000円以上する（個人的に）高級品から100円ショップのお手軽なものまで、私は複数の見分けやすい色のマニキュアを選び出し、カワセミのくちばしに小さく印をつけました。これはうまくいきました。双眼鏡で個体を見つけたときに、すぐにどこの巣穴の個体か判別ができ、個体の行動圏や採食場所がぐっと把握しやすくなったのです。ちなみに、翌年偶然捕獲した同じ個体のくちばしには、塗料は何も残っていませんでした。

＊2 ピクリン酸　2,4,6-トリニトロフェノールやピクロ硝酸とも呼ばれる化学物質。染色力が強く、黄色に色づくので、小動物の体毛や鳥の羽を染めて個体識別をするために使用された時代があった。人体に有毒。

色に影響されるオスのモテ具合

今回のような方法でも、足環でも、色による標識は、鳥の体の一部に本来ない色を追加することになります。ときに、それは思いもよらないことを引き起こすかもしれません。色は鳥にとって配偶者選択にもかかわる重要な要素です。たとえば、飼育鳥としてもよく知られるキンカチョウ（**図3-4**）は、くちばしの赤さが特徴的で、オスはくちばしが赤いほどメスにモテるそうです。アメリカの研究者が、実験をするためにたくさんのキンカチョウにさまざまな色の足環をつけて個体識別をしていたところ、赤系のカラー足環をつけたオスはメスとつがいやすかった、つまりモテたのに対し、青や緑系の足環をつけたオスはメスから人気がなかったことを発見しました[69]。本来キンカチョウのオスは、くちばしの赤さでメスにアピールをするそうですが、脚でも同じような効果があるとは驚きです。この実験でモテたオスは、カラー足環で人工的に魅力をアップできてしまったわけですね。

一般に、鳥の羽毛が赤や黄色に発色する由来の1つとしてカ

図3-4　キンカチョウ（オス）

ロテノイド色素があります。[4] カロテノイドは鳥の体内で合成されるものではなく、その色素が含まれている食物を摂食して体内に取り込むことで、羽毛に沈着することができます。言い換えれば、赤や黄色が鮮やかな鳥の羽毛は、カロテノイド色素の量が体内に多いことを意味しており、それは同時にその個体の食物環境を反映します。また、カロテノイドは体内の抗酸化力や免疫機能にも重要な働きをするため、鮮やかな色の個体は、健康でダニなどの外部寄生虫などにも寄生されにくいとも言われています。[70] このような理由から、カロテノイド由来の赤系色を鮮やかに発色するオスは、多くの種に共通してメスにモテるとされています。

カワセミのくちばしは年中真っ黒で、これはメラニン由来の色ですが、カロテノイドの例のように、くちばしの色が黒いほどメスにモテる可能性もあるかもしれません。サギ類やコジュリン（**図3-5**）のように、冬の間は明色だったくちばしが繁殖期になると黒く変わる種もいるからです。

種類によっては明らかに重要な意味をもつくちばしの色。もしそこに色を塗らない

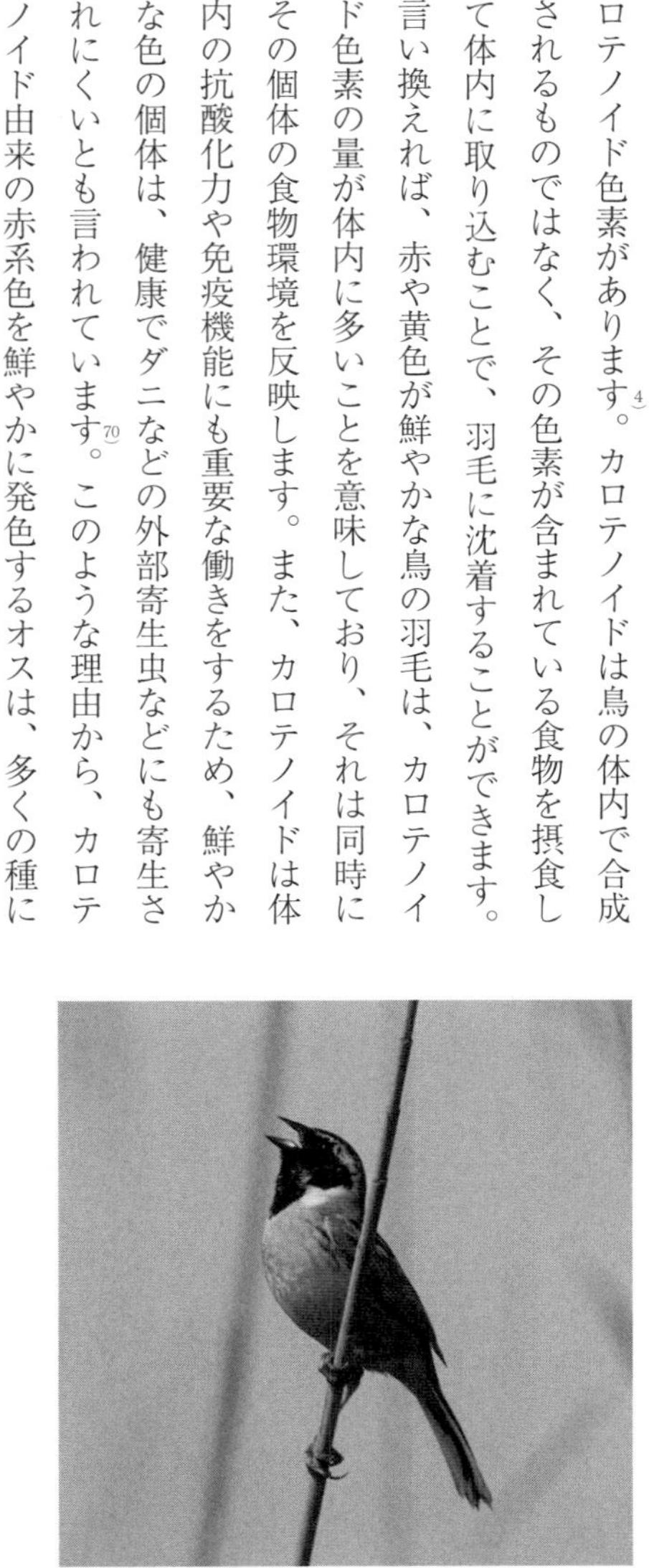

図3-5　コジュリン（オス）
（撮影：内田 博氏）

としたら、ほかにどうやって個体識別できるだろうかと、ときどき考えます。これといった手法は、残念ながら今のところ思いついていませんが……。

親鳥がヒナに運ぶ食物を調べる

追跡しているカワセミがどこで魚をとっているかがわかると、次に気になるのは魚の種類です。採食行動を観察していると、ちらりと魚が見えることもありますが、魚類の専門家ではない私には、その一瞬で魚を見分けるのは至難の業（わざ）です。なので、成鳥が食べている最中の魚を直接調べるのは難しいのですが、ヒナに運ぶ食物であれば調べる方法があります。実際、多くの研究者がこのことに着目して研究をしてきました。ここからは、カワセミがヒナに運ぶ食物についてお話しします。

巣の中の手がかり

親鳥がヒナに運ぶ食物を調べる方法は、親鳥の採食を直接観察する方法、ビデオカメラを巣の近くに設置し、親鳥が巣に運ぶ食物を撮影して映像から調べる方法、ヒナの糞を洗って中に含まれる生き物の破片から調べる方法など、いろいろありますが、カワセミのような魚を多く食べる鳥では、吐き出された魚の骨や未消化物、いわゆる「ペリット」を調べる方法がよく使われます。

ヒナが巣立った後、巣穴の内部に残された残渣（ざんさ）を、スコップや、ときに掃除機を使って集めたものを目の細かなふるいにかけて、魚の骨を土と分けていきます。そして、得られた骨の特徴的な形や大きさを調べることで、種類、もしくは何の仲間かを絞り込んでいきます。魚類の体の各部分の骨の大きさは、体長や重量と関係しており、身体が大きいほど骨も大きく、また体重も重くなる傾向があります。つまり、骨の大きさから、魚の体長や重さを推定するなんらかの数式を求めることができるのです（**図3-6**）[71]。ここでいう、魚の体長とは、一般に標準体長を示します。魚の体長には標準体長と全長[*3]があります（**図3-7**）。魚の尾びれは破損しやすいため、

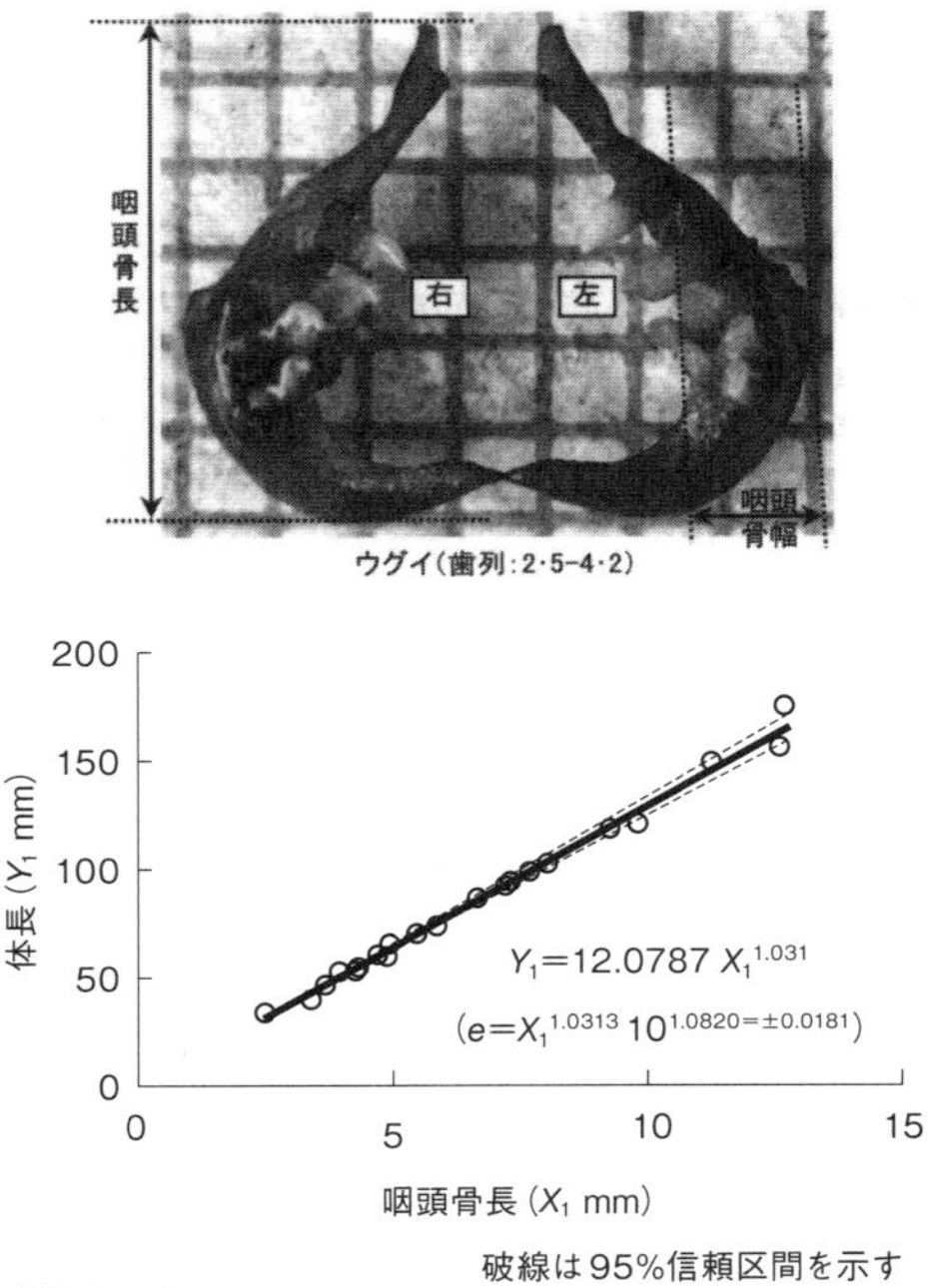

破線は95%信頼区間を示す

図3-6
長野県の東信地方におけるウグイの咽頭骨および咽頭骨長と標準体長の関係式
（文献71より許可を得て写真を転載、図は一部改変）

魚の大きさを表すのには標準体長を使うことが多いようです。また、体長に対して、体の背縁から腹縁までの垂直方向の距離を体高といいます。

私自身もそうですが、もし皆さんがカワセミの食物を調べたいと思ったら、魚類の生態や使われる用語も知っておく必要があります。ときには、魚の骨の大きさと体長の関係や、骨と魚種の対応を調べるために、カワセミの繁殖期中や直後などに、カワセミが食べていると思われる魚類を、たくさん捕まえることも必要になります。

ペリットからの食物分析には、このような魚類の情報と、何より、カワセミが食べる小さな魚の骨を巣内の土の中から丹念に探す根気が求められます。カワセミの場合、巣の中には、卵を産む前に敷いたペリットや、親鳥が抱卵中に巣内に吐き出したペリットが混ざっていますので、純粋にヒナが食べた食物だけが検出されるわけではありませんが、残された魚の骨には多くの情報が詰まっています。魚食性鳥類の食物を調べたい研究者にとって、鳥たちが吐き

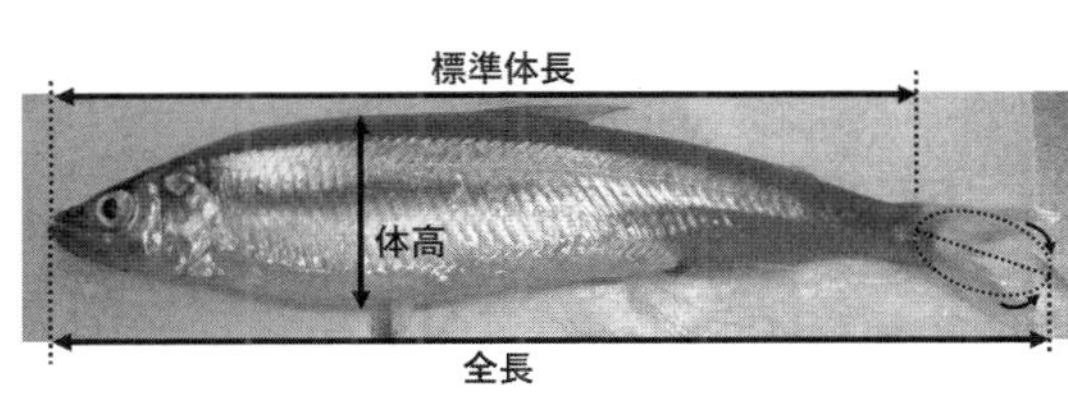

図3-7　魚の標準体長と全長
写真はワカサギ。（撮影：龍野紘明氏）

＊3 **標準体長と全長**　標準体長は、魚の吻（口）先から尾びれの付け根の骨の終わりまでをいい、全長は、魚の吻（口）先から尾びれ（閉じた状態）の末端までをいう。

出したペリットは宝の山なのです。

ビデオカメラで映す

とはいえ、魚類の知識がなければ、宝の山も持ち腐れになるばかりです。骨からの種同定はできなくとも、姿や形からなら図鑑を参考に何とか同定できるのでは、と考えた私が千曲川の調査で採用した方法は、ビデオ撮影でした。今でこそ誰もがスマートフォンやデジタルカメラで気軽に動画を撮影できる時代になりましたが、私が学生の頃は、デジタルで撮影できるビデオカメラはまだまだ高価なものでした。私が撮影に使ったのは、A5サイズ程度の8ミリビデオカメラです。カワセミの巣の近くにカメラを設置できる場所を探し、さらにカワセミがきちんと映り込むように、巣の近くにとまり場を作製しました。捕食者に変に興味を持たせないように、素材には河原で拾った倒木の一部などを使うようにしました。作製したとまり場をカワセミが気に入ってくれると、巣に入る前に毎回とまるようになります。ここでようやくビデオ撮影の開始です。

朝は鳥たちの活動が始まるより早い、夜明け前の暗いうちから撮影を開始し、おおよそ4時間おきにバッテリーとビデオテープを交換しながら（4時間の撮影をするだけでも、当時は大容量バッテリーが必要だったのです)、日が暮れるまで、1日約12時間撮影しました。複数の巣を同時に撮影する場合などは、1日ビデオテープとバッテリーの交換に追われ、ほかの調査ができないこともありました。

日が経つにつれ、親鳥が運ぶ食物を撮影したビデオテープは山のように増えていき、調査が終了した後は、その解析に追われます。ビデオカメラを使った調査のよいところは、私が複数いなくとも、あちこちに存在する巣での親鳥の出入りを自動で記録してもらえることですが、それを解析するのは人間(この場合は私ただ一人)です。今ならAIなど機械学習を使った自動解析もできるかもしれませんが、当時は、撮影したビデオから自分でデータを起こすしかありませんでした。それでも、カワセミが食物を運んでくる頻度は15分に1回程度だったので、まだ大変だとは感じませんでした。これまでにも、同様の方法でオオヨシキリやモズ、スズメの食物調査を行いましたが、これらの種では、親鳥はときに1分に1回以上も食物を運んでくることもあり、1時間のビデオからデータを起こすのに、2時間や3時間かかることもありました。それは本当に大変だったので、カワセミでは、たとえ積み上がったビデオテープが山のようでも、まだまだマシな状況だったのかもしれません。

何を食べてヒナは育つ？

親鳥がヒナにどんな魚や生き物を運ぶのか、それはカワセミが繁殖する地域に生息する、もしくはそこで手に入る魚や生き物の種類によって変わってきます。

千曲川の事例から紹介しましょう。２００５年と２００６年にビデオカメラによる撮影調査をした結果[57]、当時、親鳥が最もヒナに運んだ食物はオイカワでした（**図3-8**）。続いてウグイ（**図3-9**、**図3-10**）、３番目にドジョウでした。オイカワ（**図3-9**）もウグイもコイ科のすらりとした細長い魚で、当時の千曲川では他の種と比べても生息数の多い魚でした[72]。そのほか、カマツカ（**図3-11**）やヨシノボリの仲間（**図3-12**）などの川底でじっとしている底生魚や、ときには、カワエビやアメリカザリガニなどの甲殻類、サナエトンボ科のトンボの幼虫であるヤゴ、またオタマジャクシを運んできたこともありました。

興味深いのはカワセミの魚の運び方です。魚をもってくるときは頭をくちばしの先

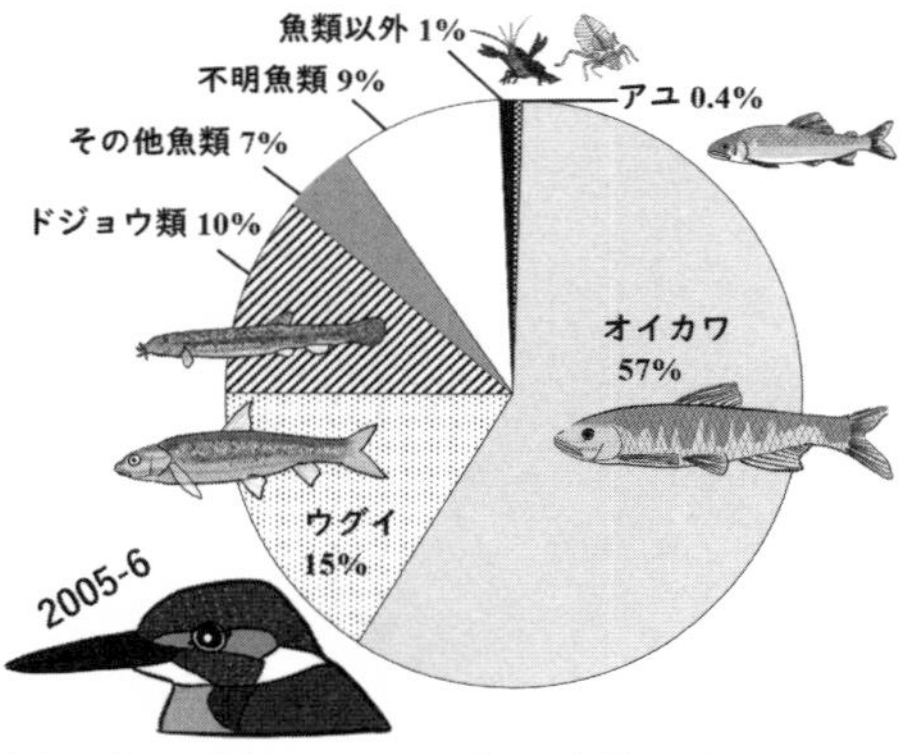

図3-8　2005～2006年に実施したカワセミの食物調査の結果

数字は全体の数（７巣・約680回の搬入事例を撮影）に対して各魚種が占める割合を示す。
（イラスト：井川 洋氏）

図 3 - 9
ウグイ（上）とオイカワ（下）
（撮影：北野 聡氏）

図 3 -10　泳ぐウグイ
（撮影：北野 聡氏）

図 3 -11　カマツカ
（撮影：北野 聡氏）

図 3 -12　ヨシノボリの仲間
（撮影：北野 聡氏）

図 3 -13
魚類を運ぶときのくわえ方
魚の頭をくちばしの先にしている（写真はタモロコ）。
（撮影：著者）

図 3 -14
エビ類を運ぶときのくわえ方
魚類とは反対に、エビ類の尾をくちばしの先にする。写真のアメリカザリガニでは大きな“はさみ”も取り除かれている。(撮影:著者)

に向けてくわえてきますが（**図3－13**）、ザリガニなどのエビ類では逆に、尾をくちばしの先に向けて運んできます（**図3－14**）。また、はさみもしっかり取り除いています。カワセミのヒナは親鳥から与えられた魚を丸飲みするので、親鳥が魚とザリガニでくわえ方を変えるのは、ヒナが飲み込みやすいよう配慮した結果なのでしょう。

日本でカワセミの食物を詳しく観察した研究はほかにもあります。東京都港区にある国立科学博物館附属自然教育園での矢野亮さんの観察[39]では、モツゴ、メダカ、スジエビ、ザリガニ（アメリカザリガニ?）、ヨシノボリ、ドジョウ、金魚などが報告されています。金魚！ いったい、どのような環境で金魚をとらえることができるのでしょうか。矢野さんは、営巣地から約2・6km離れた金魚店から持ってきたのではないかと推測していました。その金魚店が閉店した後は、カワセミが金魚を運んでくることがなくなったのだそうです[45]。

カワセミがヒナに運んでくる食物の種類は、海外でも1900年代からさまざまな国で調べられています[3]。また、2000年前後や近年でも、スペイン[73,74]、イギリス[64]、ベルギー[75]、チェコ共和国[76]、イタリア[77]、また韓国でも報告があります。1つ1つの研究を紹介したいところですが、ここではざっくりとした傾向をお話しします。まず、共通しているのは、日本と同様に、ヒナに運ばれる食物のほとんどが魚類でした。チェコ共和国の別の研究では、6つの河川で15巣を調べ、1万6933個の被食動物を同定したところ、その99・93%が魚類だったと報告されています[78]。親鳥が運んでくる魚にも共通点があり、コイ科やカジカ科などの魚類は、それぞれの研究で主要な食物として報告されていました。これ以外にも、トゲウオ科や、サケ科、ペルカ（パーチ）科、ドジョウの仲間など、国や地域によって、さまざまな魚類がカワセミに捕食されていることがわかっています。チェコ共和国の研究では、親鳥がヒナに運ぶ魚は全体的にシュッとした、細身のものが多かったそうです。私も、それぞれの論文に記述されている魚の学名を頼りに、インターネット上で写真を探してみましたが、カジカ科などは別として、やはり細身の魚種が多い印象をもちました。飲み込みやすい魚の形、というのがあるのかもしれませんね。

魚類以外の食物も報告されています。ザリガニ類、サナエトンボ科やヤンマ科の幼虫や成虫、ゲンゴロウなどの水生甲虫類、マツモムシやアメンボの仲間などの水生カメムシ類など、観察数は少ないですが、種類は多岐にわたっています。ほかにも、ヤモリやカエルなどの両生類や、カナヘビの仲間など爬虫類の捕食記録もあるようです[3]。

魚類を主食とするカワセミが、まれに両生類や昆虫類をとらえてくることについては、「カワセミはそれらを魚と間違えて運んでいる」と言う研究者もいます。運ばれてくる魚類以外の生き物の大きさは3~8cm程度で、よく運ぶ魚類の大きさと似ていることから、狙ってとらえたというよりは、魚類に似た形状の、もしくは魚類に似た動きをしたものを間違って捕獲しただけで、偶然の産物ではないか、というものです。実際のところどうなのでしょう。ぜひ、カワセミに聞いてみたいものですね。

魚の大きさと形

カワセミのヒナが孵化して少しの間は、親鳥はヒナの小ささに対応して、小さな魚を運んでヒナに与えますが、数日から1週間もすると、親鳥のくちばしからはみ出すほどの大きさの魚を与え始めます。

複数の研究から、カワセミがヒナに運ぶ魚の種類は、水の中の水面に近い場所に生息する種から川底に生息する種まで多岐にわたり、さまざまな環境で魚をとらえていると考えられます。その一方で、運んでくる魚の大きさは、研究によって細かな違いはあるものの（たとえば、魚の大きさが全長なのか、標準体長なのか、も研究によって異なるので、ここでは「大きさ」としてまとめてお話しします）、孵化して3~7日くらいまではおおよそ5cm以下、その後は2~13cmの範囲で、特に5~9cmの魚を多く運んでくるようです。千曲川での食物調査はおおよそ孵化後1週間以上経過したヒナがいる巣で行いましたが、親鳥がヒナに運んだ食物の大きさは2・5〜12cmで、平均値は7・5cmでした。海外のカワセミと、そう違いはなさそうです。

チェコ共和国で行われた調査からは、魚の形によって、親鳥が運んできた魚の大きさの上限が異なっていた、という興味深い報告があります[79]。7河川21巣から、カワセミのペリットを集めて分析したところ、サケ科のブラウントラウトやコイ科のブリークなど細い流線形の形をした魚では、骨の大きさから推定された体長（全長）の最大値は約12cmだった一方で、背が盛り上がったように見える体高（体の背縁から腹縁までの垂直方向の距離）の高いペルカ科（パーチ科）のヨーロピアンパーチ（**図3-15**）などの魚では、推定された全長の最大値は10cm、カジカ科（**図3-16**）の魚のように頭がとても大きな魚では9cmだったそうです。カジカ科の魚は、他の魚種よりも全長が小さめだったにもかかわらず、カワセミのヒナが飲み込む際に魚が暴れたり、エラを広げることで頭の部分が喉に詰まるなど、ヒナの死亡要因の1つに挙げられていました。

千曲川で親鳥がヒナに運んだオイカワやウグイは、細長く流線形をした魚です。ビデオ画像から、カワセミのくちばしの長さを基準に推定した、これらの魚種の体長（標準体長）の最大値は、カワセミのくちばし（約4cm）の3倍ほど、約12cmでした。カワセミの全長（約17cm）に迫る大きさです。一方で、タナゴやオオクチバス（**図3-17**）などの体高の高い魚や、カジカの仲間など頭の大きな魚種はほんの少数しか運ばれてきませんでしたが、画像から推定されたそれらの標準体長は約5～8cmと、オイカワやウグイよりも小さな傾向が見られました。

当然ながら、日本とヨーロッパでは、生息する魚の種類（魚類相とも言います）は異なりますし、日本国内でも地域によって異なっています。それを思えば、カワセミが食物とする魚種が地域によって異なることは不思議ではありません。その一方で、

図3-15　ヨーロピアンパーチ

ヨーロッパからロシアまで幅広く分布する。日本では輸入、飼育、放流などが原則禁止されている。

図3-16　カジカ

（撮影：北野 聡氏）

図3-17　オオクチバス

北アメリカ原産の魚。日本では輸入、飼育、放流などが原則禁止されている。（撮影：龍野紘明氏）

ヒナに運んでいる魚の大きさは地域に関係なく似ているようです。このことは、カワセミが魚の種類というよりは、大きさで食物を選んでいることを意味しています。お腹を空かせたヒナに頻繁に食物を運び、立派に育て上げるためには、魚種を選ぶよりも、ヒナの成長に必要な大きさの魚を求めるのでしょう。同時にヒナの飲み込みやすさも考慮しているのかもしれません。親鳥が自分の体長にも匹敵する長さの魚を、くちばしでがっちりとくわえて、くちばしからはみ出た部分をまるで背に担ぐようにして運んでくるのを見ると、彼らの子育てに注ぐ熱意をひしひしと感じます。

巣立ちまでにヒナが食べる魚の量

孵化から日数が経つにつれて、巣の中でぐんぐん育つヒナの食欲はどんどん旺盛になります。親鳥が、ヒナが巣立つまでに魚を運ぶ回数は、国内外の研究では、1000回とも、1500回とも言われています。そして、研究によっても大きく異なるようです。たとえば過去に千曲川で観察された事例では、1日およそ30回（オス20回、メス10回）だったという記述[80]があります。巣立ち前の数日を除いて、親鳥がヒナに食物を運ぶ期間を23日間と仮定すると、千曲川の観察例では690回となり、海外の報告事例とはずいぶん様子が違うように感じられます。このような違いをもたらす理由の1つには、巣の中のヒナの数が考えられます。ヒナが増えれば、その分、運ぶ魚の量や全体の消費量は多くなる、というのは納得しやすいのではないでしょうか。実際にそれを明らかにした研究があります。

チェコ共和国で行われた研究では、巣内育雛期間[*4]を通してヒナに運ばれた食物の数と、産室に残されたペリットから推定した、運ばれた魚の湿重量[*5]が報告されています[76]。4ヒナの巣で、巣立ちまでに消費された魚の推定量は1498g（魚の数505匹）、8ヒナの巣では2968g（魚の数894匹）でした。ヒナの数が2倍のときは、運ぶ魚の量もおおよそ2倍になっていますね。この研究では、1羽のヒナが25日間の巣内育雛期間に消費する魚の量が334gであるという結果を用いて、ヒナの毎日の摂取食物量を約18・5gと算出していました。これは、巣内育雛期後半のヒナの体重のおおよそ37%に相当するそうです。

興味深いことに、同じ研究において、5ヒナの巣にもかかわらず、3155g（魚の数1297匹）と、8ヒナの巣よりも消費量が多い事例があったことも報告されていました。理由として挙げられていたのが「兄弟（姉妹）ゲンカの激しさ」です。その巣のヒナは、ほかの巣よりも互いに攻撃的に見えたそうで、互いに親鳥から魚をもらうことに闘争心を燃やした結果、全体として親鳥に対するエネルギー要求量が高く

＊4 巣内育雛期　鳥の中にはニワトリのヒナのように生まれた時点で羽毛を持ち、すぐに目も開いて自分で歩きまわり、採食できる種もあるが、目も開かず、羽毛も生えていない状態で生まれてくる種も多い。後者の種では、親鳥はヒナが孵化してから巣立つまでの間、食物やその他の世話などを行う。これを巣内育雛期といい、ヒナが巣立った後も、巣の外で親鳥が食物などを与えて世話をする時期を巣外育雛期という。

なったのではないか、と推測されていました。ヒナの数にかかわらず平和な巣もあれば、互いの関係がギスギスした巣もある、ということなのかもしれません。

ただ、8ヒナの巣（もしくは5ヒナの巣）での魚の搬入回数を思えば、4ヒナの巣でももっと多くの魚を運べばヒナの成長がよくなるのではないか、とも思えます。しかし、4ヒナの巣の親はそうしていませんでした。なぜでしょうか。この理由はいくつか考えられます。

1つには、少ないヒナ数に大きな手間をかけるよりも、労力を抑えることで、現在育てているヒナが独り立ちした後の、次の繁殖に注ぐ力を残している可能性です。もしくは、労力を抑えることで親鳥自身が命を削るような事態にならないようにしているのかもしれません。別の可能性として、もともと少ないヒナ数しか育てられない、食物となる魚の少ない環境だった、ということも考えられます。これらを確かめるには、たとえば、ヒナを育てるために必要な魚がどれだけ巣の周辺やなわばりの範囲内にいたのか、といったことをヒナの多い巣と少ない巣で比較するなど、食物となる魚類の生息状況を検討する視点も必要になりそうです。

このチェコ共和国での研究では、ヒナが巣立った後の産座に残された骨から、運ばれた魚の個々の推定重量を、0・01～16・2gと算出しています。魚の種類にもより

＊5 湿重量　人間を含め、生物はみな体内に水分を含んでいる。湿重量はその水分を含んだそのままの状態で計測した重量のこと。反対に、水分を蒸発させた後に計測する重量として乾燥重量（または乾重量）がある。

ますが、その推定重量は、おおよそ3㎝の魚で0・2g、7㎝の魚で2・8g、10㎝の魚で8・6gだったそうです。親鳥がさまざまな大きさの魚をヒナに与えていたことがわかりますね。

ヒナを効率的に育てるためには、エネルギーとなる大きい魚を与えるのがよいのですが、カワセミでは、ヒナは親鳥から与えられた魚を丸飲みするため、大きすぎる魚は、たとえば先ほど紹介したカジカの仲間を喉に詰まらせてしまったヒナの事例のように、ヒナの命を奪ってしまうこともあり、ヒナが食べることができるサイズには上限があることがわかります。一方、飲み込みやすい魚は、その分大きな魚よりもエネルギーが低いので、親鳥はたくさん運ばなくてはいけません。これを「カワセミのジレンマ」と呼ぶ研究者もいます。

日本の研究でも、巣内育雛期間全体を通して運ばれた魚の総数や推定湿重量を報告している例があります。東京都では巣内育雛期間を通して運ばれた魚の総数は、調査年は違うものの、6ヒナの巣（23日間）で1364回、7ヒナの巣（25日間）で1413回だったそうです[45]。やはり、巣内のヒナ数が増えると食物を運ぶ回数が増えています。単純に平均すると、1ヒナ当たりの期間全体の食物の消費量は200〜230匹、1日に換算すると約8〜10匹となります。運ばれてきた食物と同じ魚種をさまざまな大きさで用意し、湿重量を計測した結果から、6ヒナの巣では、育雛期全体での食物の湿重量は、全体で1084g（1ヒナ当たり約181g）と推定されていました。この東京の事例での、ヒナ1個体が消費する食物の数や重さをチェコ共和国の事例と比べると、やはり地域差があるように感じられます。食物となる魚類の量が関係しそうなことはすでにお話ししましたが、それ以外にも、なぜ地域で違いが生じるのか、を考えてみるのも面白いかもしれません。

親鳥からたくさんの食物を得られることはヒナの体重増加につながります。そしてそれはヒナたちの巣立ち後の生死にもかかわる重要な要因の1つです。命をつなぐ育雛に休みはなく、雨の日も風の日も親鳥はヒナに食物を運びます。100年近く前から現在までのさまざまな研究報告を読み、ヒナに食物を運ぶ回数や運ぶ食物の大きさなどを考えると、時代や国、そして観察された個体は違っても、カワセミの真摯な育雛行動は変わらないのだな、としみじみ感じます。

カワセミの水浴び

カワセミの行動を観察していると、カワセミが魚をとる以外にも何度も水に飛び込む姿を見ることがあります。どうも水浴びをしているようです（**図3-18**）。魚を狙っているときと違い、水に飛び込んでは枝に戻り、枝に戻っては飛び込み、を数回繰り返し、またくちばしを使って盛んに羽毛を整えるしぐさ、いわゆる羽繕いをします（口絵8）。巣穴を掘っている最中に、土を蹴り出しながら巣から出てきたときや、魚をヒナに届けて巣穴から出てきた後など、羽毛に土がつくなどして体が汚れたときは、特に念入りに水浴びをしているように見えます。ちなみに、ヒナに食物を運んだ後に水浴びをする頻度は、ヤマセミでより高いように思えます。何度も何度も水浴びをして羽繕いをし、それから再び魚をとりに出かけていきます。

ヒナとペリットと糞が織りなす湿潤な巣内環境を思えば、出入りのたびに身ぎれいにしたいのかもしれませんが、彼らが盛んに水浴びをするのは、羽の機能を保つため

図3-18　水浴び
（撮影：内田 博氏）

だとも考えられます。土を落とし、羽繕いをしている間に羽毛の細かな構造を整え、尾羽の付け根（背中側）にある尾脂腺（びしせん）から分泌される脂を塗りつけて、羽毛の撥水効果を高めているのでしょう。

カワセミの繁殖についてのお話はここまでとして、次章では、繁殖が終わった後のカワセミたちの動向について、お話ししたいと思います。

カワセミ こぼればなし❷

再びペリット

カワセミが産室の土の上（産座部分）に小魚の骨を敷くことはすでにお話ししましたが、カワセミやサギ類などの魚食性鳥類、またモズやフクロウなどの肉食性鳥類が、食物である魚類やネズミ類（小型哺乳類）の骨などの未消化物を固めて吐き出したものを「ペリット」と言います。ペリットに含まれている動物たちの骨は、食物を調べる研究の重要な試料となります。繁殖期には巣の中で採取できるペリットですが、巣がない季節はなかなか見つかりません。ペリットを吐き出すタイミングはわかりませんが、食事の合間にしているとすれば、カワセミの場合は、お気に入りの場所周辺を探すのも1つの方法です。しかし、カワセミのお気に入りの場所はたいてい水の流れの上に位置します。ペリットを吐き出してもすぐに水に落ちて、流れていってしまいそうですね。

魚食や肉食以外に、昆虫や種子を食べる鳥にもペリットを吐きだす種がいますが、最近まで私は、ペリットは一目見ればそれだとわかる形状をしている、と思っていました。何が含まれていても、それらは楕円状に押し固められていて、吐き出されたときはちょっと湿っていても、我々が見つけるときには乾燥していて、軽くてもろい、そんな印象でした。ところが、最近それがくつがえされました。カワウ（図3-19）という鳥によってです。

カワウは、全身が黒く、澄んだ青緑色の瞳をした全長80～90㎝ほどの大型の魚食性鳥類です（第5章で詳しく紹介します）。体が大きくていろいろな魚を

図3-19　カワウ
（撮影：著者）

食べるので、漁業者とのあつれきを生みやすいのですが、漁業不振をいたずらにこの鳥のせいにするわけにもいきません。漁業者と魚食性鳥類が互いにバランスよく暮らすために、カワウが生息する地域ではよく食物が調べられています。

私の職場の近くには、この鳥が夜に集団で眠るねぐらの木があり、個体数の調査や食物調査のためによく出かけています。あるとき、ねぐらの木の下の地上にブニョブニョとしたゼリー状の物体が落ちていることに気がつきました（**図3-20**）。色は白っぽいものから黄色、赤みがかったものまでさまざまです。カワウは比較的大きな魚を食べるので、はじめはそういう魚の一部分が吐き出されているのかと思いました。カワウは天敵を撃退するために、消化途中の魚を、敵に向かって吐き戻すことを、カワウの研究者に教えてもらったことがあったからです。けれども調べてみると、それはどうも繁殖期に巣の中にいて動けないヒナがとる対抗手段のようで、巣のないねぐらの下に落ちているのはいささか不思議でした。

図3-20　ゼラチン状の膜に包まれた謎の物体
（撮影：著者）

なんだろう、とずっと不思議に思いながらも、ブニョブニョした外見とその生臭さから、手にとることにいささか躊躇していたのです。何度かねぐらの下に通ううち、かつてはブニョブニョしていただろうけれど、時間が経って乾いたもの、にも気がつくようになりました。これならまだ抵抗感は少ないかも、とそれを割ってみると、なんと中には魚の骨がぎっしりと詰まっていたのです（図3-21）。

え、これペリットだったの？

正直、驚きました。そして疑いました。カワウのペリットを使って食物を分析した論文には、ペリットがどんな形状なのか、ということまでは書かれていないので、私はカワウのペリットも、これまで見てきた、乾いた骨の塊だとばかり思い込んでいたのです。慌てて、カワウ研究者が書いたカワウの本を見直したところ、そこには「ゼラチン状の粘膜に包んで吐き出す」と書かれていました。[81] カワセミの産室内の魚の骨の掘り起こしで思い知っていたはずなのに、先入観や思い込みとは、やはり恐ろしいものですね。

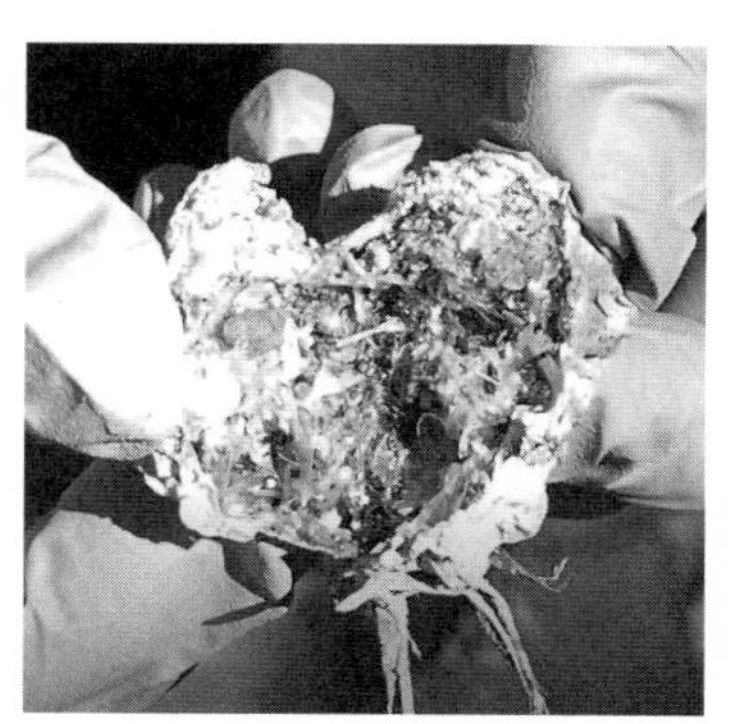

図3-21　乾燥した謎の物体を割ってみると……

指は筆者。
（撮影：中嶋瑞美氏）

第4章

カワセミの旅

移動するカワセミ、しないカワセミ

卵を産み、ヒナを育てる繁殖活動は、次世代に命をつなぐ、鳥たちの年間の生活史でも一大イベントです。せっせと巣内のヒナに食物を運び、かいがいしく世話をする親鳥たちの姿や、巣立ったヒナたちと鳴きかわす声など、繁殖期は鳥たちの活動が人の目に留まりやすい時期だといえます。では、その後はどうでしょうか。子育てが終わったカワセミの親鳥たち、そしてその年に生まれ、親元から独立した若鳥たちは、秋から冬、そして次の春まで、どのように過ごしているのでしょうか。

日本の本州以南では、カワセミの姿は一年中見ることができます。子育てが終わった後も、そのまま同じ水辺で秋冬を過ごすカワセミたちも多いかもしれません。一方で、冬になると、水辺がそれまでのようには使えなくなる地域もあります。たとえば、寒さが厳しく降雪も多い北海道では、カワセミたちがすむ水辺は雪で覆われ、凍りついてしまうでしょう。そこで、北海道で繁殖するカワセミたちの大部分は、その大部分が夏の終わりから秋にかけて繁殖した場所から移動し、より暖かな地域で冬を越すといわれています[12]。一部には越冬するカワセミもいるそうですが、大部分は生きていくのに厳しい季節を避け、冬の終わりから早春にかけて再び北海道の繁殖地に戻ってくるのです。彼らが秋冬にどこまで移動しているのかはわかっていませんが、本州で冬に見かけるカワセミのなかには、一見してわからなくとも、北海道からの一時的な移住者が混ざっているのかもしれません。

けれども、本当に本州のカワセミたちは移動していないのでしょうか？　本州でも、北東北の冬は寒さが厳しく積雪も多いですし、本州中部以北の山地（標高500～900m）では北海道と同じように渡り鳥であるとする文献[12]もあります。私が調査をしている地域は標高が350～450mで、長野県内でも標高が低い方なので、カワセミの移動の可能性は低いかもしれませんが、千曲川で足環をつけた調査を行っていた当時、越冬状況まで追跡しなかったことは、今思えば少し残念です。

身近な水辺に年中すんでいると思っていた皆さんにとっての「あのカワセミ」も、実は繁殖期と越冬期で個体が入れ替わっているとしたら……。もちろん、これはあくまで可能性にすぎませんが、まるで推理小説のトリックのようで、入れ替わったカワセミがどこからきて、今までいたカワセミはどこに行ったのか、想像するだけでわくわくしてきます。この章では、鳥の、そしてカワセミの移動についてお話ししていきましょう。

鳥の「移動」

まず、鳥の「移動」について簡単に説明します。鳥の移動には大きく3つあります。1つは、採食のための移動です。繁殖期のカワセミを例にすれば、巣周辺の水域で、親鳥が自身や巣で待つヒナのために魚などをとらえるための移動がこれに相当します。カワセミでは距離が短く思える採食のための移動ですが、海鳥などでは、自身で食べる食物やヒナに与える食物を得るために、数十kmから数百km、ときには千km単位で移動する種もいます。2つ目の移動として挙げられるのが「分散」です。親から独り立ちをした若鳥が、生まれた場所から別の場所に移動することを分散といいます。3つ目の移動は「渡り」です。これは、ツバメ（**図4-1**）や第1章でお話ししたアカショウビン（口絵22）のように、毎年春から初夏にかけて日本に渡ってきて繁殖をし、秋にはまた日本を去って東南アジアなどで越冬するような、季節的に繰り返される移動をいいます。このような移動をする鳥たちを渡り鳥といい、そのなかでも春から初夏にかけて繁殖のために渡ってくる鳥たちは夏鳥と呼ばれます。反対

図4-1　代表的な夏鳥のツバメ
（撮影：内田 博氏）

に、冬に渡ってきて春にまた北国に戻っていくオオハクチョウ（**図4-2**）やマガモ（**図4-3**）などの鳥たちは冬鳥と呼ばれます。ちなみに、夏鳥や冬鳥などの渡り鳥に対し、季節による移動をせず、同じ地域に周年生息する鳥たちは留鳥と呼ばれます。

軒先で繁殖するツバメや冬の水田で顔を泥で汚しながら採食しているオオハクチョウに出会ったとき、私たちは彼らが渡りをする生き物だとは知っています。そして、大まかにではありますが、日本にいない間はどこにいるのか、たとえばツバメは東南アジアで越冬するし、ハクチョウ類はロシアなどの北方の国々で子育てをしていることを知っています。しかし、野外で直接出会ったその個体が具体的にどこからきて、そしてどこへ行くのかはわかりません。翼をもち、人間のつくった国境などモノともせずに飛んでいく彼らを、翼

図4-2　代表的な冬鳥のオオハクチョウ
（撮影：森口紗千子氏）

図4-3　マガモ（手前がオス、奥はメス）
（撮影：植松永至氏）

をもたない我々が追いかけて行き先を突き止めるというのも、なかなか無茶な話です。では、人はどうやって鳥の移動を明らかにしてきたのでしょうか。

鳥類標識調査

鳥の移動を調べる方法のなかで歴史が長いのが、金属足環を用いた標識調査です。鳥類標識調査（以下、標識調査）とは、一羽一羽を区別できる記号と番号の組み合わせが刻印された金属の足環（**図4-4**）を鳥に装着して放鳥する調査です。標識された鳥が放鳥後に、いつ、どこで見つかったかの情報を収集、整理することで、たとえば鳥たちの寿命や移動を明らかにすることができます。[82] ヨーロッパで100年以上前に始められたこの方法は、現在日本を含めた世界中で行われています。足環には放鳥した国がわかるように番号とともに国名が刻印されています。足環を装着するためには、鳥を一度捕まえる必要がありますが、野鳥の捕獲は好き勝手に行えるものではありません。

日本で標識調査を行うためには、鳥を安全に捕獲し、確実に種を識別して記録するための知識と技術を会得して、鳥類標識調査員*1の資格をとる必要があります。日本の

図4-4　野鳥の標識調査に使用する金属足環

鳥の脚の太さに対応して、金属足環もさまざまな大きさが用意されている。（撮影：今西貞夫氏）

標識調査は、環境省の事業として行われており、(公財)山階鳥類研究所(以下、山階鳥類研究所)が全国の鳥類標識調査員たちと協力して実施しています。例外として、鳥類の捕獲は、調査員でなくとも、学術研究(研究者が行う研究)を目的としていれば行うことができます。また、プラスチック製のカラー足環(**図4-5**)や行動追跡のための小さな装置を装着することもできますが、鳥類標識調査員のように標識調査用の金属足環をつけることはできません。これらの捕獲には、事前に環境省や都道府県などに研究の意義や捕獲方法などを細かく書いた申請書を提出して、許可を得る必要があります。

日本でのカワセミの移動記録

日本の標識調査[*2]でカワセミの記録を見ると、1961年から2011年の間

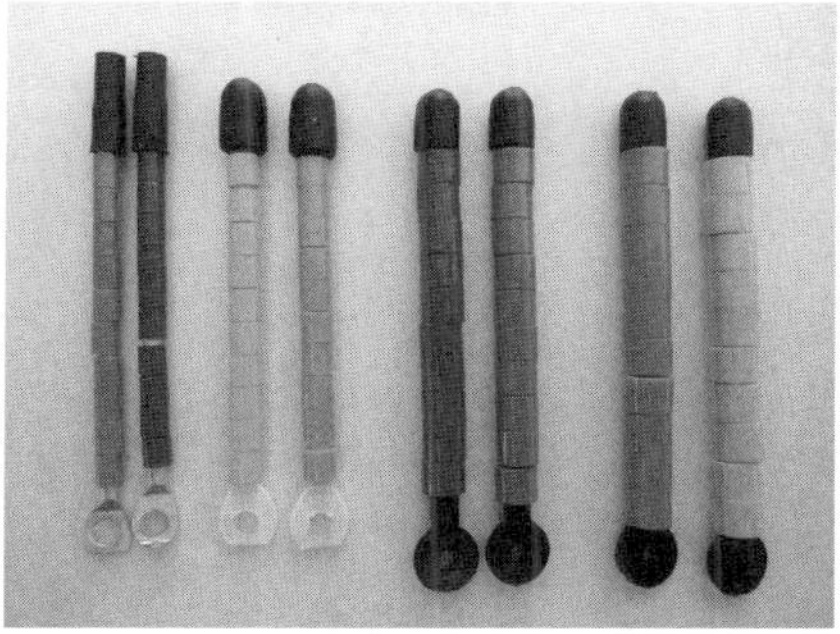

図4-5 野鳥の個体識別などに使用するプラスチックのカラー足環
金属足環同様、鳥の脚の太さによって使用する大きさが異なる。(撮影:今西貞夫氏)

＊1 鳥類標識調査員 標識調査を行う許可をもつ人のこと。一般にバンダーと呼ばれることが多い。鳥類の識別についての十分な知識と、鳥を安全に捕獲し放鳥する技術をもつ。バンダーの認定は山階鳥類研究所が行う。

＊2 日本の標識調査の記録 標識調査の回収記録データは環境省生物多様性センターのサイト内で鳥類アトラスweb版から閲覧することができる。http:// www.biodic.go.jp/birdRinging/

に、4049羽が捕獲・標識されています。そのうち再確認された事例は全国で11例あるようです。公開されている情報から、最も移動距離が長かったのは1994年8月13日に静岡県田方郡函南町で標識され、同年の9月14日山梨県南都留郡富士河口湖町で再捕獲されたカワセミです（**図4-6**）[83]。このときの移動距離は47㎞でした。また、1995年9月2日に神奈川県相模原市で標識されたカワセミが、1年後の12月20日に東京都江東区で再捕獲された事例の移動距離は45㎞でした。これ以外の事例でのカワセミの移動距離はおおよそ20㎞以下でした。

これらのカワセミが標識時にすでに成鳥だったのか、その年に生まれた若鳥だったのかは情報が公開されていないのでわかりませんが、日本の標識調査の結果からは、少なくとも本州のカワセミはあまり長距離を移動しないように見えます。また、公開されている範囲での標識記録には、北海道で繁殖するカワセミの越冬地に関する情報

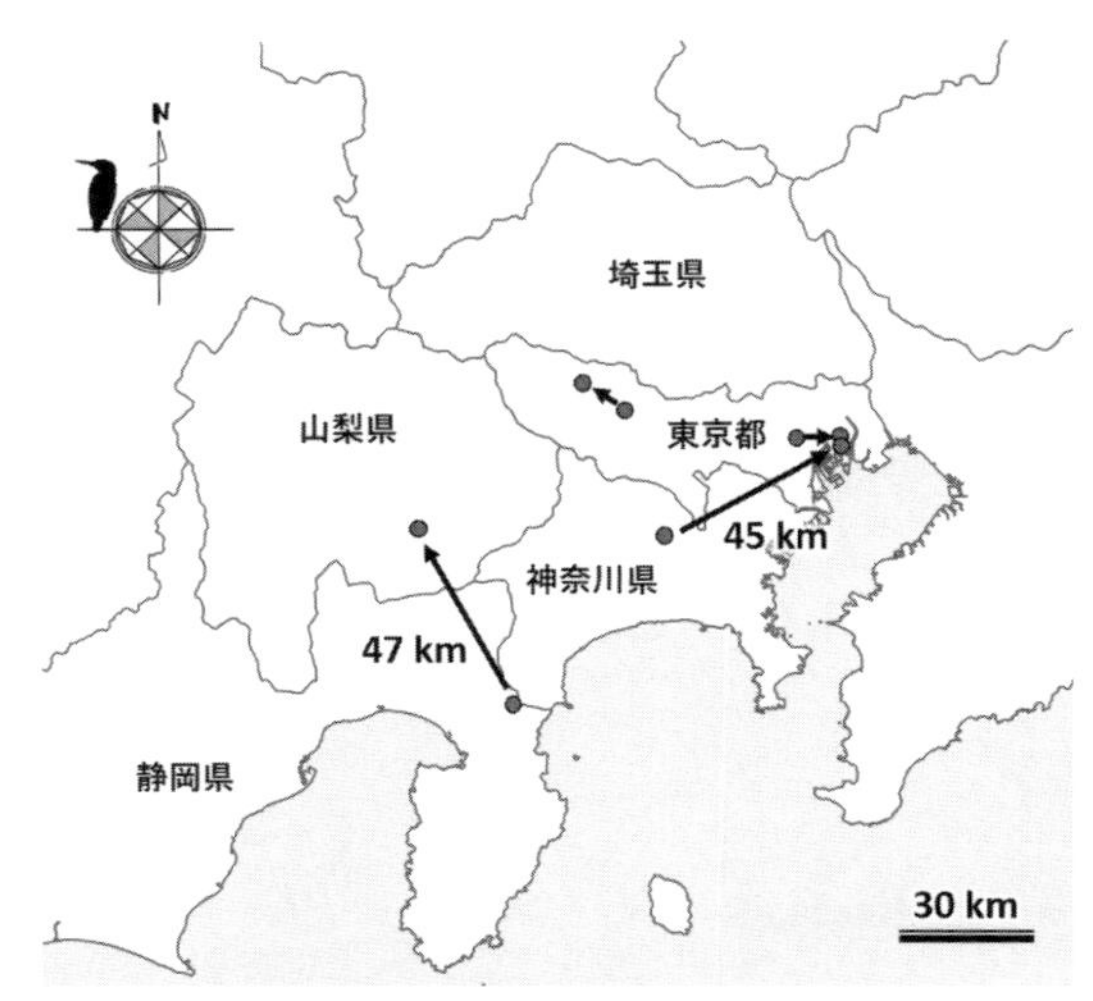

図4-6　標識調査による関東地方でのカワセミの移動例

●は放鳥地もしくは再確認場所を示し、矢印は移動の向きを示す。（文献83から作成）

は見つかりませんでした。北海道のカワセミたちは秋冬にどこに行っているのでしょうか？　日本と同じ亜種（第1章参照）が分布している韓国では、標識したカワセミがその2カ月後にフィリピンのルソン島で確認された事例があるそうです[1]。北海道のカワセミが本州に南下してきているのか、韓国のように国外まで越冬に出かけていくのか、とても気になりますね。

ほかの地域も見てみましょう。日本の亜種とは別亜種ですが、より大規模にカワセミの標識調査が行われているヨーロッパでは、1924年〜2008年までに標識された約6000羽のカワセミの移動記録が2011年にまとめられ、地域や年齢による違いなどを記載した研究報告が出されています[84]。そこから、ヨーロッパにおけるカワセミの大移動の様子を紹介しましょう。

北欧、東欧で繁殖するカワセミは渡り、地中海周辺では定住する

ひとくちにヨーロッパといってもその広さはかなりのものです。北海を挟んでヨーロッパの北西に位置するイギリスの面積は日本の約2／3ですから、イギリスを目安

にヨーロッパを眺めると、その広大さをイメージしやすいかもしれません。カワセミはヨーロッパ全体に分布していますが、季節移動をするかしないか、どれだけの距離を移動するかは、地域によって異なるようです。

たとえば、成鳥の記録を見ると（**図4-7**）、ヨーロッパでも南に位置するイタリア、またスペインやポルトガルなどが位置するイベリア半島で標識されたカワセミは、その8～9割の個体が放鳥後もその地域にとどまりました。一方でイタリアよりも北に位置するスイスやチェコ共和国、ドイツ南部などの中央ヨーロッパや、オランダ、ドイツ北部を含む北西ヨーロッパでは、春（3月）や秋冬（9月～翌2月）に数十～500km程度の移動をする個体が1割程度見られ、さらに遠方へ、500km以上、また1000km以上移動する個体も見られました。さらに北に位置するデンマークやスウェーデンなどの北ヨーロッパでは、500km以上移動するカワセミの割合がほかの地域よりもずっと高かったそうです。膨大な標識記録から、中央や北西ヨーロッパのカワセミは、秋にはオーストリア、スイス、イタリア本土、さらにはシチリア島にも移動していることが明らかになり、北ヨーロッパのカワセミでは、地中海やアドリア海、スイスやオーストリアなど、アルプスの谷間にまで移動していることがわかってきたのです。

つまり、ヨーロッパのなかでも北方の地域では、暖かい地域で冬を越すために季節的に移動する割合が高く、南に行くほど移動する個体の割合や移動距離は減少し、南の地域では越冬のために移動する成鳥はめったにいない、ということになります。日本での、北海道では夏鳥で本州では留鳥、という傾向にとてもよく似ていますね。北海道よりも北に位置するスウェーデンをはじめ、北ヨーロッパの国々の冬は厳しく、池も川も氷に閉ざされてしまうことは想像に難くありません。カワセミたちが秋に南へ移動するのも納得です。

ここまでのことから、ヨーロッパに生息するカワセミのうち、北で繁殖する成鳥は大移動する一方で、南で繁殖する成鳥はあまり移動しないと言えるようです。では、その年に生まれた若鳥はどうでしょうか。

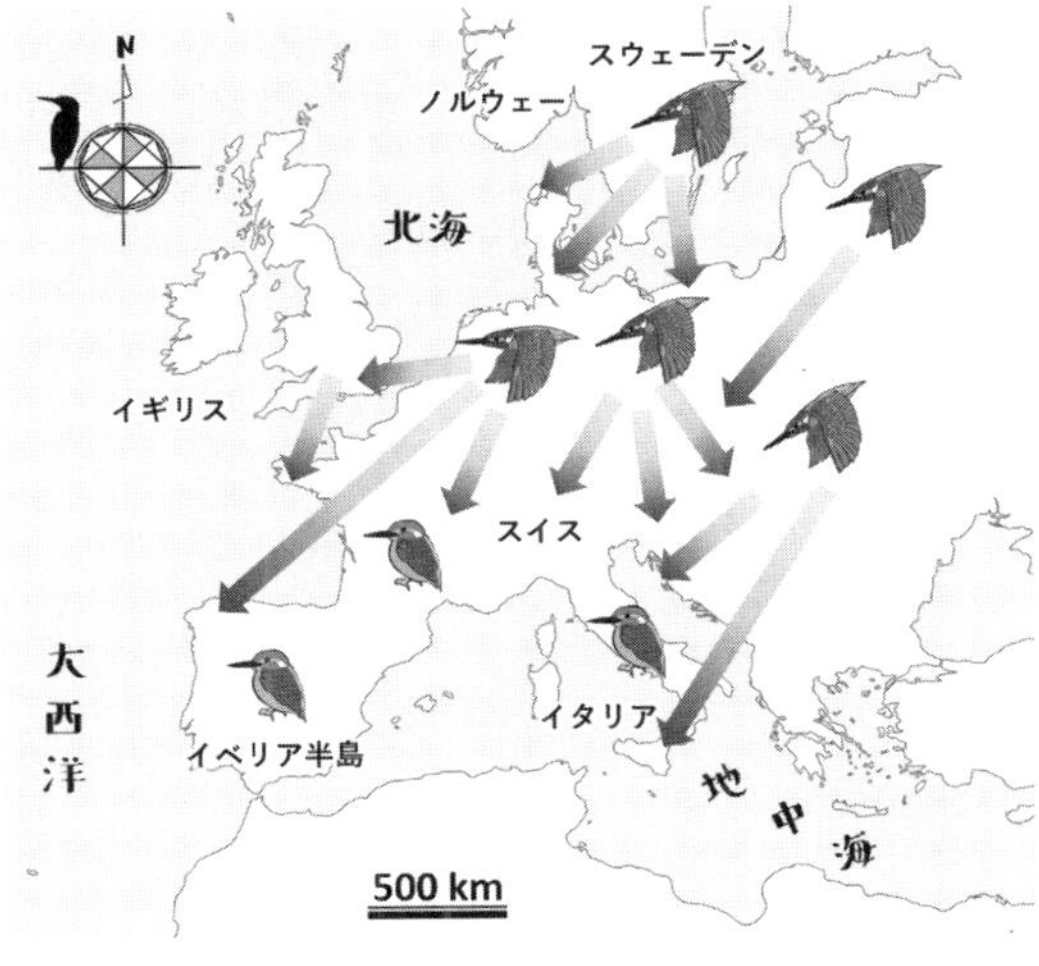

図4-7　ヨーロッパで報告されているカワセミ（成鳥）の移動の概要

飛翔しているカワセミは個体の移動を、羽をたたんでいるカワセミは主要な越冬地を示す。
（文献84から作成）

親から独り立ちをした後は、旅へ

親鳥のかいがいしい世話を受けられるのも独り立ちするまでの話、独り立ちした若鳥は、もう親のなわばりにいることはできません。自分で生きていくための場所を見つけ、獲得しなくてはいけません。さらに、北方で生まれた若鳥は厳しい冬からも逃れなくてはいけません。ここでは、ヨーロッパのなかでも季節移動をするカワセミの割合が高い北欧のスウェーデンの例から紹介していきましょう。標識調査の結果は、若鳥をさらに2つの区分に分けてまとめられていました。1つ目の区分は育った巣がわかっている若鳥、つまり、生まれた場所からの移動距離がはっきりしている個体の事例です。2つ目の区分は標識した時点ですでに若鳥であり、どこから来たのかわからない個体の事例です。この2つ目の区分の場合、若鳥が、捕獲された場所の周辺に定着するのか、さらに移動していくのかはわかりませんが、放鳥後に別の場所で観察された場合は、標識された場所からの移動距離がわかります。

スウェーデンでの標識記録から、育った巣がわかっている若鳥92個体のうち29%は、次の春まで、生まれた場所から25km以内にとどまりました（**図4-8**）。また、約25%は出生地から26～100km移動し、29%は101～500km移動しました。さら

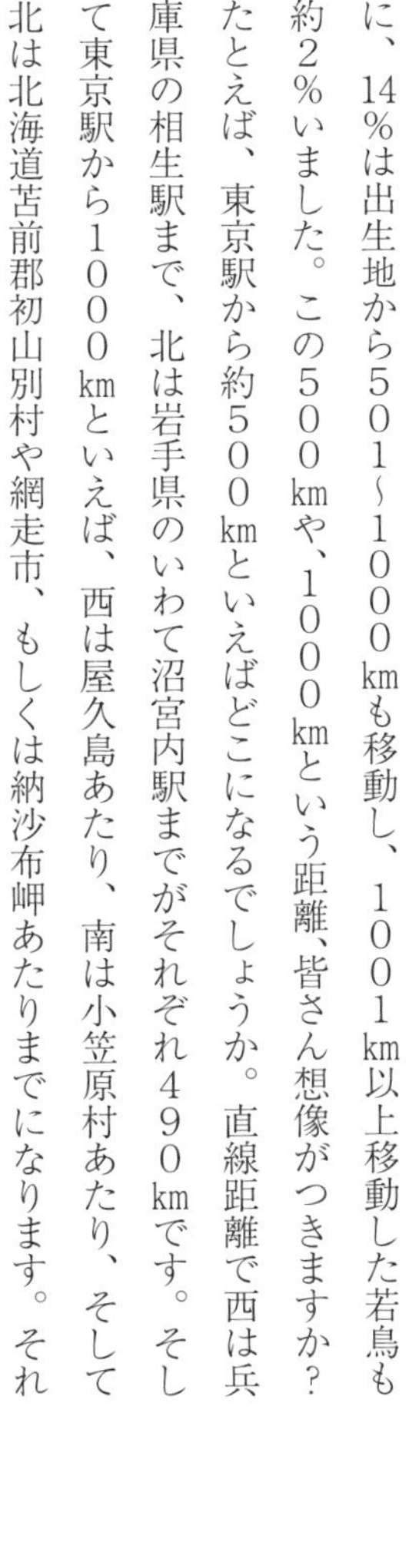

に、14％は出生地から５０１～１０００km移動し、１００１km以上移動した若鳥も約２％いました。この５００kmや、１０００kmという距離、皆さん想像がつきますか？たとえば、東京駅から約５００kmといえばどこになるでしょうか。直線距離で西は兵庫県の相生駅まで、北は岩手県のいわて沼宮内駅までがそれぞれ４９０kmです。そして東京駅から１０００kmといえば、西は屋久島あたり、南は小笠原村あたり、そして北は北海道苫前郡初山別村や網走市、もしくは納沙布岬あたりまでになります。それ

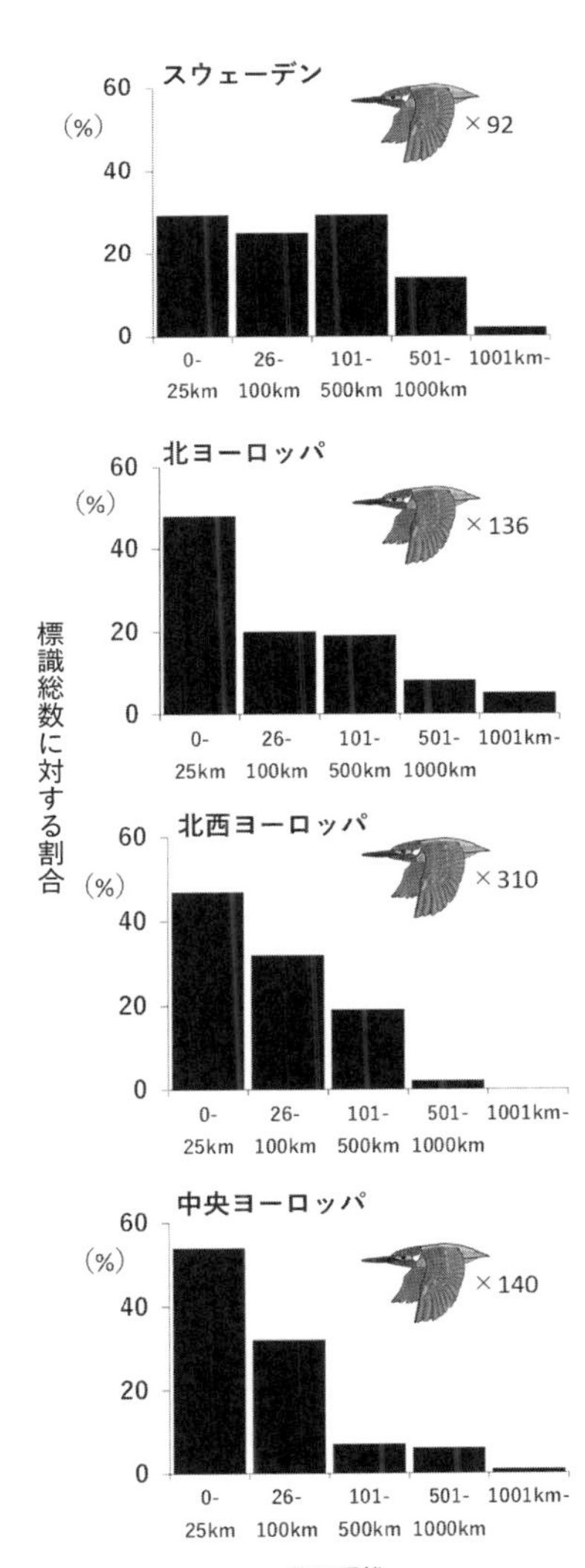

図4－８　ヨーロッパのカワセミ（若鳥）の出生地別移動距離

移動距離は出生年の次の春までに確認できたもの。（文献84から作成）

を思うと、生まれて1年も経っていない若いカワセミにとって、長距離分散がいかに大冒険であるかがわかります。このような若鳥の長距離移動は、8月中旬から11月中旬に生じることが多く、250km以内の移動はこれという方角なく四方八方に移動していくのに対して、250km以上の移動の場合、南西方向、つまりより温暖な気候の地域へと移動する傾向が見られたそうです。

スウェーデン以外の北ヨーロッパで標識された、出生地がわかっている若鳥136個体のうち約半数は、次の春までの移動先が出生地から25km以内でした。また、26～500kmの範囲で移動した若鳥は全体の約4割を占め、出生地から501～1000kmの範囲で移動した若鳥が約1割、さらにわずかではありますが、1001km以上の移動の事例や、なかには2000km以上移動した記録もありました。一方で、北西ヨーロッパで標識された310個体の若鳥や中央ヨーロッパで標識された標識数140個体の若鳥は、北ヨーロッパで生まれた若鳥同様、その約半数程度が出生地から25km以内にとどまりました。そして、出生地から500km以上離れた場所まで分散する割合は、北の国々に比べると、とても低かったのです。

成鳥と同じように、同じヨーロッパ内でも、地域によって若鳥の分散距離や遠くまで移動する個体の割合は違っているようですね。

興味深いのは、標識のために捕獲した際に若鳥であった個体、すなわち、標識時点ですでにどこかから移動してきていた可能性がある若鳥たちの移動傾向です。北ヨーロッパで標識された435個体、中央ヨーロッパで標識された722個体、北西ヨーロッパで標識された545個体、イタリアで標識された195個体、イベリア半島で標識された75個体、イギリスで標識された418個体の結果から、この6つの地域で標識された若鳥の8~9割が、次の春まで、標識地点から25km以内にとどまっていたそうです。これは、巣がわかっている若鳥たちと比べるとずいぶん移動性が低いように感じます。考えられる理由は前述のように、若鳥の状態で捕獲されたカワセミたちは、すでにどこからか移動してきて定着した後に標識されたのかもしれません。

長距離移動記録

新天地を求めて、カワセミの若鳥たちはどこまで分散していくのでしょうか。1000kmを超える移動記録のなかから、特に長距離を移動した事例を挙げてみます(**図4-9**)。1981年8月9日にチェコ共和国のフラデツ・クラーロヴェーで標識された2個体が同年の9月4日にポルトガルのリスボンで再捕獲されました。2個体の移動距離はそれぞれ2358kmと2353kmでした。1日当たりの移動距離を算出すると約91kmを移動したことになります。また、チェコ共和国のリベレツで２００１年８月23日に標識された個体が、同年の10月４日にスペインのドニャーナで再捕獲されました。このときは42日間で２２６１kmを移動しており、１日当たり54kmを移動したことになります。もちろん、天候や空腹状況などから、毎日同じ距離を移動するわけではないでしょうから、実際は１００km以上移動した日も、まったく移動しなかった日もあると思われます。ここで示しているのは、あくまで１日当たりに換算した平均の移動距離です。

　短期間に長距離を移動した例もあります。２０００年7月30日にドイツのハレで標識されたカワセミの若鳥が、その2日後となる8月1日にスイスとイタリアの境界付近に位置するロカルノで再捕獲されました。標識した地点と再捕獲した地点の距離はなんと６２７km。この若鳥は１日３００km以上を移動したことになります。同様の移動距離

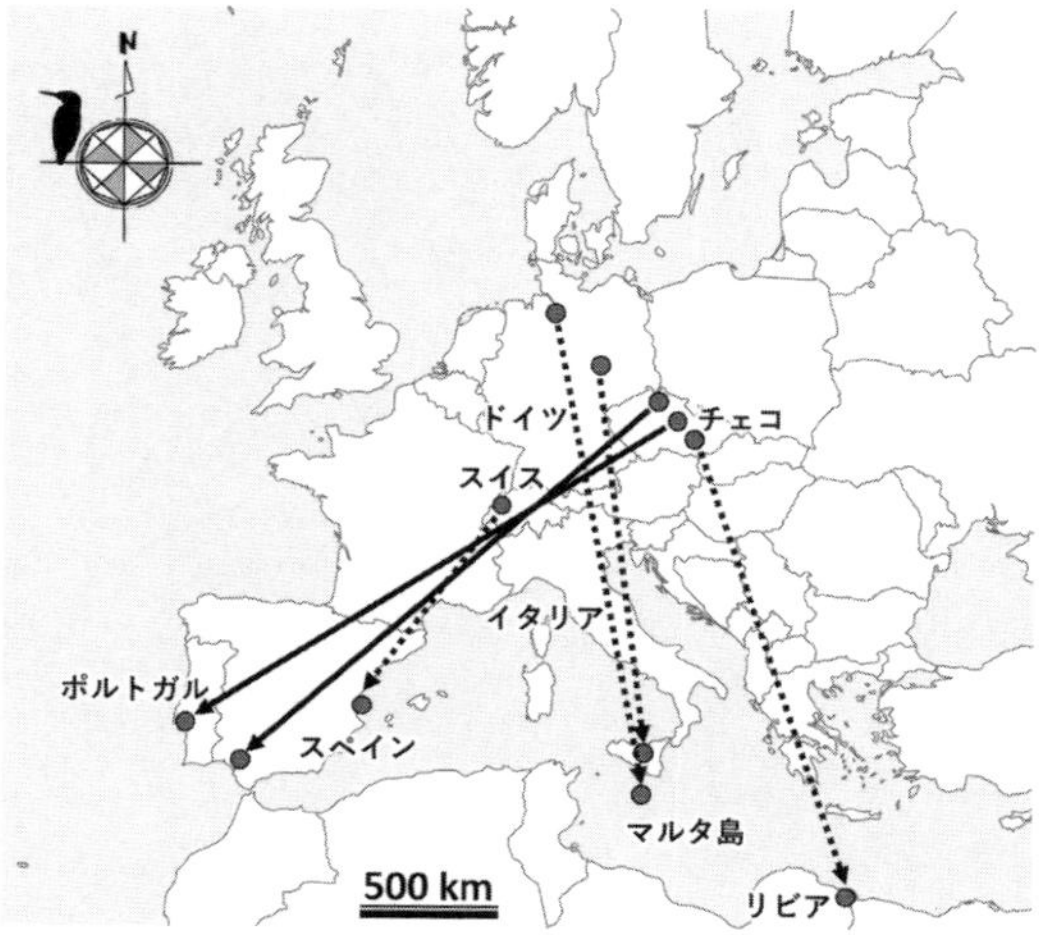

図４-９　ヨーロッパのカワセミ（若鳥）の長距離移動の記録

実線は2000km以上の記録を、破線は1000～1999kmの記録を示す。（文献84から作成）

記録はドイツでも報告されています。1983年8月7日にベルリンで標識されたカワセミが、その日のうちにハンブルグで再捕獲されたのです。その移動距離はやはり300kmを超えていました。このほか、調査年は明確ではないのですが、450km離れたフランスとスペインを1日で移動したという記録もあるそうです。カワセミは夜に渡るという説もあり[7]、1日、もしくは1晩でこの距離を移動したとしたら、本当に驚きです。

海を渡るカワセミ

長年の標識調査の記録から、ヨーロッパ大陸の国々と北海で隔てられたイギリスのカワセミも一部が海を渡って移動していることが明らかになりました。イギリスで標識された800羽以上のカワセミのうち、1羽の成鳥がフランスで、4羽の若鳥がスペイン、ベルギーなどで再捕獲されています。逆に、ベルギー、オランダ、フランス、ドイツで標識された900羽以上のカワセミのうち、成鳥か若鳥かは不明ですが、8羽がイギリスで再捕獲されています。また、スペインで標識されたカワセミが北アフリカに位置するモロッコで再捕獲された記録もありました[85]（エジプトやスーダンなども、ヨーロッパで繁殖するカワセミの越冬地として知られています[1]）。

カワセミたちは川で見かけるあの一直線の飛び方で海に飛び出していくのでしょうか。ぜひ見てみたいものですね。

冬のカワセミ

別の地域に移動しない、いわゆる留鳥のカワセミたちは、冬の間は雌雄それぞれで、繁殖していた河川や湿地近くになわばりを形成して過ごすようですが[35]、旅をするカワセミたちが冬を過ごす場所はどんなところなのでしょうか。冬季の研究は繁殖期に比べるととても少ないのですが、イギリス[37]やスペイン[85]で行われた研究では、冬季は内陸だけでなく、沿岸地域の湿地でもカワセミが多く見られるそうです（若鳥が多いようです）。内陸ではもともといたカワセミたちのなわばりの隙間に入り込むのが難しかったのかもしれませんが、沿岸で越冬するカワセミは魚よりもエビを主食にしている、という研究[86]もあり、スペインの豊かな海の幸が越冬するカワセミたちを支えてくれるのかもしれません。

そうそう、多くのカワセミが越冬するといわれるイベリア半島のスペインでは、カワセミの興味深い行動も観察されています。それをお話しするにあたり、皆さんは、カワウソという哺乳類をご存じでしょうか。頭と耳は小さく、長い胴体と、胴体と同じくらいの長さで太い尾をもち、全体的に流線形を思わせる形をしています。足指の間には水かきがあり、水中に潜って泳ぐのが得意で、主に魚類やザリガニなどの甲殻類を、水中でとらえて食べます。基本的には夜行性ですが、冬季などには昼にも行動することがあります。イベリア半島ではカワウソの仲間のうち、ユーラシアカワウソ（以下カワウソ）がごく普通に見られます。ここで紹介するのは、そのカワウソの食事のご相伴にあずかろうとするカワセミの行動を記録した研究です[87]。

スペインで行われたこの研究では、カワウソが採食行動を始めると、しばしばカワセミが現れ、カワウソから1～3mほど上部の枝にとまり、カワウソの行動をじっと観察するように見つめたり、川の中を移動するカワウソを追跡するようについていく行動が報告されています。そしてときどき、食事中のカワウソ周辺の水面に飛び込んで、小魚や、カワウソが食べた後の残骸を拾って枝に戻り、飲み込んではまたカワウソの様子を窺うことを繰り返したそうです。特に、カワウソが岸近くで5～15cmほどの小魚を捕食しているときに、カワセミが現れる傾向がありました。カワウソは小魚をとらえる際にすばやく泳いだり水上でジャンプするなど活発に動きまわるため、カワセミも、カワウソの存在や何かを食べているところを見つけやすいのかもしれませんね。

その一方で、カワセミはカワウソが30㎝以上の大きな魚をとらえて食べているときは現れず、ザリガニなどの甲殻類を食べているときは現れるものの、ご相伴にあずかる機会は少なかったようです。カワウソは小さなザリガニなら水面で食べるものの、大きなザリガニは岸近くの土手や岩場などで食べるため、小魚や小さなザリガニのように残骸が水中に残ることが少なく、餌にありつけないのかもしれません。大きな魚についても、カワウソは岸から離れたところでとった獲物を岸辺に運んできて食べるので、カワセミが食事の機会を得ることは難しいのではないか、とこの研究では推測していました。

興味深いことに、カワウソが採食をしていないときには、カワセミが近くで観察されることはなかったそうです。カワウソはマガモ（**図4-3**）やオオバンなどの水鳥もとらえて食べることがありますから、カワウソが食事に夢中になっているときでなければ、近づくのは危険なのかもしれません。カワセミがカワウソの採食時に出現すること自体は、冬だけでなく春にも見られるそうですが、多くのカワセミが越冬するイベリア半島では、カワウソから恩恵を受けているカワセミは少なくないかもしれません。

このような、ほかの動物の行動を自分の採食チャンスにする鳥たちとして、コウノトリやサギ類などがよく知られています。たとえばサギ類は、草を食べて歩く牛の後をついてまわり、牛の歩行で驚いて草から飛び出す小動物をとらえます。日本でも、田畑を耕起する機械の後をサギ類やムクドリたちがついていき、地中に隠れていた昆虫やミミズなどが掘り起こされて出てきたところを、ぱくりと食べている姿を見ることができます。牛とサギたちが一緒にいる風景もたいへんのどかな雰囲気を感じさせますが、冬の水辺でカワウソとカワセミが一緒に魚を食べているなんて、まるで童話の一場面のようですね。

長い冬を超え、春になるとカワセミたちは前年繁殖した場所に戻っていきます。中央ヨーロッパのスロバキアとチェコ共和国では、２０１４年から5年の間に３５３羽の成鳥と１９０８羽の巣内雛に足環を装着して、どれだけのカワセミが戻ってきたかを調べた研究がありました[88]。帰還を確認できたカワセミのうち、成鳥の状態で足環を装着した個体の13％と、巣内雛の状態で足環を装着した個体の０・８％が前年の繁殖地もしくは出生地に戻ってきました。雌雄で比較すると、帰還率はオスの方がメスよりも2倍以上高かったそうです。また、帰還した親鳥たちの87％が、前年の繁殖で使用した巣穴へと帰還しました。そして、2年連続で帰還した成鳥の数は放鳥数の約３・４％、３年連続では約１・７％と、年を追うごとにぐっと少なくなりました。戻ってこなかった親鳥たちは、別の場所で繁殖しているか、残念ながら命を落としてしまったのかもしれません。

ここまで紹介した事例は、金属足環を用いた標識調査によって得られた多くの情報からまとめられたものです。このような調査から、さまざまな鳥たちの多様な移動状況が明らかにされてきました。ただし、この調査方法には課題もあります。鳥たちの脚につけられた金属足環の番号を確認することで情報が得られるので、基本的には標識された個体が再捕獲される必要があるのですが、鳥類全体として再捕獲率がとても低いのです。カメラの望遠機能が格段に発達した現在では、写真からでも鳥の脚に装着された金属足環の番号を読みとることが可能な場合もあり、足環がよく見える種では再捕獲せずとも個体の確認ができる機会が増えているかもしれません。しかし、カワセミのように枝にとまっていても脚がほとんど隠れてしまう鳥では、やはり難しいでしょう。また、標識調査からは放鳥地と再確認もしくは再捕獲地は明らかになりますが、鳥たちの多くは目的地まで一直線に飛んでいくわけではありません。エネルギーを補給するための採食や、捕食者に見つからないように休憩ができる環境をたどりながら渡っていくと考えられます。しかし標識調査からは、個体が途中で立ち寄った場所やそこでの滞在期間は、残念ながらわからないのです。

GPSを使った小鳥の追跡

第2章で、GPSロガーを使ってカワセミの行動圏を調べた研究があることに触れました。GPSは私たちの生活にもすっかり定着しており、自動車のカーナビゲーション・システムなどはその代表例でしょう。車が画面上の道路地図に正確に表示される精度を思えば、鳥の移動経路も相当正確に把握できそうです。近年、このGPSを用いた追跡調査が、渡り鳥の研究でも盛んに用いられるようになりました。たとえば、日本で繁殖するカワセミ類のうち、アカショウビンが渡り鳥であることは第1章でお話ししましたが、すでにGPSロガーをリュウキュウアカショウビンに装着して、越冬地であるフィリピンへの移動を調べた研究が発表されています。[89] その研究では、沖縄県宮古島で繁殖した6個体に小型GPSロガーを装着(**図4-10**)、翌年宮古島に戻ってきた3個体からGPSロガーを回収し、解析可能だった2個体のオスの移動記録が記載されていました。それによれば、2個体のリュウキュウアカショウビンは9月下旬に

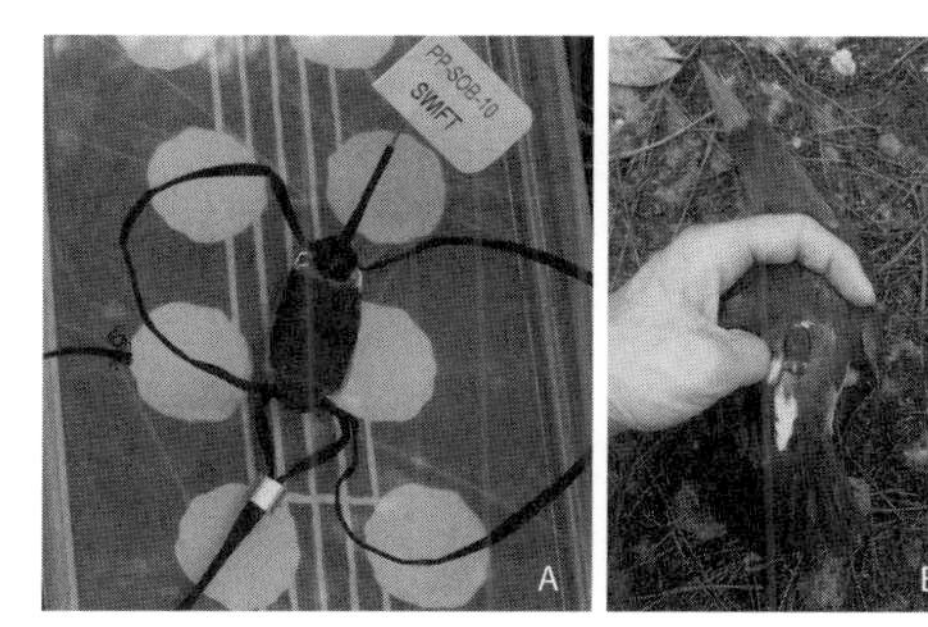

図 4-10　小型 GPS ロガーを装着したリュウキュウアカショウビン
紐をつけた小型GPSロガー（A）をリュウキュウアカショウビンの背中に装着した（B）。脚には標識用の金属足環を装着した。腰部分にGPSアンテナ（白矢印）が見える（C）。
（図A、Bは植村慎吾氏撮影。図Cは文献89より許可を得て転載）

宮古島から移動し、10月上旬にそれぞれフィリピンのポリロ島とタブラス島に到着したと推測されています（**図4-11**）。宮古島からタブラス島までは約1800km、それを10～15日程度で移動したわけです。また、興味深いことには、個体が地上2000m以上、ときには4000m近くを飛んでいたという記録も得られたのです。

GPSロガーは足環のみではわからなかった移動経路や距離などを明らかにできる魅力的な道具ですが、万能というわけでもありません。アンテナがGPSロガー本体からとれてしまい、人工衛星の電波を受信できずに位置情報が得られないこともあれば、途中でGPSロガーの電池が切れてしまうこともあります。また、GPSを組み込んだ追跡機器というと、スパイや探偵が追跡対象にこっそり取りつけ、遠く離れたところからモニター越しにリアルタ

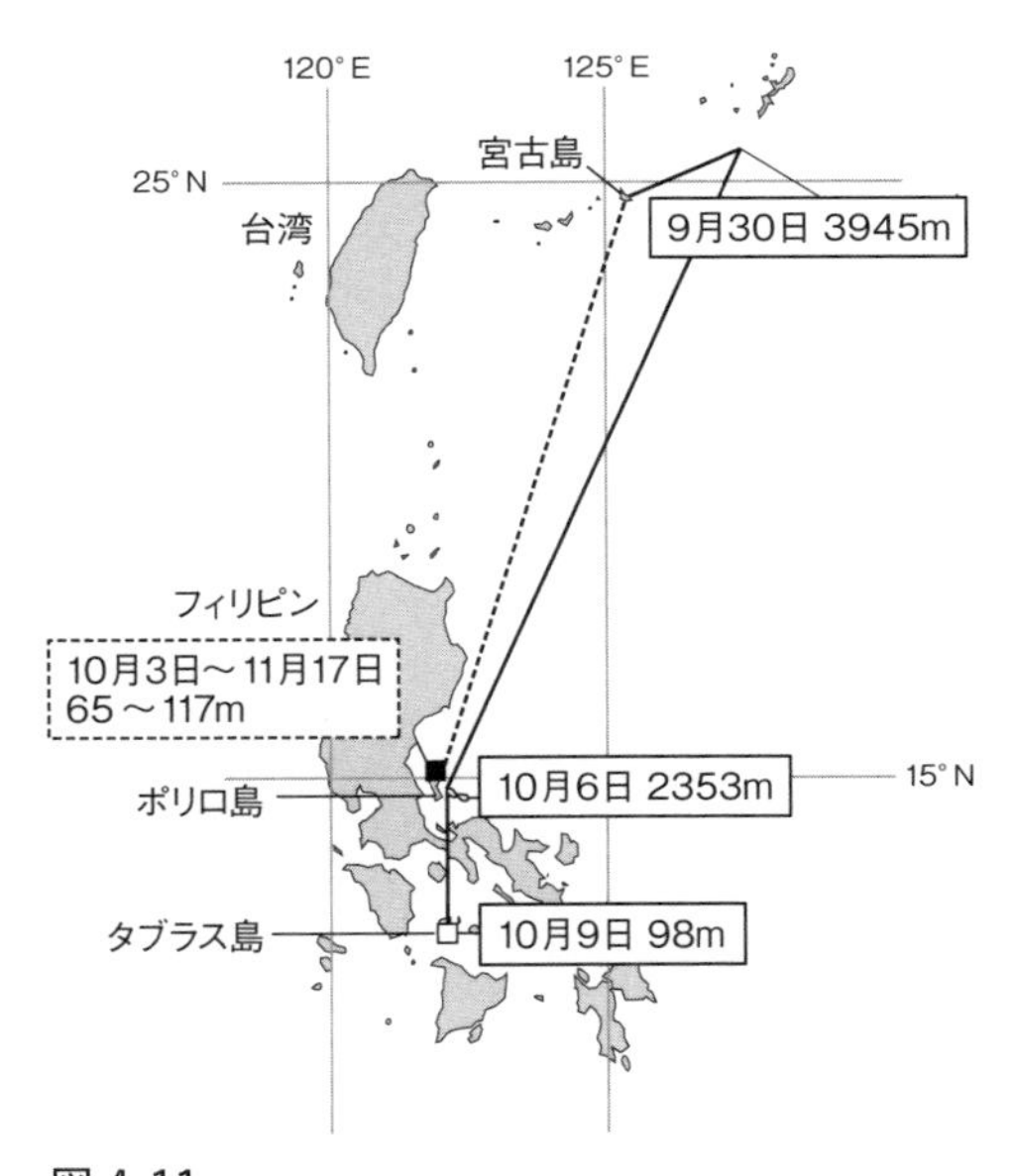

図4-11
リュウキュウアカショウビン（2個体）の越冬地までの移動と記録地点の高度
実線はオスA、破線はオスBの移動を表す。□はオスAの越冬地および立ち寄り地、■はオスBの越冬地を示す。
（文献89より引用·改変）

イムで追跡できる印象があるかもしれませんが、そのためには相応の電力が必要なので、それが可能なGPSロガーはその分大きく重くなります。一般に、追跡装置の重さは、鳥への負担を考慮して鳥の体重の5％以内に収めることが提案されています。もちろん負担は小さいほうがいいので、3％以下や4％以下にすべきといった指摘もあります。

リュウキュウアカショウビンの研究で使われたGPSロガーも、鳥に装着するための紐を含めても2・4gのとても小さなもので、測位した位置情報をGPSロガーのデータ保存領域であるメモリ内に（電池残量がある限り）蓄積していくタイプでした。つまり、渡り経路のデータを得るには、個体にGPSロガーを装着した翌年以降に、帰ってきた個体を再度捕獲して、ロガーを外し、メモリからデータを回収する必要がありました。一度でも捕獲された鳥は、捕獲道具や捕獲者に対する警戒心が強くなるので、再捕獲は大変だったのではないかと思います。私も、対象はカワセミではありませんが、GPSロガーを用いて鳥たちの渡りを追跡する研究をしています。やはり、装着よりも回収するときの方が大変で、鳥の生活をできる限り攪乱しないように気を遣いながら再捕獲に挑みます。鳥の調査は常に人と鳥との知恵比べです。

カワセミに話を戻しましょう。第2章で紹介したフランスの研究事例を思えば[56]、日本のカワセミでも同様のGPSロガーを使えば、北海道のカワセミが秋冬にどこに行っているのか、本州のカワセミが冬も同じ場所にとどまっているのかを調べることができそうに思います。しかし、同じカワセミという種でありながら、亜種が違うからでしょうか、日本のカワセミはヨーロッパのカワセミよりも体重が軽いようです。フランスの研究でGPSロガーが装着された個体の平均体重は約40・2gだったそうですが、千曲川をはじめ、私が調査をしてきたいくつかの日本の河川でのカワセミの体重はおおよそ35gで、最大でも37gでした。また、カワセミは水中に潜って魚をとらえます。その際にGPSロガーが水の抵抗を生み出す原因となって彼らの行動を妨げないのか、慎重な検討が必要でしょう。

鳥たちを追跡する機器は日々進歩しています。太陽光で充電可能なパネルをもち、得られた位置情報などを定期的にインターネット上で確認できるようなシステムをもったGPS機器も実用化されています。このような機種では、装着した後からすぐに個体の位置情報を確認できるので、翌年に個体が戻ってきてくれるかしら、とやきもきすることもありませんし、鳥の行動に気になることがあれば、送られてくる位置情報をもとに確認しにいくことも可能かもしれません。このような性能をもつ機器は重く大きくなりがちなので、これまで猛禽類や海鳥など体の大きな鳥たちまでを対象にした研究がほとんどでしたが、ここ数年の間に体重の軽い小鳥たちに装着できるほどの小ささと軽さで、同様の性能を持った機種もわずかながら出てきています。もちろん、鳥たちへの負担は常に考慮しなくてはいけませんが、調査機器の発達は、さまざまな種類の渡り鳥の詳細な移動経路の調査を可能にしていくでしょう。

カワセミの寿命

命ある生き物はいずれ土に還りますが、カワセミの年間の平均の死亡率は、成鳥で約7割、その年生まれの若鳥で約8割というヨーロッパでの研究報告[37]もあり、寿命についても、4年以上生存するカワセミはわずか1割程度だとされています[90]。その年生まれの若鳥では、特に死亡率が高いのは夏から秋、いわゆる親のなわばりから追い出される独り立ちの時期だとされ、成鳥と若鳥ともに死亡率が高いのは冬だと言われています。これまでお話ししてきたように、冬の寒さが厳しい地域のカワセミは、時期がくると南方の暖かい地域に移動しますが、旅の途中も決して安全なわけではありません。道路で車に轢かれてしまう事例や、建物などの窓への衝突、釣り糸や網に絡んで死んでしまう事例などが報告されています[54,90]。また、野生の捕食者はもちろん、住宅地付近では優秀なハンターであるネコに捕まってしまうこともあります。生きていくことは本当に大変です。

10年以上前、私が千葉県に住んでいたとき、大学施設の窓にぶつかったアカショウビンを保護したことがあります。当時私が在籍していた施設は、小さな丘陵地が大学附属の実験所になっており、雑木林の中に切り開かれた空間で植物（ハス）の生育や品種研究などが行われていました。住宅地に囲まれていながらも、四季折々にさまざまな鳥が立ち寄り、冬にはトラツグミ（**図4-12**）やヤマシギ（**図4-13**）なども姿を見せる素敵な場所でした。アカショウビンも移動の途中でふらっと立ち寄ったのかもしれません。所属学生が少なく、実習以外では学生で賑わうこともあまりなかったので（研究に集中するにはよい環境でしたが……）、いくつかある建物の中はたいてい電気が消されたまま暗く、鳥の目から見て窓ガラスが認識できなかったのかもしれません。赤い大きな鳥がいる、と技官（ハスの研究にかかわる技術職員）の方に呼ばれて見に行くと、死んではいないようですが、目を閉じたまま動く気配のないアカショウビンがそこにいました。弱っている（ように見える）鳥を見つけてもむやみに関わらない、

図4-12　トラツグミ
（撮影：内田 博氏）

人に触れられたらその方が鳥にとってストレス、というのが私の基本的な心情ですが、窓ガラスに当たったとなるとちょっと事情が違います。けがをしている可能性もあります。見たところ出血している様子はなさそうですが、骨が折れているかもしれません。野鳥を保護するという場面に出くわした経験がほぼなかった私は、もし命を落としてしまったら剥製にしよう、という考えも浮かびましたが、まずは目の前の命を助けなくては、と技官の方と協力して県の野生鳥獣担当の連絡先を探し、対応を確認しました。その指示に従って動物病院に連れて行き、診察してもらいました。レントゲン写真（**図4-14**）を撮影した結果、骨折はしていないことがわかり、休ませていれば回復するでしょう、とのことで、そのまま動物病院に預けました。後日、元気になって放鳥されたと聞き、ホッとしたのを覚えています。そのときのレントゲン写真（**図4-14**）は今も保管しています。

日々さまざまな危険にさらされながらも、長生きをするカワセミもいます。少し古いものですが、1977年に発表されたイギリスの記録[37]では、1964年7月に金属足環で標識された個体が、4年半後の1969年1月に死体で発見された事例がありま

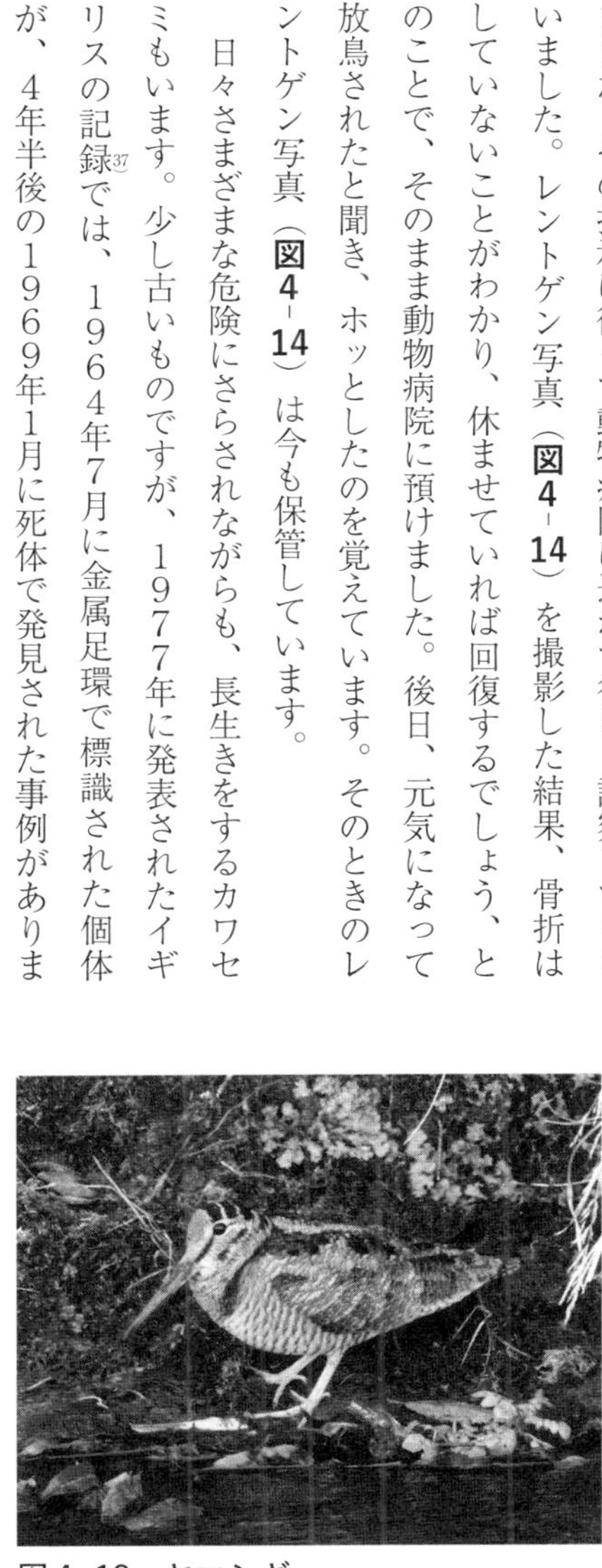

図4-13　ヤマシギ
（撮影：内田 博氏）

す。また、オランダでは4年11カ月という記録があり[1]、さらに驚くべきことに、スウェーデンでは19年後に死体が回収された例が、そしてベルギーでは、なんと21年後に回収されたという、すごい記録があります[91]。

日本ではどうでしょうか。山階鳥類研究所がとりまとめている標識記録から、1961〜2017年の記録を用いて鳥の再捕獲記録の最長記録をまとめた論文があります[92]。日本のカワセミの長寿記録を見ると、2002年4月に標識した成鳥が2007年6月に再確認された、5年1カ月の記録がありました。この事例では、2002年に最初に捕獲されたときすでに成鳥だったそうですので、実際はもう少し長く生きている個体なのかもしれません。東京都の別の調査でも、1996年に繁殖個体として捕獲されたカワセミが2001年に確認された事例があります[38]。捕獲される1年前に生まれたとしても6歳を超えていることになります。海外の驚くべき記録

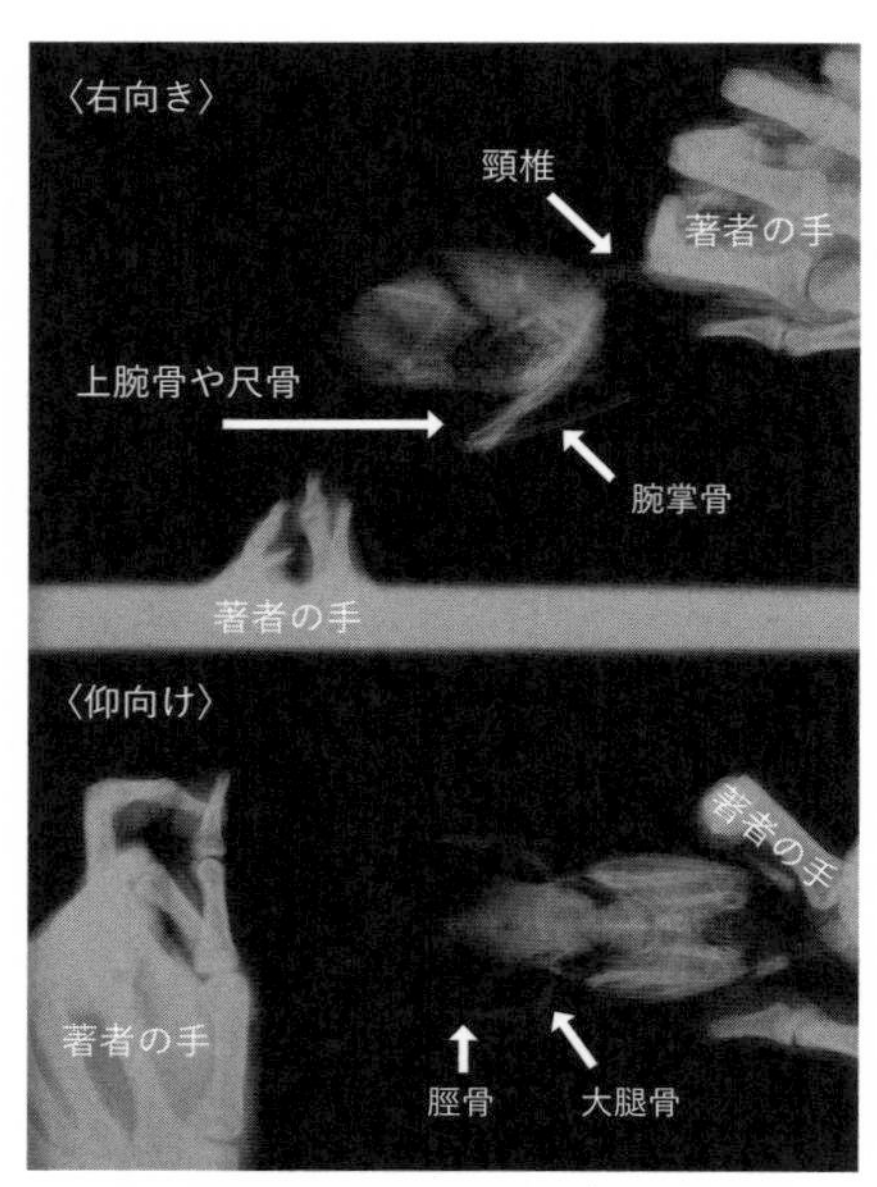

図4-14　窓に衝突したアカショウビンのレントゲン写真

動物病院で撮影。上はアカショウビンの頭を右に向けて横から、下は仰向けにして上から撮影している。

を除けば、日本のカワセミもヨーロッパのカワセミも、長寿の記録はおおよそ同じくらいかもしれませんね。私も研究でカワセミにカラー足環をつけたことがあります。装着した翌年には再度捕獲される個体もそれなりにいましたが（たいていオスです）、3年目には、ほとんど見かけなくなってしまいました。命を落としたのか、なわばりを移動したのかは定かではありませんが、自分の経験やヨーロッパでの報告からすれば、標識調査から明らかになった5年もしくは6年という個体は長寿であり、過酷な自然を生き抜いている猛者に感じられます。19年や21年の記録ともなれば、信じられないほどすごいのです。

同じく山階鳥類研究所がとりまとめた標識記録から、ヤマセミやアカショウビンの長寿記録も見てみましょう。ヤマセミでは、１９８７年9月に標識された個体が、１９８９年3月に再確認された1年6カ月という記録が、アカショウビンでは２００９年8月に標識された個体が、２０１６年6月に再確認された6年10カ月という記録がありました。ヤマセミの記録が妙に短命に感じられますが、これは寿命が短いというよりは、この種がカワセミに比べると警戒心が強く、標識することや再捕獲そのものが難しいので、記録数が少ないのだと思います。

次章ではカワセミとともに河川で暮らすさまざまな鳥たちのこと、また河川環境についてお話しします。

カワセミ　こぼればなし❸

隣のつがいの巣を見に来たカワセミ

千曲川で繁殖期に撮影した、カワセミが巣に出入りする映像を確認していたときのことです。育雛期に撮影したので、カワセミが映っていれば、ほぼ魚をくわえているのですが、画面の中のカワセミは魚をもたないまま、巣穴の方向をじっと見ていました。撮影中の巣は、まだヒナが巣立つには早く、親鳥が巣立ちを誘う時期ではありません。しかも、よく見ると、この巣の個体ではなく、500mほど離れたお隣の巣で巣内育雛をしている個体でした（個体識別については第3章を参照）。お隣の巣はもう数日でヒナが巣立とうか、という頃でした。巣立ちを促すような魚ももたず、ヒナを呼ぶような声も出さず、じっと巣穴の方向を見ている姿は、巣を間違えたとか、たまたま休憩に来たというには、ちょっと雰囲気が違います。何より、ここはよそのつがいのなわばり、しかも巣からとても近い場所です。

これから何が起きるのか、私も映像にくぎづけです。少しして、その巣の主ではないカワセミは、明らかに巣の方向に飛び、ビデオ画面から姿を消しました。そして、さらに少しの時間の後、巣穴方向からビデオの画面に入り込み、とまり木にとまったのです。その個体は羽繕いをしてすぐに飛び去りました。ビデオに映っていない間の出来事は想像するしかありませんが、よそのつがいの、しかもヒナがいる巣に入っていった可能性が高そうです。

巣の主でないにもかかわらず巣の近くに現れる事例は、第2章で触れた、ベルギーでのオス2個体の追跡研究[55]でも報告されていますが、巣の中への侵入までは言及がありませんでした。では、千曲川で観察されたカワセミは何のためにお隣さんの巣に入ったのでしょうか?

繁殖中の巣に、つがい以外の個体が入る（侵入する）事例は、私たちに身近な鳥であるスズメなどでも知られています[93]。スズメの場合、他人の抱卵中の巣に入り込んだ侵入者は、卵を捨ててしまうこともあります（**図4-15**）。巣を乗っ取ろうとしているのかもしれません。また、ヨーロッパの市街地などに広く分布する、向こうでのスズメ的存在であるイエスズメでは、巣の中にいるのがヒナであっても、くちばしでつまんで外に捨ててしまうことが知られています[94]。カワセミでも、やはり第2章でお話ししたイギリスやチェコ共和国での観察事例[37、54]のように、カワセミ同士のなわばり争いで巣や卵が壊されてしまうことを考えると、千曲川で観察されたカワセミの事例でも、隣人が巣を乗っとりにきた可能性はあるかもしれません。また、同じ巣穴が複数回使われることもあるので、ちょっと気の早い隣人が、次の繁殖のための物件を探しにきた（次の繁殖では乗っとろうと思った？）可能性もあるかもしれません。あくまでも想像で、真相は闇の中ですが……。

今回、私が観察したカワセミの事例では、つがい以外の個体の訪問が記録されたのは、この1回きりでした。そして、侵入されたと思われる巣では、その後ヒナが無事に巣立ちました。

図 4-15　抱卵中の別のつがいの巣から卵を捨てる、侵入スズメ

（撮影：著者）

第5章

カワセミと一緒に河川にすむ鳥たちと増水

河川生態系と生き物のつながり

生き物たちとそれを取り巻く環境、そのなかでの生き物同士、生き物と環境とのかかわりなどをまとめたものを「生態系」と呼びます。森には森の、川には川の生態系があります。河川に生息する生き物たちは、河川のさまざまな大きさの礫（れき）*1と砂で構成された砂礫地（されきち）や、水の深さ、流速、水質といった物理的もしくは化学的環境のなかで、植物や動物などいろいろな生き物とつながりあって暮らしています。

カワセミも、第3章でお話ししたように、たとえば魚類や甲殻類と「食べる - 食べられる」の関係でつながっていますよね。ミツバチが花から蜜を集め、その際に花粉をほかの花に運び結果的に受粉を手伝うのも、生き物同士のかかわりの1つです。このような生き物同士のつながりは、生き物の数だけあり、その関係性もさまざまです。地球上に生息するたくさんの生き物間の複雑な関係性を、すべて理解することは到底無理なことかもしれませんが、河川生態系を理解するうえでは、河川にいる生き物たちのことを知る、それが第一歩だと思います。

カワセミが河川生態系の重要な構成種であるのと同じように、河川に生息する他の鳥類も、魚類や昆虫、植物などのさまざまな生き物も、河川生態系に欠かせない大切

＊1 礫　一般的に礫は小石のことを指すことが多いが、ここでは、地質学や堆積学などで用いられる区分の1つで2㎜以上の粒子を指す。ちなみに、同学問分野では、0.063～2㎜以下の粒子は砂、0.063㎜以下の粒子は泥と区分される[95]。

な構成種です。そこでこの章では、カワセミと同じように河川にすむ鳥たちについて紹介していきたいと思います。

河川の陸域にすむ鳥

河川は陸域から水域にいたるまで複数の環境を含んでおり、鳥だけでもとても多くの種類が生活しています。すべてを紹介することはできませんが、まずはカワセミを追いかけ眺めていた水辺からちょっと陸上の方に目を向けてみましょう。皆さんのご近所の河川では、水の流れの周辺にはどんな環境が広がっているでしょうか。白茶や灰色の石や砂からなる乾燥した砂礫地、もしくは水辺に群落をつくるヨシなどの背の高い抽水植物、それとも背の低い草原が広がっているでしょうか。場所によっては、成長途中のヤナギなどの低木が集まっているかもしれませんし、空に向かって大きく枝を広げた、高木の河畔林（かはんりん）が形成されているかもしれません。

砂礫地では足元の巣にご注意！

まずは水がひたひたと打ち寄せる水際から広がる砂礫地を見てみましょう（図5-

1）。砂礫地は一見、砂や石ころで構成されており、率直に言えば殺風景な環境です。植物が生えていない砂礫地は、昼は日光で照らされて焼けつくように熱いことは想像に難くなく、石の下に隠れられる小さな昆虫などでないと生息できないように思えます。しかし、そこで繁殖する鳥たちがいます。砂礫地上に巣をつくり、卵を産んでヒナを育てる鳥たちです。「それはわずかに生えた草の根元とかでのことでしょ」と思ったあなた、するどいご指摘です。確かにそういうところにも巣はあります。

たとえば、ヒバリ（図5-2）やイソシギ（図5-3）などは、砂礫地といっても多少草が生えた環境で、草の根元に枯れ草を使って巣を構え、そこに卵を産みます（図5-4）。しかし、まったく草が生えていない場所を好む鳥たちもいるのです。たとえば、イカルチドリ（図5-5）やコチドリ（図5-6）がそうです。彼らは見通しがよい砂礫地の地上に浅く丸いくぼみを掘って巣とします（図5-7）。巣材も小石です。たまに枯れ草の破片などを敷くこともありますが、基本的に巣は小石でできています。

木にも草にも隠れていない巣なんて、捕食者に簡単に見つかってしまうのではない

図5-1　河川に広がる砂礫地
（撮影：著者）

かと心配になるかもしれません。けれども、コチドリの全長は14～17㎝[96]、イカルチドリは約20㎝[97]の鳥ですから、その巣も直径10㎝程度[98]です。広大な砂礫地の中でそんな小さい巣を見つけるのはなかなか大変ですし、彼らの卵は色合いも模様も小石そっくりで、周囲の環境にしっかり溶け込んでいます。親鳥も茶色と白の地味な色合いをしており、卵を抱いている姿が視界に入ったとしても、

図5-2　ヒバリ
（撮影：内田 博氏）

図5-3　イソシギ
（撮影：内田 博氏）

図5-4　植物の根元につくられたヒバリの巣と卵
巣の材料は主に枯れ草。（撮影：著者）

図5-5　イカルチドリ
（撮影：内田 博氏）

見慣れていなければ、それと認識できないかもしれません。

とはいえ、野生の世界は弱肉強食。「巣が見つかりにくくても、親鳥が捕食者に尾行されたら、巣にたどり着かれてしまうのでは」という声も聞こえてきそうです。指摘はごもっともですが、チドリたちも、そうやすやすとは捕食者を近づかせない技を持っています。傷ついたふりなどをして外敵の注意を自分に引き寄せる「擬傷(ぎしょう)行動」です。羽をだらんと下げてうずくまったり、羽根を激しく震わせてみたり、「シャーシャー」と声をあげたりして、捕食者などの外敵にあたかも自分が傷ついているかのようにアピールします(**図5-8**)。そして、相手が近づいてきたら、うまく距離をとりながら擬傷行動を繰り返し、巣やヒナから引き離していきます。そして十分に外敵が離れた時点で、しゃん、と立ち上がってぴゅーっと飛んでいってしまうのです。相手がなかなか自分の方に近づいてこない場合などには、なんと、自ら外敵に近づいていくこともあります。巣やヒナを守ろうという命がけ

図5-6　コチドリ
(撮影：著者)

図5-7　砂礫地の地上につくられたコチドリの巣と卵
巣には周辺の砂よりも若干大きめの小石などが入っている。これは巣材である。
(撮影：著者)

の姿勢には、ただただ頭が下がります。

　彼らが、植物などのない見通しのよい砂礫地に営巣するのは、いち早く捕食者などの外敵の接近を察知するためだとも言われています[99]。外敵に見つけられる前に相手を発見できれば、それだけ巣から外敵を遠ざける機会に恵まれ、親鳥自身も捕食されずに済むわけです。逆にいえば、砂礫地であっても広範囲に開(ひら)けた場所がなければ、チドリたちにとってよい繁殖環境とはいえないのです。

　また、彼らの主要な食物はカゲロウ目やトビケラ目などの水生昆虫、水底の石の陰や、砂や泥の中にいる小さな無脊椎動物です。チドリの仲間にはたくさんの種類がいますが、多くの種が水辺を歩きまわって採食します。細かく脚を振動させ、水底の石や砂泥に隠れた無脊椎動物を追い出して採食することもあります。突然走ったかと思えば、急に止まったり、方向を変えたりするので、その様子から「千鳥足(ちどりあし)」という言葉が生まれたと言われています。彼ら自身とそのヒナの命を支える食物となる水生昆虫や無脊椎動物が十分に生息し、また平坦で浅く、流れが穏やかな水辺など、採食しやすい環境があることも、繁殖

図5-8　擬傷行動をするコチドリ
（撮影：内田 博氏）

地や生息地の条件として重要です。

このほか、砂礫地の大きな石の下や、草の根元、倒木の陰などにはセキレイ類が巣をつくります（**図5-9**）。巣の大部分は枯れ草などで編まれていますが、卵を産む部分には獣毛などが敷かれており、とても柔らかそうです。セキレイ類も水辺を歩きまわって水生昆虫をとらえますが、空中を飛んでいる昆虫を自ら飛翔してとらえるのも得意です。セキレイ類や、シギ・チドリ類は、歩きまわって採食する鳥たちです。

初夏のヨシ原を賑わせる大きな声

水辺から広がる環境は砂礫地以外にもあります。河川の水際などに広がるヨシや、陸上に向かって広がるオギなどの植物群落です。ヨシは生長すると3ｍにもなる背の高い植物で、似た仲間のセイコノヨシなどは5ｍにも成長します。人の背丈を超える高さで風にそよぐヨシ原は、なじみ深い河川の風景の1つではないでしょうか。そこで繁殖するのがオオヨシキリ（**図5-10～図5-12**）です。

オオヨシキリは全長約18cm[100]の全身淡褐色の小鳥です。一年中日本にいる留鳥ではな

図5-9　草の根元につくられたハクセキレイの巣と卵
（撮影：著者）

く、繁殖のために東南アジアから日本に春に渡来し、夏の終わり頃には再び東南アジアへと戻っていく渡り鳥です。千曲川周辺では4月下旬頃に渡来し、最初はヨシ原の中でときどきくぐもった声で小さく鳴く程度で目立ちませんが、徐々にヨシの先端に姿を見せるようになり、口を大きく開けて、「ギョギョシ、ギョギョシ」と賑やかにさえずるようになります。オスが先に渡来し、メスの渡来に備えてなわばりを形成します。

図5-10　オオヨシキリ
（撮影：下村晃大氏）

図5-11　ヨシを支柱につくられたオオヨシキリの巣
（撮影：著者）

図5-12　さまざまな食物をヒナに運ぶオオヨシキリ
チョウの仲間（上）、バッタの仲間（中）、カタツムリの仲間（下）。
（撮影：著者）

そして盛んに鳴き、後から渡来したメスを惹きつけます。季節が初夏に向かって進み、千曲川では、ヨシやオギが1mを超えるようになると、複数の茎に枯れ草を巻きつけて、地上からおおよそ0・8〜1・3mほどの高さに深いカップ状の巣をつくります（**図5-11**）。ときに2mを超えるような高い場所にも巣がつくられることがあり、背の高い植物の茎に支えられた巣を見上げると、まるで宙に浮いているかのようです。オオヨシキリの食物は水生昆虫から陸生昆虫、カタツムリなどの陸産貝類まで多岐にわたります（**図5-12**）。

図5-13　ホオジロ（撮影：内田 博氏）

図5-14　モズ（撮影：内田 博氏）

図5-15　キジバト（撮影：内田 博氏）

図5-16　ヒヨドリ（撮影：内田 博氏）

図5-17　ハシボソガラス（撮影：著者）

河川周辺の草地や林にすむ鳥たち

水辺のヨシ原から離れた陸域には、背の低い草地にホオジロ（**図5-13**）が、ノイバラなどの低木にはモズ（**図5-14**）が、そして背の高い木の枝にはキジバト（**図5-15**）やヒヨドリ（**図5-16**）、ハシボソガラス（**図5-17**）などが巣をつくり、河畔林の中や河川敷などで採食をし、子育てをしています。

水辺で魚を狙う鳥たち

魚を釣る鳥がいる？

再び水辺に目を向け、ここからは水辺で魚をとって食べる、魚食性鳥類を紹介していきます。本書の主役であるカワセミは、いうまでもなく魚とりの名人（名鳥？）の代表ですが、河川にはほかにも、魚をとらえるのがとても上手な鳥がたくさんいます。

たとえば、ササゴイ（**図5-18**）というサギの仲間がいます。サギ類のなかでも小型で、体長は50㎝ほど[101]。全体的に灰色の鳥ですが、脚の黄色が鮮やかで、額から後頭部にかけては濃紺の強い灰色、後頭部からは冠羽と呼ばれる、長い羽が伸びています。水辺の石の上や、水草の上にたたずんでいる姿がよく見られます。ときどき「キュウ」と鳴くのですが、この声は、普段「ブォー、ブォー」と鳴くウシガエル（両生類）が、警戒して水に飛び込むときなどにあげる「キュッ」という声に似ていて、騙されることがあります。

さて、このササゴイ、小魚やザリガニ、エビなどの甲殻類をよく食べるのですが、魚については、ときに、とても賢いやり方でとらえることが知られています。擬似餌もしくは投げ餌（まき餌）を使って魚をおびき寄せてとらえる、いわゆるルアーフィッシングをするのです。[102] ルアーとして水面に浮かべるのは、鳥の羽毛や葉っぱ、木の実、小枝、パンくずなどで、その影を食物だと勘違いしてやってきた魚をすばやくとらえます。また長い小枝を足指などで押さえ、端をくちばしで小さく折ってから投げるという、道具を扱うような高い知性を感じさせる行動も報告されています。[103]

この、疑似餌を使った漁の方法については、カワセミもするという噂を、仁部富之助さんが次のように記述しています。[104]

図 5-18　ササゴイ
（撮影：内田 博氏）

「彼らには、さらに太公望のこころえがあって、まず昆虫をとらえて、口にふくみ漁場へきてそれを水面におとし、その虫の餌にさそわれて浮かびくる小魚をとらえるともいわれる。しかし、はたして彼らにこんなすばらしい知恵があるかどうか。それとも彼らにも不漁の日があり、そのさいにこのさおも糸もいらない一種のつりをやるのか、私は不幸にもその真偽さえも知らない。」

「噂」としたのは、これを書かれた仁部さんも直接は観察していない事象であり、私自身も見たことがなく、本や論文の記述を探してみたものの、これという観察事例を見つけることができなかったからです。はたしてこの噂話は真実なのでしょうか。カワセミの知的な漁の瞬間をいつか見ることができたら、と思います。

水や泥を揺らす脚技

さて、河川で見られる小型のサギ類には、コサギ（**図5-19**）もいます。真っ白な羽毛をした全長60㎝ほどのサギです。[105] 全身が真っ白というと「白鷺」という言葉を思い浮かべるかもしれませんが、シラサギという種は存在しません。白鷺とは、ダイサギ、チュウサギ、コサギなど、全身が白いサギたちをまとめた総称です。これらのサギ類の羽色は雌雄ともに年間を通して白く、池や川の水の青や、木々の緑を背景にすると比較的見つけやすい鳥たちです。

繁殖期のコサギには、頭部に2本程度の飾り羽と、胸や背にレースのような飾り羽が見られるようになります。コサギはもともと黒い脚に黄色い足指が特徴的ですが、繁殖期にはこの黄色い足指が朱色に変化します。このような繁殖期に体色の一部または全体に現れる特異的な色は、婚姻色と呼ばれます。コサギの顔の目先部分は普段黄色いのですが、この時期は朱みが増します。これが本当に鮮やかで、私が初めて朱色の足指をしたコサギを見た際には、けがをしているのだと勘違いしてしまいました。

このコサギも、採食する際にはちょっとした技を使います。コサギの食物はカワセミやササゴイ同様、小魚や甲殻類、それからドジョウなどです。基本的には、水の中や岸辺にじっと立って水の中の様子を窺うか、ゆっくりと水の中を歩いて獲物を探し、見つけるとサッとくちばしを入れてとらえるという方法が多いのですが、水の中でときどき脚を小刻みに動かす姿を見ることがあります（**図5-20**）。これは、水底の泥や水面に細かな振動を与えることで、じっと潜んでいる魚などを追い出して採食するための行動だとされています[106]。また、くちばしを水面につけて動か

図5-19　コサギ
（撮影：内田 博氏）

したり、すばやく開閉して波紋を起こす姿を見ることもあります。これは波紋漁法とも呼ばれ、昆虫などが水面に落下するとできる水面の波紋に似せることで、魚に食物の昆虫が水面に落ちてきたと勘違いさせ、近寄ってきた魚をコサギが採食するための行動です[107,108]。鳥たちもなかなか策士ですね。

脅威の捕食者

小型のサギ類とは対照的に、大型のサギ類の代表といえばアオサギ（**図5-21**）です。顔や首は灰色がかった白ですが、翼や背中は青みがかった灰色をしています。全長は90～98cm[109]、翼を広げるとその長さは2mにもなります。アオサギも主に魚を食べており、カワセミやササゴイ、コサギが食べるよりもかなり大型の魚も捕食します。魚以外にも、ネズミ類やウサギ類などの哺乳類や小鳥を食べるなど、幅広い生き物を食物としています。アオサギによる鳥類の捕食は多くの事例[110]が知られていますが、イギリスでは、なんとすぐ近くの枝にとまっていたカワセミをとらえて飲み込んだという記録[53]があります。アオサギは魚だけでなく、鳥にとっても脅威の捕食者と

図5-20　脚をゆすって漁をするコサギ（イメージ）
（イラスト：井川 洋氏）

いえるかもしれません。

益鳥でもあり害鳥でもある

アオサギと同じくらい大きな鳥に、カワウがいます(第3章末「カワセミ こぼればなし❷」参照)。全長は80〜90cm[111]。大型で全体的に黒いので、重々しい印象を与えがちですが、目の色はさわやかです。黒目(瞳孔)を取り巻く虹彩部分が透き通ったような青緑色をしており、カワウに惹かれる方の多くが、この目の色の美しさを魅力として挙げています。繁殖期には頭から頸の一部と腿の部分に白色の細い羽毛が生じ、普段と雰囲気が変わります。

カワウは魚食性で、小さい魚から大きな魚まで、また淡水から海の魚まで、選り好みをせずに食べることが知られています[112]。水上から水中の魚を狙い、飛び込んで魚をとらえるカワセミとも、水深の浅い水辺を歩いて魚を狙うサギ類とも異なり、カワウは水の中に潜り、自在に泳いで魚を追いかけてとらえます。泳ぎの得意なカワウは湖の深い場所や河川の流れの中でも採食することができます。

図5-21 アオサギ
(撮影:著者)

カワウが魚を捕食し、その後に陸域で糞をすることで、魚に取り込まれていた水中の栄養塩[*2]が持ち出され、地上に運ばれます。過去には、カワウの糞が農作物の肥料として重宝され、経済価値をもっていた時代もありました[113]。カワウの糞がお金で取引されるようなすごい肥料になるなんて驚きですね。実際、カワウのコロニーが隣接する水田を調べたところ、カワウの糞が流入する水田では、糞が流入しない水田に比べて、土に含まれる窒素の量が多く、草などの生育が向上したことがわかっています[114]。現在のように化学肥料が普及する以前には、貴重な天然肥料だったことでしょう。カワウは水辺に面した林に集まって樹上で繁殖し、年間を通して、夕方になると背の高い樹木に集団でとまって眠る（そうした場所を「集団ねぐら」と呼びます）ので（**図5−22**）、当時は繁殖場所や集団ねぐらの下で肥料用の糞を採取していたようです。愛知県では、過去にカワウの栄養豊富な糞の収益によって小学校が建設された事例[81]もあったそうですから、いかに価値が高かったかがうかがえますね。ちなみに、南米やオセアニア諸国の一部でも海鳥の糞は「グアノ」と呼ばれ、栄養塩を豊富に含んでいることから、国によっては重要な輸出品にもなっていた時代がありました。

人がカワウから恩恵を受けていた時代もありましたが、集団ねぐらとなった樹木や、その下の地面にカワウの糞が大量にかかると、樹木が枯れてしまったり、臭いがきつ

＊2 栄養塩　水中に暮らす魚類の多くは、水草や動物・植物プランクトンを食べる。水草や植物プランクトンが、生長もしくは増えるために重要な栄養素は、珪素、リン、窒素などの元素であり、これらは水中に珪酸塩、リン酸塩、硝酸塩などとして溶け込んでいる。これらを栄養塩という。生き物に取り込まれた栄養塩は、生命活動のためにさまざまな化学物質に変換されながら、次の捕食者に移行していくが、排出された糞や生き物の死骸が分解されることで、栄養塩は再び水中に溶け込んだり、堆積したりする。水域の栄養塩類の濃度が高くなることを富栄養化という。

くなってしまうこともあります。そのため、肥料を採取しなくなった現在では、場所によっては景観悪化問題として、周辺の住民との間にあつれきが生じてしまうこともあるようです。また、水の中を自在に泳ぎまわり魚を捕食できるカワウは、その体の大きさもあり、数が多すぎると、商用魚（地域の水産業において、現在経済価値をもつ魚）に対する被害も大きくなるのではないかと懸念されています。地域によっては、漁業者との間に軋轢が実際に生じているようです。カワウと漁業者との関係は、ここでお話しするにはかなり複雑な問題です。興味のある方には、認定NPO法人バードリサーチ（以下、バードリサーチ）の加藤ななえさんが書かれた、『カワウのほん―共生ってなんだろう―』[*3]がお勧めです。書店で販売されてはいませんが、インターネット上で公開されており、無料で読むことができます。

図5-22　カワウの集団ねぐら

木々の枝の間に見える黒い点々がカワウである。（撮影：著者）

＊3『カワウのほん―共生ってなんだろう―』 この電子書籍については以下のアドレスから閲覧可能。http://www.bird-research.jp/1_katsudo/kawau/kawaubook.html（2023年1月現在）。

猛禽のなかでも魚好き

猛禽類はワシやタカ、フクロウ類などの総称で、小鳥や哺乳類などを狩る印象が強い鳥たちの代表ですが、魚食性の猛禽もいます。それがミサゴ（**図5-23**）です。全長は54～64cm[115]で、体に対して翼が長いのが特徴です。また、頭の上部と腹面が白く、それ以外の暗褐色部分とのコントラストが目を惹く印象的な鳥です。どちらかといえば、海岸付近や湖沼でよく見かける種なので、千曲川ではたまに姿を見る程度です。

空中でホバリングや滑空をしながら狙いを定め、翼を閉じて脚を突き出しながらサーッと急降下して水面近くの魚をとらえる狩りのスタイルは豪快です。くちばしにくわえて魚を運ぶカワセミと違い、ミサゴはとらえた獲物を足指でつかんで運びます。鉤型（かぎがた）の鋭い爪と、足指の裏側にある角質の刺で大きな魚をしっかりと固定して、悠々と羽ばたいていく姿は猛禽ならではの貫録を感じさせます。

❖　❖　❖

ここまで紹介した鳥たちは、カワセミ同様に水の中に生息する魚類を捕食するという点で共通しています。しかし、やはりカワセミ

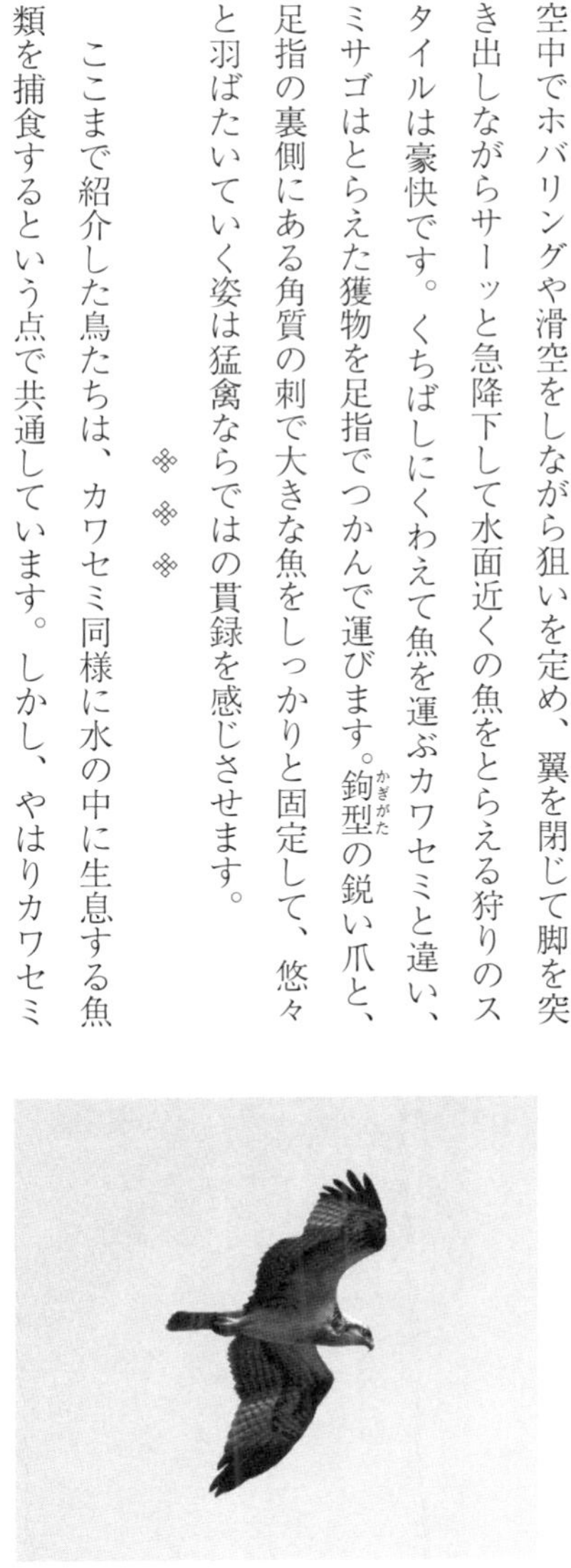

図5-23　ミサゴ
（撮影：内田 博氏）

と最も共通点が多い鳥といえば、同じカワセミ科のヤマセミ（口絵17、18）です。

ヤマセミ

ヤマセミはカワセミと同様に、日本国内に広く分布しています。そして、やはりカワセミ同様に水辺に面した、もしくは水辺近くの土崖に巣穴を掘って営巣し、木の枝や岩などにとまって水中を窺い（**図5-24**）、弾丸のように飛び込んで魚をとらえます（口絵20）。羽ばたきながら空中で停止するホバリングもします（口絵19）。生態的には、2種はとてもよく似ていますね。けれども、ヤマセミを実際に見たことがある、という人は、カワセミを見たことがあるという人よりも、少ないのではないでしょうか。

図5-24　木にとまるヤマセミ
（撮影：内田 博氏）

ヤマセミに出会う機会が少ないワケ

一般的にカワセミは川の下流地域に、ヤマセミは上流地域に生息すると言われているので、それが1つの理由かもしれません。カワセミは、平地から標高900mぐらいまでの地域で暮らし、標高1000mを超えるような山間地での生息はまれだという記述もあります。[12] 一方でヤマセミはそのような山間地で暮らしており、標高1500mほどの高標高地にも生息しています。山間地の河川といえばまさに上流部、大きな岩の間を白くほとばしるように水が流れる渓流、その流れに覆いかぶさる緑の木々……というように、清冽な水と澄んだ空気に包まれたイメージがあります。そんなよいところにすんでいたら、ヤマセミも平地の河川には興味をもたないかもしれませんね。

とはいえ、それだけが理由とは限りません。今から10～15年ほど前の千曲川の中流域では、この2種が同じ地域で繁殖しているのを見ることができました。そのときに私が調査をした、2種の営巣環境や食物を比較しながら、ヤマセミが都市部のちょっとした公園や平地の河川ではなかなか見られない理由を、考えてみたいと思います。

営巣環境の違い

まずは営巣環境を考えてみましょう。すでに第1章と第2章でお話ししたように、カワセミに対して、ヤマセミの全長は2倍以上であり、巣穴も相対的に大きくなります。大きな巣穴が土崖に開ていたらやはり目立つでしょうから、哺乳類などによる捕食を避けるためには、捕食者が簡単には近づけないような、高く傾斜が急な崖が必要になります。また、ヤマセミは、巣穴の入り口から最奥部の産室までの距離が2m近くになることもあります。それを確保できる規模の土崖も必要です。しかし、そのような営巣に適した崖がいつもちょうどよく川のそばにあるわけではありません。過去の研究から、ヤマセミは、ときには水辺から1km以上離れた崖も利用することが報告されています。[36] カワセミのように、農地に掘られたちょっとした壁面の穴に営巣する、というのは難しそうですね。

川からずいぶん離れたところにも営巣するヤマセミは、食物を得るために移動する範囲も含めた行動圏もカワセミより広く、2・5km、4km、3～7kmなどのさまざまな記録があります。[116,117] 千曲川でも同程度でした。行動圏の大きさはカワセミ同様に、おそらく「よい採食場所がどれだけあるのか」や、季節なども関係してくるでしょう。繁殖期はヒナに頻繁に食物を運ぶ必要があるため、行動圏は相対的に狭くなりますが、それ以外の時期は、巣の存在に縛られません。また食物となる魚類も、秋冬は水温の低下で活動が不活発になったり、活動時間が変化したり、別の場所に移動しやすい時期です。[118,119] そのため、より広範囲に食物を探しに行く必要が生じて、採食のための行動範囲が広くなると考えられます。

食物の違い

では次に、利用する食物についてカワセミとヤマセミを比較してみましょう。第3章で、カワセミの食物を千曲川で調べたときのお話をしましたが、当時、一緒にヤマセミがヒナに運ぶ食物も調べていました[57]。カワセミで最も多かったのはオイカワ（57％）、続いてウグイ（15％）でしたが、ヤマセミではその逆で、最も多かったのがウグイで全体の63％を占めました（**図5－25**）。次いでオイカワが25％と、この2種だけで約90％を占めました。このほかヤマセミは、アユ（**図5－26**）やコイ・フナの仲間、またアカザ（**図5－27**）やナマズなど、普段は川底に隠れすんでいるような魚もヒナに運んでいました。

カワセミの食物が地域で異なっていたように、ヤ

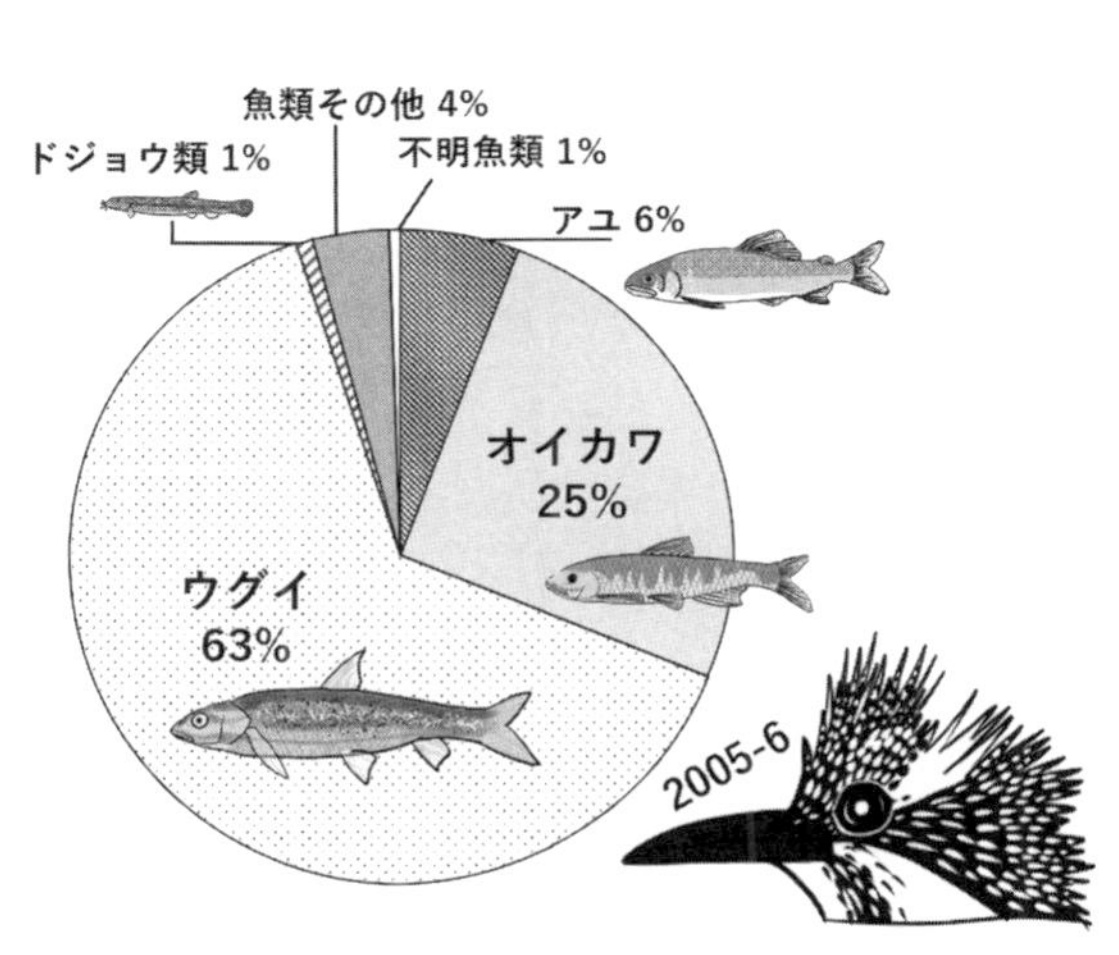

図5-25　2005～2006年に行ったヤマセミの食性調査の結果

数字は全体の数（5巣約300回の搬入事例を撮影）に対して各魚種が占める割合を示す。（文献57から作成。イラスト：井川 洋氏）

マセミの食物にも地域差があるようです。神奈川県の調査では、繁殖期には河川や池でオイカワやブラハヤを中心に、ウグイ、アユ、ギンブナ、モツゴ、コイ、ドジョウ類、場所によってはヤマメを[120]、非繁殖期には、養魚場でニジマスを採食していたことが報告されています[46]。また、新潟県では、親鳥がヒナに運んだ魚として、イワナ、ウグイ、カジカなどが観察されています[121]。ちなみに、過去の千曲川の調査では、オイカワなどの魚類のほかにカエルを運んだという記録もありました[122]。

千曲川で私が調査をした当時、ヤマセミがヒナに運んだ割合が高かったウグイやオイカワは、調査当時は千曲川に多く見られる魚でした[72]。この点は、ヤマセミもカワセミ同様に、魚種を選んでいるというよりは、繁殖している地域に多くいる種類をとらえているように見えます。しかし、最もヒナに運ばれた魚の種類は2種の間で違って

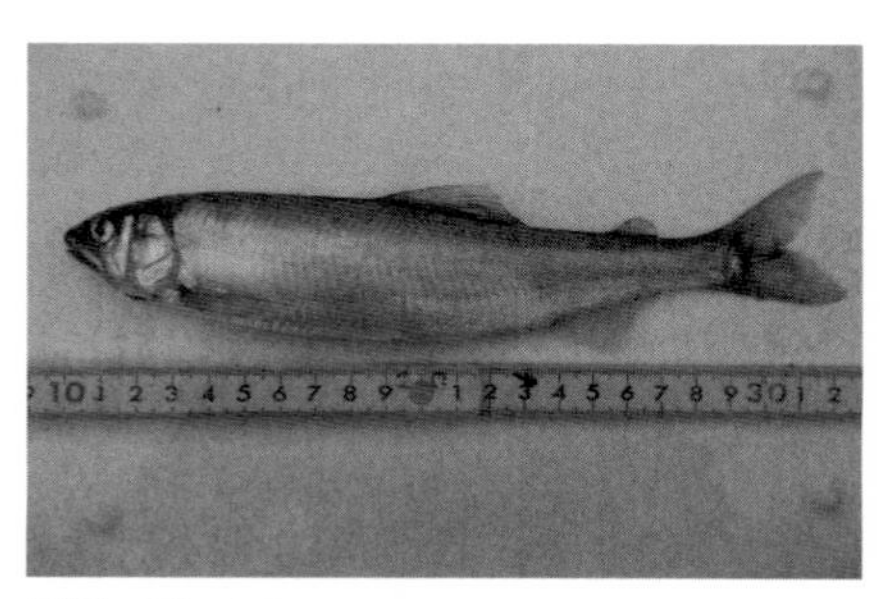

図 5-26　アユ（撮影：北野 聡氏）

図 5-27　アカザ
細身の姿とヒゲからドジョウの仲間にも思えるが、ナマズの仲間である。（撮影：北野 聡氏）

いました。この違いは何に由来するのでしょうか。

この謎を解く1つのヒントとして、親鳥がヒナに運んだ魚の大きさ（標準体長）を見てみましょう（標準体長については第3章参照）。カワセミが運んだ魚の標準体長の平均は7・5cmで、最も大きいものは12cmほどでした。一方で、ヤマセミが運んだ魚の標準体長の平均は12・8cmで、最も大きいものは21cmほどでした。つまり、ヤマセミの方が大きい魚を運んでいたのです。

一般に、体が大きくなるにつれて体を維持するために必要なエネルギーも増えますから、体の大きなヤマセミのヒナがカワセミのヒナよりも大きな魚を必要とするのは不思議ではありません。また、カワセミのくちばしの長さは約4cm、ヤマセミでは6・3cm〜7・0cmです。[12] 彼らが魚をくちばしにくわえて運ぶことを考えれば、おのずと運ぶことができる魚の大きさも決まってくるといえます。

カワセミとヤマセミでどうして利用する魚の種類が違ったのか、すでに答えを予想されている方もいるかもしれませんね。そう、オイカワはウグイより相対的に小さな魚なのです。オイカワの成魚は15cmほど[123]ですが、ウグイの成魚は大きければ30cm以上[124]にもなります。カワセミとヤマセミの体の大きさの違い、そして2種がそれぞれくちばしで運ぶことが可能な魚種をヒナに運んだ結果、このような食物の違いが生じた可能性があります。このような体の大きさやくちばしの長さなどによる食物の違いは、異なる種が同じ地域ですみ分けて生活するために重要な要素となります。利用する食物が違えば、それだけ食物をめぐって競争する必要性が減るからです。

採食環境の違い

利用する魚種の違いは、採食場所の違いにも関係します。オイカワとウグイは、その生息場所も微妙に違っています。オイカワは平瀬[*4]（**図5-28**）のような日の光がよく届く浅い水環境を好むことが多いようです。また、湖沼などにも生息しています。一方でウグイはオイカワ同様に河川や湖沼に生息していますが、より流れがある場所や水深の深い淵[*5]のような場所に見られることが多いようです。

カワセミとヤマセミの採食環境を千曲川で比較してみると、カワセミは流れが比較的穏やかな平瀬や池のような環境で、ヤマセミは流れが相対的に速い早瀬や水深の深い淵のような環境で採食する傾向がありました。興味深いことに、水に飛び込む直前の環境も、カワセミとヤマセミでは少し違っていたのです。たとえば、カワセミは水に飛び込む前は水面に近い枝や固い茎をもつ草などにとまって水中を窺うことが多く、高いところといえば、水田での採食の際に、電線から飛び込む姿を何度か観察し

＊4 平瀬　河川の流れの中で、浅く流れが速い場所を瀬といい、あまり波立ちが見られない瀬を平瀬、流れがより早く、白く波立っているような瀬を早瀬という。

＊5 淵　河川で瀬の前後にできる流れが相対的に穏やかで深い場所を淵という。川の蛇行部、すなわち曲がったところでは岸側に水の流れが当たるので削られやすく、川底も深く掘られやすい。このような場所には淵が形成される。淵の形成要因はさまざまあり、成因によって複数の型に分類される。また、瀬と淵の組み合わせにも複数の型がある[126)]。瀬は、淵と淵をつなぐ直線的な場所ともいえる。**図5-28** 参照。

た程度でした。一方でヤマセミは、岸辺の水面から2～5m程度の高さの枝先や、流れの中に突き出た岩、ときには水面から10mほどの高さのある橋の橋脚などにとまって水面を窺い、そこから水中に飛び込んで魚をとらえていました。全体として、採食のために水に飛び込む高さ、採食場所の水深を見ると、ヤマセミはカワセミよりもより高い場所から水中に飛び込み、より水深の深い場所で採食する傾向がありました（**図5−29**）。

ヤマセミのホバリング

ヤマセミも、カワセミと同じくホバリングから水中に飛び込んで魚をとらえることがあります（口絵19）。ただし、千曲川での調査では、その90％がとまり場からの飛び込みであり、採食行動の約20％がホバリングであったカワセミよりも、ヤマセミのホバリング頻度は低いようでした。なかなか観察できないヤマセミのホバ

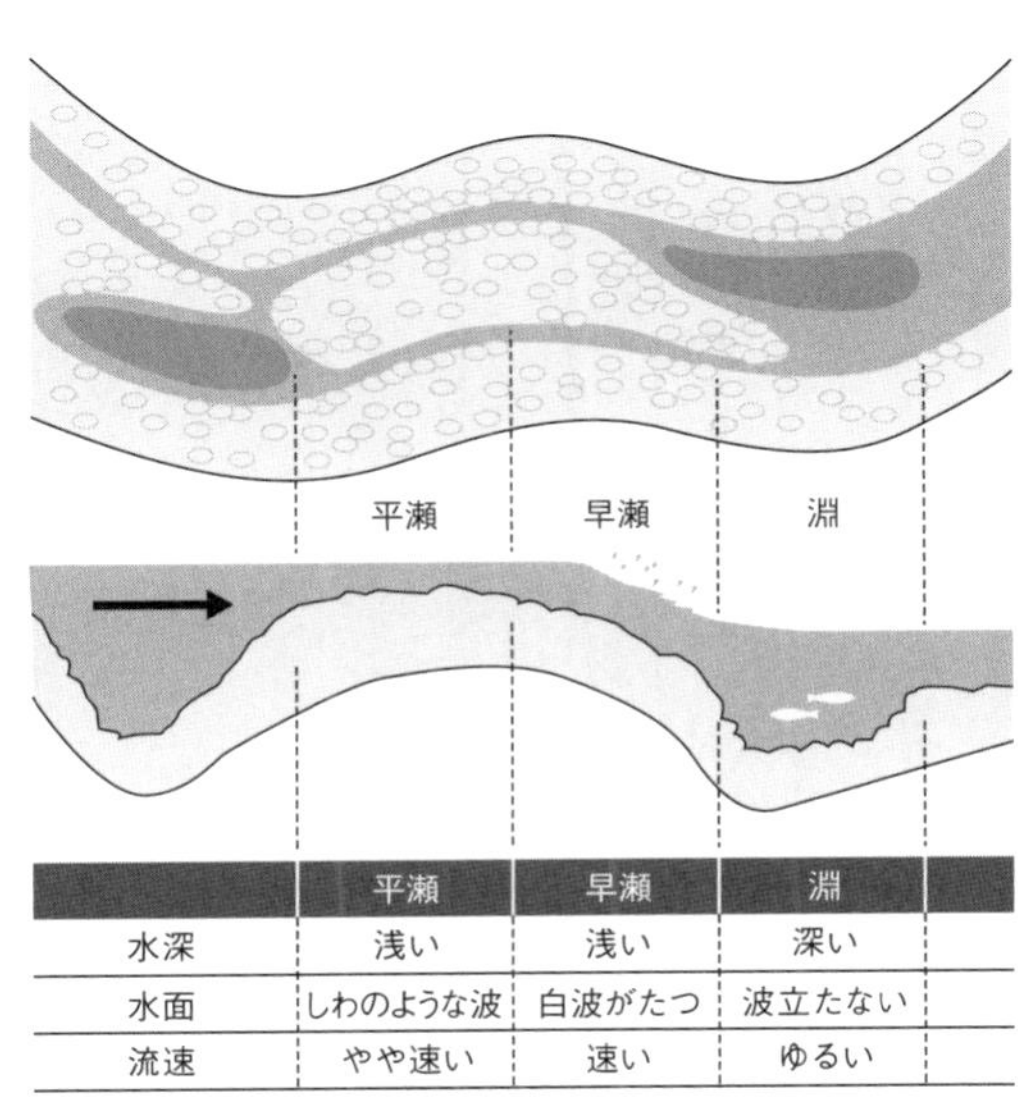

	平瀬	早瀬	淵
水深	浅い	浅い	深い
水面	しわのような波	白波がたつ	波立たない
流速	やや速い	速い	ゆるい

図5-28　河川の瀬と淵の構造
矢印は流れの向きを指す。
（文献125より引用・改変）

リングですが、その羽ばたきはカワセミよりもよく響き、その音で存在に気がついたこともあります。カワセミよりも水面から高い場所で羽ばたくので、青い空に白いヤマセミが映え、その美しさと迫力は、観察というより魅入ってしまう光景でした。

迫力あるヤマセミのホバリングですが、カワセミと同じく、ホバリングでの採食成

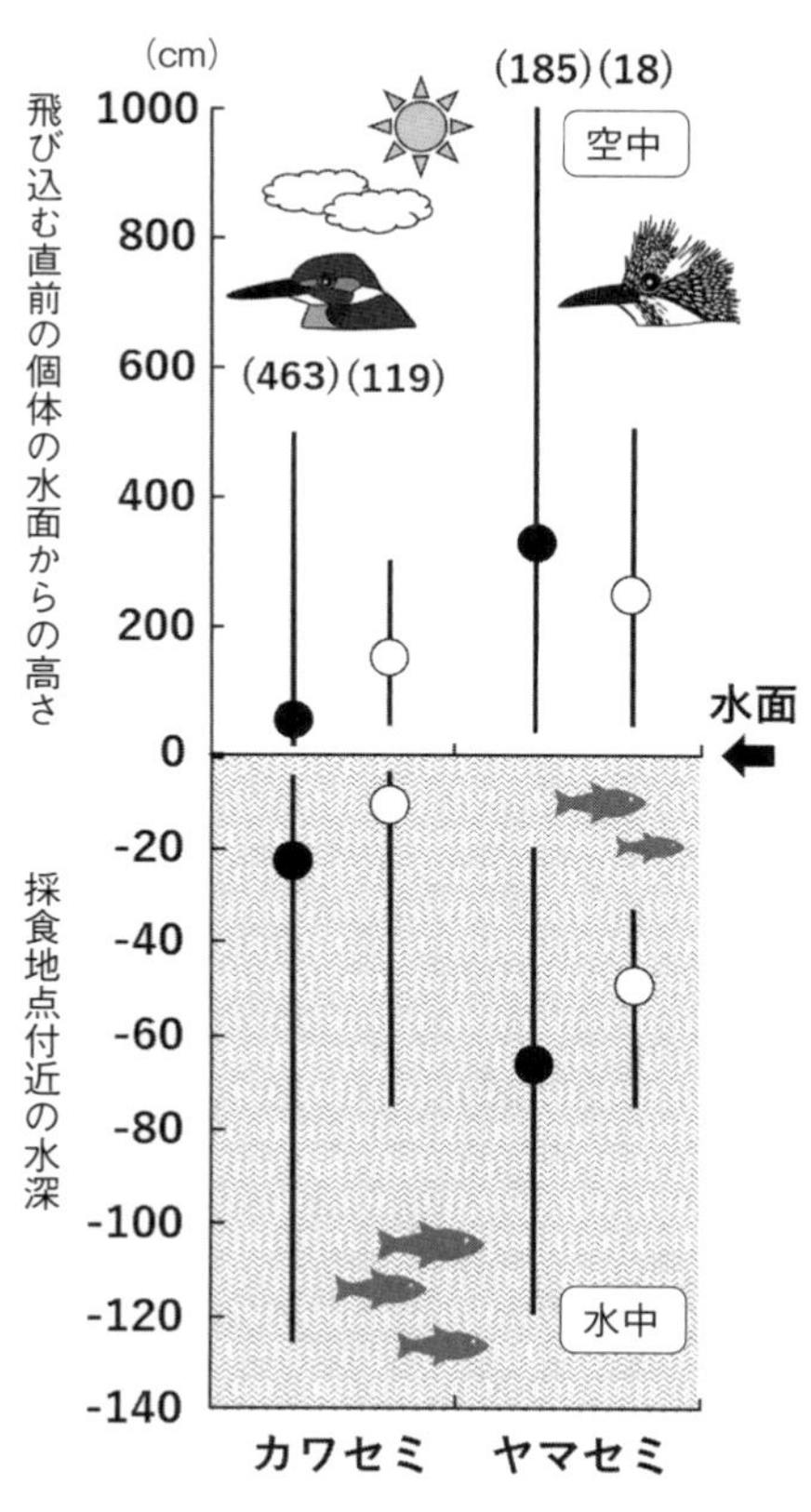

図5-29　カワセミ（18個体）とヤマセミ（8個体）が採食で飛び込んだ高さと採食地点の水深

●はとまり場から採食した場合の、○はホバリングで採食した場合の平均値を表し、縦棒は最大値と最小値をつないだもの。カッコ内の数字は、調査個体全体で採食行動を観察した回数。
（文献57より引用・改変）

功率は低い傾向がありました。千曲川で調査をしたヤマセミの場合、どこかにとまっていて水に飛び込んだ場合の狩りの成功率は約71％、ホバリングの場合は約50％でした。同様の傾向は新潟県でも見られており、とまり場を使用した場合の採食成功率は約70％、ホバリングの場合は30％以下だったそうです。

さて、千曲川でのカワセミとヤマセミの調査から、2種の営巣場所と採食場所、採食行動は似ているけれど微妙に異なる、ということがわかりました。そしてその背景の1つには、体の大きさがありそうなことも見えてきました。このような体の大きさによる利用環境の違いは、インド南西部[127]やアメリカのテキサス州[128]などでの、カワセミ類の複数種を対象にした研究でも示されており、体の小さな種は、大きな種に比べて水面から近いとまり場を使って待ち伏せ採食をする傾向が見られたことが報告されています。さまざまな地域や異なる種でも共通する法則に則ったものといえるのかもしれませんね。このような種の形態に基づいた利用環境の違いは、過去に生じた食物などの資源競争の結果、両種が共存するために生じたものではないか、と言われています。利用場所がよく似ているカワセミとヤマセミですが、ヒナに運ぶ魚の種類や大きさが違うことで、お互い平穏に暮らしていくことができるわけですね。

カワセミとヤマセミの関係性

でも、この2種は本当にケンカをしないのでしょうか。神奈川県でのヤマセミの観察記録[129]では、カワセミとヤマセミが出会う機会は数多く観察されたものの、ヤマセミがカワセミに反応を示すことはほとんどなく、唯一、ヤマセミからカワセミに対する威嚇（いかく）行動（くちばしを大きく開けて接近する）が記録された程度でした。

千曲川でも、カワセミとヤマセミが出会う機会は頻繁に観察されましたが、ちょっとした事例を除いて、ほとんどお互いを気にしていないように見えました。このことは、互いの巣間距離からもいえそうです。たとえば、千曲川での観察から、カワセミ同士の巣間距離は、250mから650mほど、これに対して、ヤマセミ同士の巣間距離は1200mから4500mでした。ヤマセミは行動圏が広いので、巣間距離も相対的に大きくなるのでしょう。一方で、カワセミとヤマセミの巣間の距離はおおよそ100〜200mと、カワセミ同士、ヤマセミ同士よりは、互いの巣が近い傾向が見られました。異種のお隣さんは近くてもそんなに気にしないけれど、同種のお隣さんとはケンカにならないように距離を置きたい、そんなところでしょうか。

ここまでにお話しした2種の関係からすれば、まれな事例かもしれませんが、（前述の）ちょっとした事例として、過去に1度だけ、カワセミがヤマセミに攻撃的な態度をとっているのを観察したことがあります。

そのカワセミは千曲川本流に流れ込む小さな支流に面した崖につくった巣穴で抱卵していました。本流との合流部から10ｍ程度の位置です。ところが、その合流部の本流に面した崖に、ある日からヤマセミが巣穴を掘り始めました。ヤマセミの行動圏は1～3㎞ありますから、そのなかに複数のカワセミの行動圏やなわばりが含まれることは珍しくありません。結果的に巣穴の距離が近くなることもありますが、このときの2種の巣穴の距離は10ｍで、それまでに見た、同種間、異種間の巣間距離のなかでもダントツに近い距離でした。

ヤマセミの巣づくりに気づいた私は、「お、あんなに近くに巣をつくることもあるのだな」とのんきに観察していたのですが、カワセミにとっては一大事だったようです。巣穴掘りの途中、休息のために近くの木の枝にとまったヤマセミの周りを飛びまわりながら、あまり聞いたことのない濁った声をあげています。「ここは私のなわばりなんだけど！　なに穴掘ってくれちゃってんの！」という抗議の声だったのかもしれません。しかし、当のヤマセミといえば、カワセミの抗議などどこ吹く風で、首を横に向けて頭をかいたり、あくびをしたりしています。騒ぐカワセミに威嚇をする様子もありません。ひとしきり鳴きまわってから、カワセミは下流に飛んでいってしまいました。一方、ヤマセミは何ごともなかったかのように巣穴掘りを再開していました。普段は互いに干渉しない2種ですが、さすがに距離が近すぎたのかもしれません。何ごとも、ほどほどの距離が重要なのでしょうね。

都会ではすみづらい

さて、カワセミとヤマセミは、体の大きさに基づいた食物や利用環境の違いから、お互い共存できていそうだ、というお話をしました。これは、別の見方をすれば、その当時、千曲川では両種が共存できるような、つまり両種の要求を満たすことが可能な自然環境が維持されていた、ともいえます。ただし、全体として営巣環境についても食物についても、ヤマセミが求める条件はカワセミよりも厳しい傾向がありました。ヤマセミが安心して営巣できる高い崖と、子育てに必要なある程度の大きさの魚が十分に得られる水域の広さ、瀬や淵などが連続した水環境などは、都市化が進んだ地域ではなかなか見つかりにくいかもしれません。これに対し、カワセミの生息環境に対する柔軟さと小さな体は、都市公園の池などでの生活をしやすくしているといえるでしょう。

また、ヤマセミはカワセミよりも、非常に警戒心が強い傾向があります。たとえば、ヤマセミは巣の近くであれば、２００m離れた対岸に人がいるのを見つけても巣に戻らないことがありますし、よく使う採食場所も、人の出現によって一時的に使用をやめてしまうことがあります。過去に、ヤマセミの採食をできるだけ近くで観察できたらと思い、ヤマセミが動き出す前に観察地点に身を潜めようと、夜明け前に出かけたことがあります。薄暗いなかで観察地点を目指していると、目の端に白い影が見えました。ヤマセミの活動開始は、当時の私が考えていたよりも早かったようで、ヤマセミは飛びながらその調査地点を通過しました。そのとき、薄暗くやや遠目であったにもかかわらず、確かに目が合ったような、そんな気持ちになりました。明るくなっていく空と川をじっと見ながら、次の瞬間にもまたヤマセミが現れるかもしれない、と息を潜めて隠れていましたが、それから日没まで、そこにヤマセミは二度と現れませんでした。後日、遠くからの観察で、その採食場所が使われていることを確認したときは心底ほっとしました。あの日、ヤマセミが日中に現れなかったのは偶然だったかもしれませんが、ヤマセミの警戒心は相当なものかもしれない、そう感じるには十分な出来事でした。

釣り人とヤマセミ

同時に、このヤマセミの性質は、人間の活動が本種の生活や繁殖に大きな影響を与える可能性を暗に示しています。私が調査で遭遇したヤマセミの受難についてお話ししましょう。

巣穴に戻れない

2006年6月下旬、千曲川でヤマセミの巣にビデオカメラを仕掛け、撮影調査をしていました。春先の巣穴掘りから観察を続けていた巣は、水面から高さ2・5mほどの崖にあり、わざわざ近づこうとする、ヤマセミにとって迷惑な輩は私くらいのものでした。崖の前に流れを挟んで広がる砂礫地に訪れる人の姿も、ほんのときどきある程度で、ヤマセミは順調に巣内育雛の時期に入っていました。親鳥は毎日、明け方4時頃から18時や19時の夕暮れまで、せっせとヒナに魚を運びます。親鳥にもよりますが、巣内のヒナがある程度大きくなってくると、ヤマセミは魚をくわえたまま巣穴の前で盛んに声をあげてから、中に入るようになります。カワセミでも、巣穴に入る前に巣の近くのとまり場から「ジッ」と低い声をあげることがありますが、ヤマセミの声はそれとは比較にならないほど大きく、ときに何度も長く鳴きます。同様の事例は、神奈川県の研究[130]でも報告されています。魚をくわえて巣穴に入った親鳥が、くちばしを空にしてすぐに巣を飛び出すことから、入り口から1m以上も離れた産室からヒナを入り口付近に呼び寄せておいて、入り口ですぐに食物を渡せるようにしているのだと思われます。

ヤマセミが1日に運ぶ魚の数は、千曲川の調査では、多い日で18回ほどでしたが、新潟県では、33～37回という観察例[121]があり、神奈川県の調査報告では1日に44回に達した事例[130]もありました。この違いについて、確定的な理由はわかりませんが、1つには、第3章でお話しした、巣穴で待つヒナの数が関係しているかもしれません。

さて、私がヤマセミの順調な子育ての様子を撮りためていたはずのある日、回収したビデオの録画映像を確認すると、早朝と夕方以外、ヤマセミがまったく映っていませんでした。繁殖経過からすれば、巣立つにはまだまだ時間が必要な巣です。食物は運んでいるけれど、ビデオカメラを仕掛けたとまり場を使わなくなって映っていないのか、捕食者に襲われて繁殖に失敗しつつも、つい食物を（朝夕に）運んでしまったのか、いろいろな理由が思い浮かびますが、まずは確認しなくてはいけません。

翌朝、薄暗がりのなかでビデオカメラを巣の近くに設置し、ヤマセミに警戒されないように、約400m離れた対岸に回り、さらに車の中に身を潜めるようにして、巣穴周辺を観察します。すっかり明るくなった5時頃、人影のない川の上を、魚をくわえたヤマセミがすべるように飛翔してくると、とまり場にいったんとまってから巣に入り、少しすると、くちばしをからにして出ていきました。少なくとも巣が捕食者に襲われて全滅した、というわけではなさそうです。

そして7時過ぎ、ヤマセミの食物運搬が停止した理由が判明しました。釣り人たちです。堤防上の道路に次々と車が停まり、出てきた人々は胴長やウェットスーツに着替えて川に入っていきました。流れの中、20～30mの密な間隔で並び、長い竿を伸ばしているのが見えます（**図5−30**）。千曲川のこの地域での、アユ釣りが解禁されたのです。

普段はほとんど人がいない河川も、当時はアユ釣りが解禁されると県内外から多くの釣り人が集い、賑わいました。解禁の少し前から、砂礫地に転がる大きな石をていねいにどけて道を整え、解禁後に車で中州に乗りつける釣り人もいます。皆さん、この時期を心待ちにしていたのでしょう。

しかし、釣り人の弾んだ気持ちとは反対に、ヤマセミとしては気が気ではない状況です。当然のように、ヤマセミの巣周辺にも釣り人が立っています。彼らは、近くの崖にある穴にはまったく気がついていないようですが、穴の中にはヤマセミのヒナがいて、親鳥が運んでくる魚を待っています。

親鳥はどうしているのでしょうか。その姿は巣から約１２０m離れた高木の、茂った葉の中にありました。親鳥も魚を運びたいのでしょう、くちばしの先端側に魚の頭がくるようにくわえたまま、じっと巣の方を窺っています。けれども、人間が巣の周辺にいて、近づくこともできません。30分経っても、1時間経っても、釣り人はいなくなりません。誰かが場所をあければ、次の釣り人がそこに入ってくるからです。……3時間後、ヤマセミはくわえていた魚の頭の向きを変えると自分で飲み込み、川を避けて林の上を下流に飛翔していきました。そして、30分も経たないうちに、再び魚をくわえ、先ほどの高木の茂みに戻ってきました。そして同じように長時間巣の様子を窺い、釣り人の姿に諦めたのか、自分で飲み込んで再び魚をとりにいく、そんな姿を調査中に少なくとも4度、観察しました。

撮影調査の結果から、釣り人が多い日には、ヤマセミは昼間まったく魚を運べなくなり、早朝や夕方のまだ釣り人が現れない、も

図5-30　千曲川でアユ釣りを楽しむ人々（白矢印）

（撮影：著者）

しくは帰った後の時間に魚を運んでいたことがわかりました(**図5-31**)。しかし、この巣のヤマセミが巣に魚を運ぶ頻度は、通常で1時間に1~2回程度だったとはいえ、これまで一日中運んでいた魚の量を、早朝と夕方だけで賄えるものではありません。アユ釣り解禁後の、巣に運ばれた食物の1日当たりの総量は、明らかに解禁前の総量に足りていませんでした。巣の中のヒナも空腹なのか、巣の周辺に釣り人がいなくなると、穴から顔を出して鳴き続ける姿も見られました。

緊張の巣立ち

7月上旬、なかなか巣立ちが行われないこの巣に、毎朝通って息を潜めて様子を窺っていました。その日も朝5時前から、川の流れに洗われる岩の上で親鳥は盛んに巣立

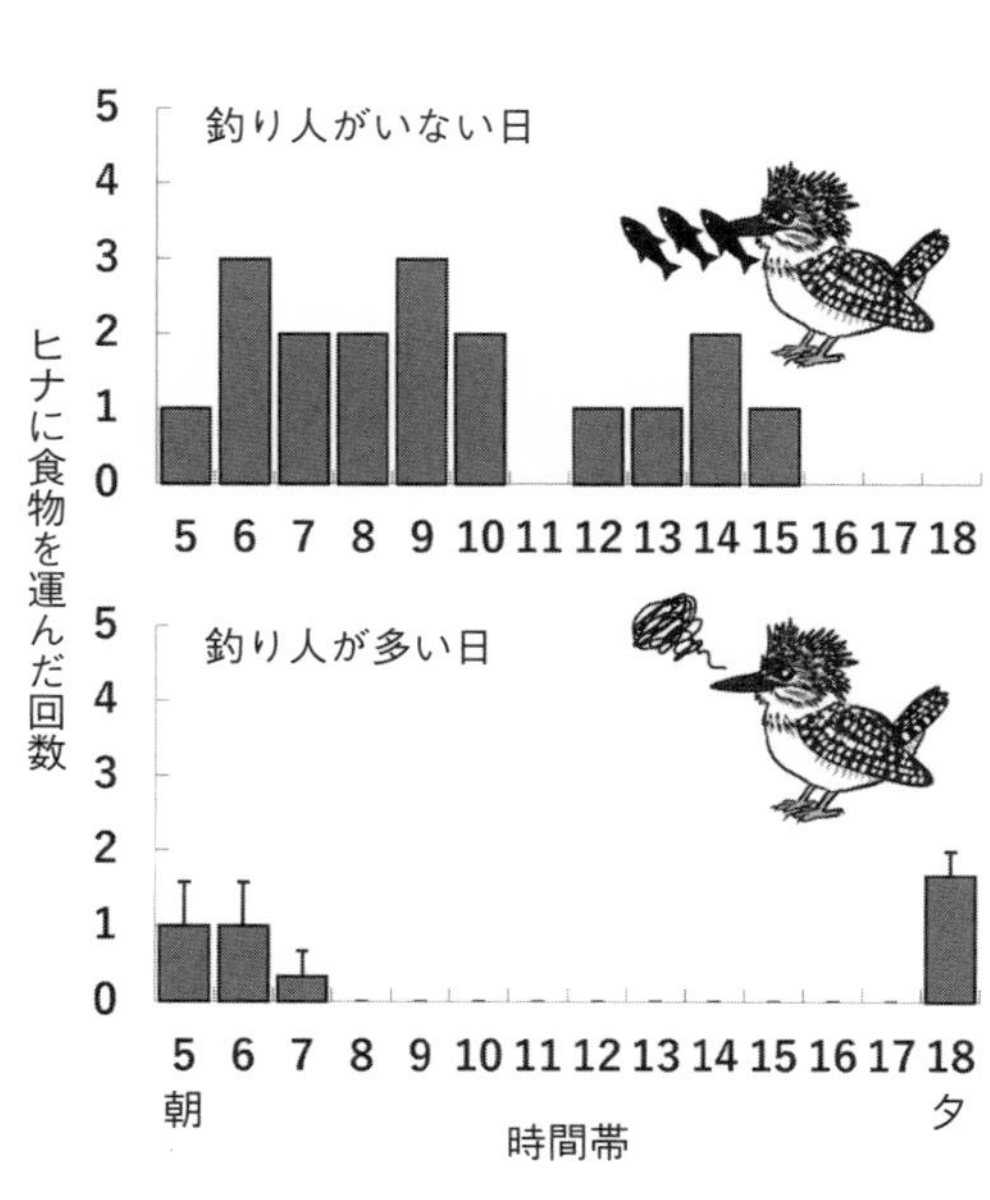

図5-31　釣り人がいない日(上)と多い日(下)の、ヤマセミがヒナに食物を運んだ回数

釣り人が多い日は複数あったため、平均値と標準偏差(グラフ上の縦棒)を示した。(文献131より引用・改変。イラスト:井川 洋氏)

ちを促す声をあげていました。ヒナも巣穴から顔を出しますが、なかなか飛び出しません。7時になれば人が増え、巣立ちができないどころか、親が魚を運べない一日がまた始まってしまいます。私がドキドキしても何の解決にもなりませんが、祈るような気持ちで親鳥とヒナのやりとりを見ていました。

1時間もした頃、突然、ヒナが巣穴から飛び出しました。親鳥も岩からすばやく飛び立ち、ヒナと連れ立って上流へ滑るように飛翔していきました。巣穴からはもう1羽のヒナが顔を出しており、上流へと移動する家族の方に顔を向けています。親鳥のみがすぐに戻ってきて、再び鳴き始めました。2羽目のヒナも少しの時間の後、そして釣り人が集まってくる前に無事巣立ちました。

諸手を上げて喜ぶ、という言葉があります。無条件に、心から歓迎して、という意味ですが、その言葉の意味を体感した出来事でした。

今回の事例ではヒナが無事に巣立つことができましたが、最悪の場合、ヒナが餓死する可能性もあったかもしれません。本来、ヒナが巣穴から顔を出して鳴くような行動は、巣立ち直前に、親鳥が意図的に食物を減らしたときに見られるものです。今回の巣では、巣立ちよりもずっと前からその行動が見られており、いかに非常事態であったかを物語っています。ヤマセミは巣づくりからヒナの巣立ちまでに約2カ月半かかるため、育雛期の後半で失敗すると年内の再繁殖ができず、その年の繁殖そのものが終了してしまう可能性もありました。

気づかなければいないのと一緒？

釣り人にかかわる問題はほかにもあります。しばしば放置される、針や錘（おもり）がついたままの釣り糸は、カワセミだけではなく、河川をはじめとした水辺で生息する鳥類にとっての脅威です。これらの種のなかには、この章の前半で紹介した、セグロセキレイやキセキレイなどのセキレイ類、また、イカルチドリやイソシギなどのシギ・チドリ類がいます。これらの鳥は体に対して脚がやや長く、歩くことが得意ですが、ときどき、その脚に釣り糸を絡ませていることがあります。絡まれば人間でもほどくのが難しい釣り糸は、彼らの動きを鈍らし、ときには釣り糸で締め上げられた脚や足指が、壊死（えし）して欠損しまうこともあります。翼や体に絡まれば飛翔ができなくなり、くちばしに絡まれば採食することも不可能になり、その行く先は衰弱死しかありません。

錘も同様です。植物食の水鳥たちは、小石を飲み込んで、砂肝内で繊維質の食べ物を消化しやすいように胃酸と混ぜながらすりつぶしますが、小石ではなく、落ちている釣り用の鉛の錘を飲み込んでしまうことがあります。飲み込まれた鉛は胃酸で溶かされて体内に吸収され、鉛中毒を引き起こします。中毒になった鳥は食欲不振になり、元気がない様子で頻繁に水を飲むようになります。緑色の下痢をするようになり、歩行がおぼつかなくなるなどの症状の末、衰弱死してしまう恐ろしい中毒です[132,133]。このような鉛の錘は魚食性のカワウのペリットからも見つかっています（**図5-32**）。

もちろん、釣り人はヤマセミの繁殖行動や鳥たちの生活を、意図的に脅かしているわけではありませんし、私自身、釣りそのものを否定するわけでは決してありません。人々が河川に親しみ、楽しむことは、自然を大切にする気持ちにつながり、次の世代へ自然を残していくうえでも重要なことだと思います。けれども、千曲川で調査をしている自分にも戒（いまし）めを込めて思うのは、そこは、人間だけの場所ではないのですよ、ということです。生き物との共存を考えるうえで、その生き物が必要とする環境を理解することは基本的かつ重要なことです。そして同時に、人間活動が生き物に与える影響を知り、自分たちの暮らしのすぐそばに別の生き物の生活があることを知る必要があります。昔から何度もテレビアニメ化されている

図5-32　カワウのペリットから出てきた釣り用の錘
錘は釣り糸でペリットに絡みついており、カワウが錘ごとペリットを吐き出したことがわかる。（撮影：著者）

有名な妖怪漫画に『ゲゲゲの鬼太郎』（水木しげる 著）があります。原作の漫画は当時の世情に鋭く切りこんだお話も多いのですが、テレビアニメでは、妖怪は人の暮らしのすぐ近くにありながらも気づかれない存在として描かれ、しばしば人間の身勝手な振る舞いで迷惑を被り、平穏な生活を害されてしまいます。それに腹を立てて人間に復讐をしようとすると鬼太郎にとめられるのですが、基本的には人から被害を受けている立場なので、復讐をしたい妖怪たちの言い分もわからないではありません。

野鳥の生活についても、それに気づく人と気がつかない人がいます。川を楽しむ人々の多くが、ヤマセミをはじめとした、実は身近にいるはずの鳥たちの存在に気づいていないために、彼らに配慮することに思い至らないのかもしれません。知られていないことで害されてしまうという点では、野鳥はテレビアニメに出てくる妖怪と似ているように思います。両者の違いを挙げるとすれば、野鳥は人間に目立った復讐をせず、ただ静かにいなくなってしまうこと、でしょうか。

いつか川に出かけたとき、そこには陽光にあたって輝く水と、心癒されるせせらぎはあっても、鳥たちの命の賑わいを感じられなかったとしたら、それは美しくとも、とても寂しい風景なのではないでしょうか。

ヤマセミが身近な鳥だった過去

警戒心が強いといいながらも、過去の調査記録や文献を見ると、ヤマセミが人里の近くで繁殖したいくつかの事例が知られています。たとえば神奈川県では、山に面した宅地造成で一時的に出現した土の崖に営巣した事例が報告されています[46]。常に人がいる環境ではありませんが、人家に近い場所での営巣はまれだといえます。重機で削り出された崖は高ければ40mほどあったそうで、植物も生えていないことを考えれば、ヤマセミにとって非常に魅力的だったのかもしれませんね。

また、1980年代後半には、東京都を流れる多摩川の中流域、しかも市街地付近で繁殖した記録がありました[134]。巣穴そのものは外部の人間が入ることができない工場の敷地内にあったそうで、巣穴に対する人の直接的な干渉の可能性は低そうですが、ヤマセミが多摩川で採食する際には、その姿を見るために、多くのバードウォッチャーが入れ替わり立ち代わり訪れ、休日には数百人も集まった、ともされています。千曲川での釣り人に対するヤマセミの反応から考えると、大きな望遠レンズや大勢の人を嫌って、別の場所に移動してしまいそうですが、この多摩川のヤマセミは、人の多さも、一挙一動を狙ってくるカメラも気にすることなく、悠然と採食していたそうです。

多摩川では、1940～50年代にも低地での繁殖が確認されていたそうで、ヤマセミが生息できる可能性がもともと高い河川だと考えられます。

そして私も多摩川でヤマセミを見たことがあります。2013年4月の朝、羽村市と青梅市の境界あたりでした。「ケレッケレッ」と独特の鳴き声で上流から飛翔してきたヤマセミは、高木にとまると、ほんの少しの間多摩川を見下ろしていました。その後、水に飛び込むこともなく、再び上流に戻っていきました。とても短い邂逅でしたが、東京都を流れる多摩川がもつ、潜在的な自然の豊かさや重要さを感じた出来事でした。過去に多摩川で繁殖したような豪胆なヤマセミにはまだ会ったことはありませんが、カワセミのように都会の水辺に順応して進出できる可能性も、まったくないわけではないのかもしれません。

彼らが河川に戻ってきたとき、そこで定着できるように、そして、河川の生き物と人間の生活がうまく折り合い、身近な鳥たちが知らず知らずのうちに数を減らして希少種にならないようにするためには、彼らの生態を研究するだけではなく、まずは人々に河川に生息する生き物のことを知ってもらい、人間活動が彼らにどう影響するのかを理解してもらうことが必要だと考えます。観光地やキャンプ地などでよく見られる標語に、「来たときよりも美しく」というものがあります。これは、自分で出したゴミは自分で持ち帰りましょう、見つけたゴミも拾いましょう、という意味だと考えられますが、ゴミを持ち帰るのが当たり前のマナーであるように、山や河川などで活動する際には、そこに暮らすさまざまな生き物に配慮することが当たり前のマナーとなれば、知らないまま生き物の生活を脅かす心配を、減らすことができるのではないでしょうか。人にとっても野鳥にとっても過ごしやすい環境が維持される、そんな世の中になったら嬉しいですね。

河川の鳥たちと増水

さて、ここまで川の鳥たちについて紹介してきました。河川にはさまざまな環境があり、一見不毛な環境に見える植物のない砂礫地も土崖も、シギ・チドリの仲間やカワセミたちの営巣環境となるわけですが、当然ながら、これらの環境には、時間が経てば植物が繁茂し始めます。植物の繁茂力というのは本当にすさまじいもので、コンクリートを押し上げて生えてきた草花がニュースでとり上げられることもあります。映画やゲームなどで、文明が滅んだ後の広大な廃墟に自由に絡みつく植物が描写されるのもうなずけますね。

河川環境を維持する増水

そんな恐るべき繁茂力をもった植物に対し、河川の広大な砂礫地や土崖はどうやって維持されているのでしょうか。その大きな力の1つが増水です。

ただし、ここでいう増水は、必ずしも人間の生活を脅かす氾濫規模のものを指しているわけではありません。分野や業界で詳細な定義は異なりますが、増水は、河川の水が急激に増える、もしくは平常の水位よりも水かさが増すことで、出水(しゅっすい)ともいいます。河川が増水して普段水が流れている河道から高水敷[*6]にあふれることを洪水[*7]と言います。高水敷の端には堤防が控えているので、そこに水が流れ込んでも、すぐに住宅地への被害が生じるわけではありません。高水敷にもいよいよ水が満ち、堤防からあふれ出た(越水[*8]した)状態が氾濫であり、こうなると低い土地や家屋などへの浸水被害が生じます。近年記録的な大雨の頻度が増加し、全国で氾濫による被害が生じていますが、本書ではそのような破壊的規模ではなく、越水に至らない規模の洪水までを「増水」として扱い、あくまで河川の生き物に貢献しうる増水について、考えてみたいと思います。

一般に増水の規模が大きければ、流れる水の量は多く(水位は高く)なり、流れの

＊6 高水敷(こうすいじき) 堤防に囲まれた範囲を一般に河川敷というが、そのなかでも常に水が流れている部分を低水路もしくは低水敷といい、低水路と堤防の間の一段高い土地を高水敷という。増水によって高水敷も冠水することがあるが、平常時は動植物の生息空間となったり、公園、グラウンド、農地などに利用される。
＊7 洪水 洪水は氾濫と同じ意味でも使用することがある。
＊8 越水 河川の増水などで堤防の高さを越えて水があふれ出ること。

勢い（押し流す力）は強くなります。規模によっては地中に大きく根を張って立っている樹木も水流で根が掘り起こされ、下流へと流されます。中州などに生育する草や樹木が押し流され、上流から流れてきた土砂が新たに堆積すると、増水後の地表には植物がほとんど残りません（図5-33）。水流はまた崖の土をえぐりとり、植物のない新たな土崖に更新します（図5-34）。

このような増水は自然が起こす「攪乱（かくらん）」の一種です。攪乱とは、生態系もしくはある範囲に生息する生き物の種や個体数の構成などを乱し、食物や環境などの資源の利用可能量を、大きく変化させるような事象のことをいいます。河川の大規模増水、台風、火事、火山噴火、雪崩（なだれ）などは代表的な自然攪乱です。樹木を押し流す増水の威力を思えば、攪乱は一見とても破壊的な事象に見えますが、草で覆われた崖が増水で更新されてカワセミの営巣場所となり、植物のなくなった砂礫地がシギ・チドリ類の営巣

図5-33　増水で押し流された樹木

2019年10月の令和元年東日本台風のときの、長野県埴科郡坂城町の坂城大橋付近に設置されたライブカメラの画像。上の画像（増水中）では、水の流れの中に木々（点線内）が見えるが、下の画像（増水後）では、ほとんど何も残っていない様子がわかる。（提供：国土交通省北陸地方整備局 千曲川河川事務所）

場所となるように、一部の種の生息環境の創出に重要な役割を果たします。また、攪乱は、その時点まで進んでいた植生遷移(せんい)*9をリセットします。攪乱があった場所となかった場所では植物の生長状況が異なるので、より広い範囲を見ると、草の生えていない裸地、背の低い草地、背の高い草地、低木、高木など、さまざまな環境がモザイク状に創出されることになります。環境の多様さは、結果的に多くの生き物の生息を可能にします。

これは陸上だけではなく、水中にも当てはまります。たとえば、水深や川底の礫の大小、川の形状に伴う水の流速なども、増水の前後で変化します。また、新たに池や小川ができることもあります。水の中の生き物も、種によって生息に好ましい流速や川底の礫の状況などが異なるため、水の中にさまざまな環境がつくり出されれば、多様な魚や水生昆虫たちが生息できる可能性が高まるわけです。ただし、多様な種類と、量的

図5-34　増水で更新された土崖
(撮影：著者)

＊9 植生遷移　時間とともに、植物が構成種を交代しながら自然に変化していくこと。土が露出するだけの場所に草が生え、その後に木が生え、長い年月をかけて自然に森となっていく過程は想像しやすい。

にたくさんの生き物が生息できることは少し違います。たとえば、量的にたくさんの魚が生息するためには、それに必要な空間の広さや、食物となる水生昆虫、藻類が十分にあることも重要になります。

ともあれ、水の中の生き物の多様性が高まることは、水の中の生き物を食物とする鳥たちにも恩恵となります。1つには、カワセミとヤマセミが同じ地域で繁殖できるように、似た環境や食物を利用するほかの鳥たちについても、共存できる可能性を高めてくれるでしょう。

増水で更新される崖や、水の中につくられる多様な環境とそこにすむ魚たち、カワセミとヤマセミが繁殖できる環境が永く続くと嬉しいのですが、現実はどうでしょうか……。特にヤマセミにとって、現状はなかなか厳しいかもしれません。皆さんの身近な河川を思い出してみてください。高い土崖の下に水が流れている、というよりは、流れに向かってゆるやかに傾斜していく地面が思い浮かぶのではないでしょうか。加えて、流れの周辺はしっかりコンクリートで護岸されているかもしれません。ヤマセミが好むような、急傾斜の高い土崖が増水などで自然にできる機会は、減少しつつあるといえます。第2章で紹介した、コンクリートの水抜き穴に営巣したカワセミのように、千曲川でも、川に面したコンクリート崖に開いていた、大きめの水抜き穴に営巣を試みているヤマセミのつがいを見たことがあります。しかし、雨が続いた後には（きっと中が浸水してしまったのでしょう）、姿を消してしまいました。彼らの厳しい住宅事情を感じた出来事でした。

全国的な普及率は不明ですが、カワセミやヤマセミの住宅事情に配慮して、人が代替的な営巣場所を設置している事例もあるようです。垂直に近い護岸コンクリート壁の一部をくり抜いて土部分を露出させたり、大きなコンクリートブロックを背後地の土と連結させ、コンクリートの表面に巣穴の入り口のような円形の穴を設置し、カワセミなどが土部分を掘り進めて営巣できるよう工夫されています（**図5-35**）。コンクリートブロックの上や周辺に木や草が茂らないように継続的な手入れが必要かもしれませんが、興味深い試みです。一方で、食物となる魚類がすむ水の中の環境は、どうでしょうか。これについても近年、気になることがあります。第6章でお話しします。

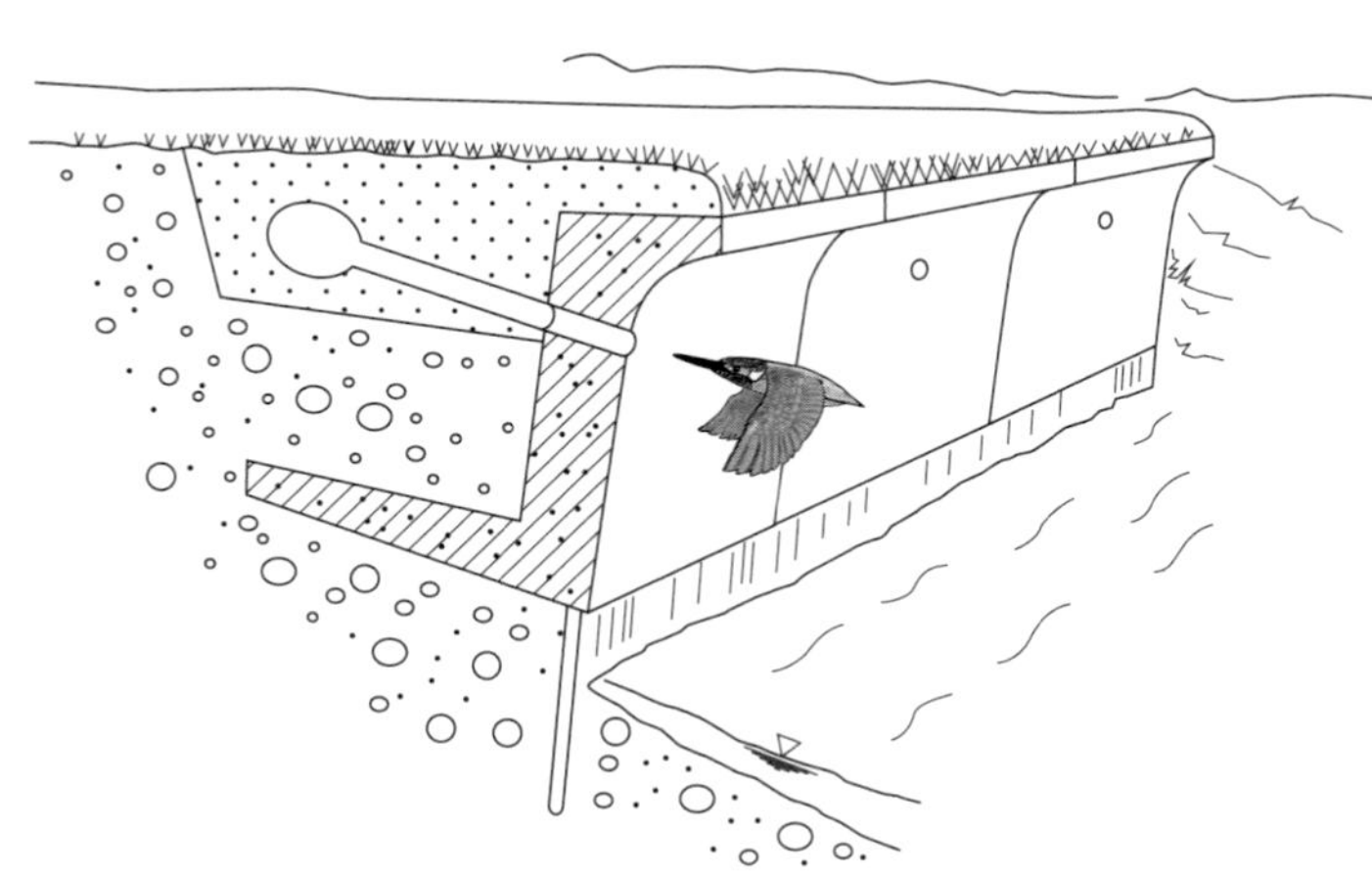

図5-35　カワセミやヤマセミ用の人工営巣用ブロックの例
（文献135より引用・改変）

ヤマセミの生態や子育てに必要な環境を考えると、カワセミのように、都市公園などのちょっとした水辺に進出するのは、なかなか難しそうです。ヤマセミは河川環境との結びつきが深く、崖や水の中の生き物の多様性をつくり出す増水は、ヤマセミが生息するうえでも重要な役割を果たしていると考えられます。

増水の発生時期と鳥たちの繁殖

とはいえ、増水は手放しに歓迎されるものではありません。

繁殖期に起きる大規模な増水は、鳥たちに壊滅的な被害をもたらすこともあります。特に大きな被害を受けるのは、樹木や草などに巣をつくって子育てをする鳥たちです。水辺に群落を形成するヨシに営巣するオオヨシキリや、背の低い草木に営巣するホオジロなどでは、親鳥が卵を温めている期間や、まだ自由に動けないヒナが巣にとどまっている期間に増水が起きた場合、巣はヒナや卵が入ったまま、巣をかけた植物もろとも水没もしくは流されてしまいます（**図5-36**）。巣立ち直前（**図5-37**）まではヒナが飛ぶこともおぼつかないこれらの種の場合、巣の中で親鳥の世話を受けている間に増水が起きると、ヒナが溺れてしまう可能性があります。親鳥も、増水後に再び巣づくりから始めようとしても、巣をかける植物がもう存在しない、なんてことさえ、ありえます。その場合、その年の繁殖活動は子を残せないまま終了してしまうことになります。

営巣環境が失われなかったとしても、増水が繁殖期全体からみた後半や終盤に起きた場合、種によっては新しい羽への換羽も始まるため、もう一度繁殖するには時間も親鳥のエネルギーも不足してしまうかもしれません。この場合も、やはりその年の繁殖は終了してしまうでしょう。

当然ながら、川の水の流れと高さがあまり変わらない砂礫地につくられた地上の巣も、水位が上昇してはひとたまりもなく水没してしまいます。千曲川では、4月下旬に雪解け水によって増水することがあり、たまにチドリ類の巣が水没したり、流され

図５-36　増水で押し倒され、水に浸かったヨシ原
（撮影：著者）

図５-37　巣立ち間近のオオヨシキリのヒナ
（撮影：著者）

てしまうことがあります。ただ、この場合は、水が引いた後の砂礫地に再び巣をつくって子育てが行われます。しかし、6月後半や7月などの繁殖期後半での失敗は、再営巣につながらず、やはりその年の繁殖は終了してしまいます。ちなみにシギ・チドリ類のヒナ（**図5-38**）は、オオヨシキリやホオジロのヒナと違い、生まれたときから羽毛が生えていて、立派な脚で自ら動きまわることができます。[*10] 千曲川での増水時に、堤防上でまだ小さなヒナを連れたイカルチドリの家族を、何度か見たことがあります。現場を直接見たことはないものの、ヒナがどうにかして砂礫地から堤防まで、水の中を移動し生き延びているようなのです。ヒナ自身が泳いでいるのか、親が背に乗せて泳ぐのか、もっと別の方法なのか、いつか、移動手段をこの目でぜひ見たいものです。

増水と繁殖中のカワセミ

増水による被害はカワセミにとっても

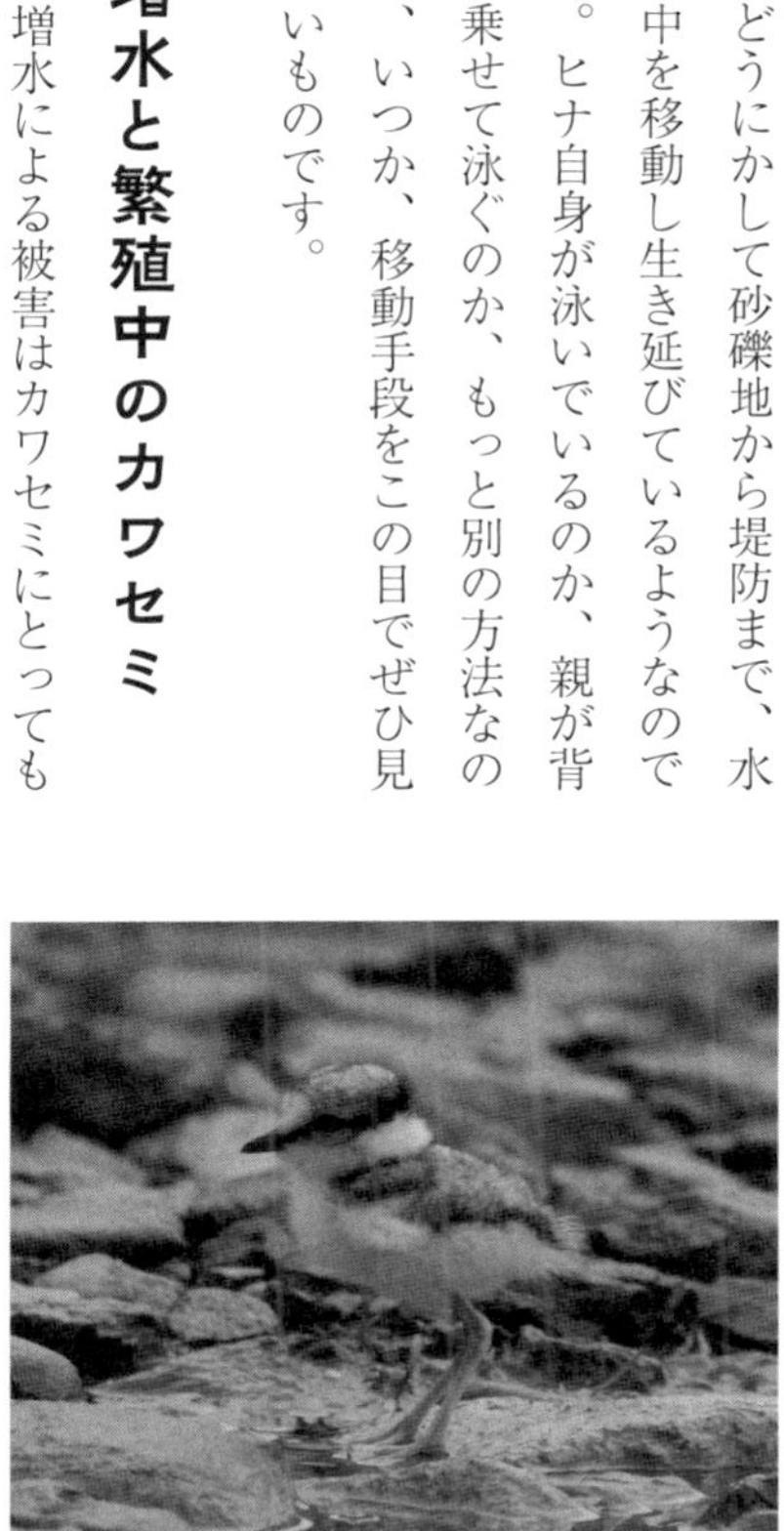

図5-38　孵化後数日のイカルチドリのヒナ
（撮影：内田 博氏）

＊10 早成性と晩成性のヒナ　孵化したヒナの成熟度合は大きく早成性と晩成性の2つに分かれ、鳥の種類によって異なる。孵化時に、すでに体が綿羽に覆われていて、目は開いており、自分で歩くことができ、採食も可能なヒナは早成性と呼ばれる。シギ・チドリ類やキジの仲間などで多く、孵化後数時間程度で親鳥とともに巣を離れる。反対に、孵化時には体にほとんど羽毛がなく、目は開いておらず、立って歩くこともできず、巣内にしばらく滞在して親の保護や食物の供給を受けながら成長するヒナは晩成性と呼ばれる。スズメやツバメ、カワセミ類などのヒナは晩成性である。

他人事ではありません。第2章でお話しした通り、巣の高さは産卵からヒナの巣立ちまでの期間が長いカワセミにとって、ヒナを巣立たせられるか否かにかかわる重要な要素です。低い崖に営巣した場合、大雨の際に増水した川の水が巣穴の中に入りやすく、卵やヒナが水没したり、水の勢いが激しければ、巣穴ごと流されてしまうこともあります。とはいえ、カワセミが陸上の植物に営巣する種と違うのは、増水後にも、再営巣がしやすいことかもしれません。荒れていた流れも穏やかになり、水位が平常の状態に戻った頃に川を見にいくと、水流によって新たにできた土崖に早々に巣穴ができていることがあります。そこに彼らのたくましさを感じずにはいられません。

過度な規模の増水は氾濫となって、ときに堤防を決壊させ、人の生活にも大きな被害を及ぼします。人と川の歴史は人と自然の闘いの歴史といっても過言ではありません。その一方で、氾濫とまではいかなくとも、ある程度の規模の増水がなければ、繁殖や生息のための環境が失われてしまう生き物がいることも、私たちは知る必要があり、それらへの配慮を忘れてはいけません。鳥類だけではなく、植物にも昆虫にも、河川という攪乱環境を主要な生息場所にしている種がいます。増水は河川環境を変化させ、河川生態系を維持する重要な動力なのです。人の命と生活を守りつつ、河川の生き物の生息場所も維持できるような河川と人とのつきあい方を模索するというのは、たいへん難しい課題ですが、避けて通ることはできないと考えています。
この章では、河川に生息する鳥たちの暮らしや増水とのかかわりについてお話ししました。次の第6章では、河川の鳥たちに感じる変化と河川を取り巻く状況について、お話ししたいと思います。

カワセミ こぼればなし❹

河畔林の小径で採食するカワセミ

2006年7月のことです。梅雨時の豪雨で、普段は畑や果樹園、運動場などになっている高水敷が、すっかり水に浸かるような規模の増水が千曲川で起きました。川の水位が下がって数日後、私は調査地の被害状況を確認するために千曲川の高水敷を歩いていました。10mはあろうかというハリエンジュの木がなぎ倒され、樹皮がはがれてつるつるになっている姿や、ヤナギやヨシが大きく倒れて泥をかぶっている様子に、水の力のすさまじさを感じながら、あちこちに水たまりが残る河畔林の中に足を踏み入れたときのことです。林の中を通る小径に、水に洗われた木の根が地上から10〜15㎝ほど露出していて、その上にカワセミがとまっていました。水辺から離れた場所に巣をつくったカワセミが、巣と水辺を行き来するために林の中を飛翔して通過することはありますが、見通しのあまりよくない林の、しかも地上近くにとまっている姿はあまり見たことがありません。大雨に濡れて弱ったにしては、増水からすでに数日経過しています。「こんなところで何をしているのだろう」と少し後ずさりしてカワセミと距離をとり、木の陰に隠れて様子を観察することにしました。

カワセミは、はたから見れば不審極まりない行動をしている私のことなど気にもせず、露出した木の根から地上をじっと見下ろしており、その視線の先には先日の増水でできた水たまりがありました。突然、カワセミが水たまりに飛び込み、すぐに木の根の上に戻りました。水浴びかな、と思いましたが、そうではありません。カワセミのくちばしには魚がとらえられていました。くちばしよりも小さい獲物のようでしたが、カワセミは、いつもそうするように、木の根に何度も獲物を打ちつけてから飲み込みました。しかも、飲み込むとすぐにまた水たまりに飛び込み、今度は地上から3ｍほどの高さの枝にとまりました。やはり魚をくわえています。先ほどと同じように魚を枝に打ちつけると、今度は魚の頭をくちばしの先端の方に向けてくわえなおし、河川の外へと飛んでいきました。

「なんで、水たまりに魚がいるの……?」

カワセミが飛び去った後、ぬかるんだ道を水たまりへと急ぎ、のぞき込みました。そして驚きました。「小魚がいっぱいいる……!」。増水によって高水敷に運ばれた魚が、水が引く際にとり残されたのでしょう。行き場のない狭い水たまりの中で、たくさんの小魚たちが泳いでいる、というよりは、うごめいていました。魚を見て驚いている私の耳にカワセミの「チーッ」という声が聞こえました。瞬く間に飛んできたカワセミは私の姿に驚いたのか、一度は通り過ぎたものの、少し離れた木の枝にとまり、こちらの様子を窺うように見ています。私が水たまりから距離をとると、カワセミはすぐに水たまりの上に張りだした枝に飛んできました。私はカワセミを驚かさないように反射的にその場でピタッと動きを止めました。小径の真ん中、鳥からは丸見えです。けれども、カワセミはたくさんの獲物を目の前にしているからか、私を気にする様子もなく、また水たまりに飛び込み、魚をとらえて枝に戻り、そして河川の外に飛んできました。7月の下旬、繁殖期も終盤に入っており、私がその年に調査をしていたカワセミの巣ではほぼヒナが巣立っていましたが、育雛期の巣がまだあっても不思議はありません。

高水敷からは水が引いたものの、まだまだ川の水は増水のなごりで濁っていました。カワセミのいつもの採食場所が使えなかったのかもしれません。とり残されて川に戻ることができなくなった魚たちには気の毒ですが、増水によって、一時的な、そして獲物がたっぷりいる採食場所がカワセミに提供されたわけです。そして、その近くに巣を構えていた、幸いにも増水の影響を受けなかった親鳥は、繁殖を無事続けることができたのでしょう。

増水でできた崖にすぐさま巣穴を掘ったり、とり残された水たまりの魚を見つけて利用したり、そんなカワセミのたくましく、かつ柔軟な対応を見ると、一見かわいらしい外見をしていても、やはり厳しい自然の中で生き抜く強さをもっているのだと、カワセミに対するイメージが自分の中で変わっていくのを感じました。

第6章

環境の変化、鳥たちの変化

感じる時の流れ

時間が経つのは早いもので、千曲川で私が鳥の研究を始めて、かれこれ20年以上が経ちました。時間といえば、耳をネズミにかじられてしまった国民的ネコ型ロボットの漫画『ドラえもん』（藤子・F・不二雄 著）には、時の流れを目で見ることができるタイムライトというひみつ道具が登場する回があります。可視化された時間がゴウゴウと音を立てて流れるなかで、ドラえもんがのび太に言います。

「1秒も待ってはくれない。そして流れさった時間は二度とかえってこないんだ!!」

この名言は、読んだ当時、子ども心に衝撃でした。齢を重ねた現在は、むしろ心にぐっさりと刺さってきます。

私たちが過ごす現在は同時に過去になっていきます。時間の一瞬、一瞬は連続しており、短時間では変化を感じることは難しいかもしれません。けれども20年ともなれば、赤ん坊も成人しますし、成人は不惑を迎える頃です。赤ん坊はともかく、成人から不惑の間でも、友人関係、好み、身の周りの環境などが大きく変わることは不思議ではありません。それは我々の身の周りにある道具でも同様です。20年前、現代人の生活に必需品となっているスマートフォンの立ち位置にいたのは、ＰＨＳや携帯電話で、写真撮影機能やインターネット機能がついた機種が普及し始めたような頃でした。それらの前に普及していたポケットベルは、今やその存在が知られている程度かもしれません。

目まぐるしく過ぎる時間の流れのなかで、自然に囲まれた故郷に戻ると、ここは何も変わらないな、なんて感じる方もいるかもしれません。けれども本当にそうでしょうか。人間社会の変化を見れば、自然や生き物たちにも、同じ時間軸のなかでなんらかの変化が生じていても不思議ではありません。ここからは、調査をするなかで千曲川の鳥たちに感じてきた変化から、河川の鳥たちに迫りつつある脅威についてお話ししていきたいと思います。

姿を消す鳥

ササゴイとヤマセミ

10年近く前から、千曲川の中流域で姿を見なくなったと感じる鳥たちがいます。ササゴイとヤマセミです。私が調査を始めた2000年代前半、ササゴイはすでにそれまでに比べてずっと減っていましたが、それは、1990年代終盤に生じた大きな増水で、彼らの繁殖場所となる、中洲や水際にまとまって生えていたヤナギが押し流されて減ってしまったからだと考えていました。しかしその後、何度か増水を経ながらもヤナギの群落は成長しましたが、同じ場所にササゴイは戻ってきませんでした。周辺地域ではまばらに営巣する姿もありましたが、それも2010年頃には見なくなりました。同時に、ときどき「キュッ」と鳴きながら水辺を歩きまわる姿も消え、川が少し寂しくなったように感じます。どうしていなくなってしまったのか、ササゴイの生態を調査していなかった当時の私には、確信のもてる理由が思いつきませんでした。生き物の数が減ってから慌てても、生態の把握や減少要因を解明することは急激に難しくなります。現在たくさんいる生き物のいずれにおいても、これから希少種になってしまう可能性は、残念ながらゼロではありません。彼らが生息地であればどこでも見られる普通種でいる間に、生態や環境の好みなどを調べておくことが、万が一にも数が減ってしまったときに対策をとるうえで重要だと考えています。

ヤマセミも同様で、数年前、学生時代に調査をした範囲を見てまわったのですが、巣を見つけることも、姿を見ることもできませんでした。これには大きな衝撃を受けました。水の流れに向かってゆるやかな傾斜をもつ堤防が増えたこともあり、ヤマセミが営巣できるような高い垂直な土崖は減っているように感じましたが、まだまだ営巣可能な崖は残っているようにも見えたからです。その後の調査で、もしかすると姿を見なくなった要因の1つかもしれないことが発覚します。それは千曲川の魚類相の変化です。これについては後ほどお話ししましょう。

都市でのカワセミの消失と復活

では、カワセミはどうでしょうか。千曲川ではまだ普通に姿を見ることができますが、ヤマセミと同じく営巣可能な場所は減少しており、すみづらくなっている可能性はありそうです。カワセミまでいなくなった水辺は想像するだけでも寂しいものですが、時を遡ってみると、カワセミが姿を見せなくなった時代があった地域があります。東京都でのことです。

1980年代に環境保全の機運が高まる少し前、日本が高度経済成長期真っただ中だった1960年代は、都市化や開発が大規模に行われました。東京都にある明治神宮では、日本野鳥の会東京の皆さんによって、1947年から現在まで定期的に探鳥会が行われており、出現鳥類の貴重な記録が残っています。その記録[134]を見ると、1964年から1982年までの約20年間は、カワセミの姿を見ることができなかったようです。姿を消したのは明治神宮だけではなく、東京都全体における分布そのものが、1970年までの間にじりじりと西の方へと後退していったとされています[136]（**図6-1**）。推測されている分布の減少要因としては、湿地の埋め立てや河川の護岸、家庭排水の増加による水質の悪化があります。巣穴がつくれない、食物がとれない（小魚がいない）、そんな環境からカワセミが姿を消すことに、不思議はありませんね。

カワセミの都内での分布はいったん減少したものの、1970年代には再び復活を遂げ、1990年代には東京の大部分の地域にカワセミが戻ってきました[134]（**図6-2**）。1980年には多摩川中流域で、1982年には23区内でも繁殖が確認され[137]、まさにカワセミは復活したのでした。農薬の散布や工場からの排水に規制がかかるようになり、また下水道が普及したことで水質が改善し、カワセミが食物とする小魚などの数が回復したこと

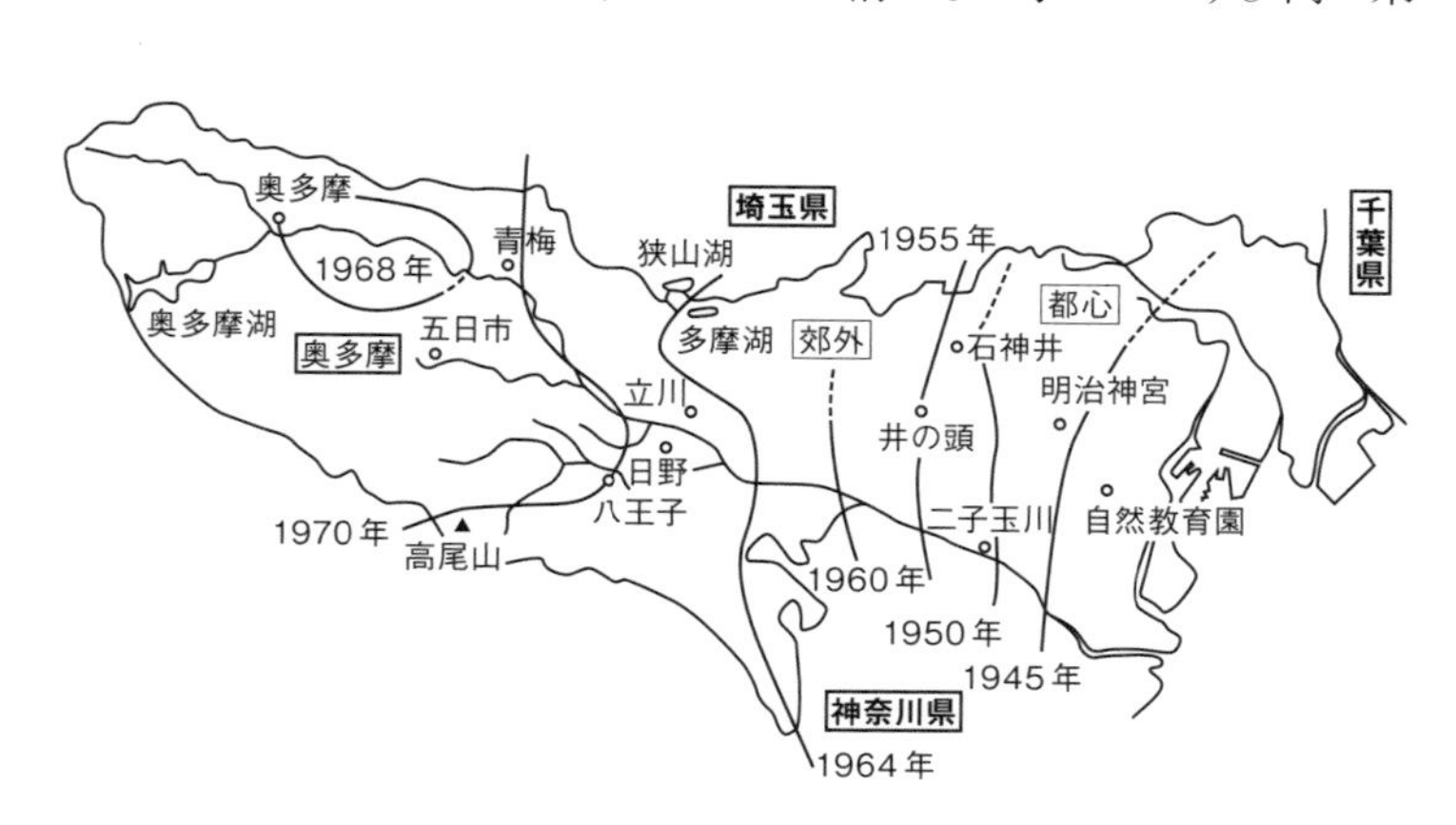

図6-1　東京におけるカワセミ生息の衰退図

松田道夫氏が1960年代末に野鳥の会東京支部などを対象にアンケートを取り、作成したカワセミの分布の減少図。線はカワセミの観察頻度が高いところを年代別に結んだもの。年代が進むにつれて、分布が徐々に西（山間部）へとせばまっていくことがわかる。
（文献134、136より引用・改変）

が理由ではないかとされています。また、カワセミの営巣環境に対する柔軟さも関係しているかもしれません。ちょっとした土崖や砂山、ときにはコンクリート塀の水抜き穴にも営巣する彼らのしたたかさには驚かされます。ただし、営巣できているからといって、そこがよい営巣環境か、と言われれば、それはまた別問題となりますが……。

カワセミの消失と復活は、東京都内でも数少ない大規模な自然が残る千代田区の皇居内でも見られています。皇居内で月1回の頻度で行われていた出現鳥類調査（1965～1975年）の記録[138]を見ると、1966年と1967年は冬にカワセミの姿を見ることができたものの、1967～1972年の間は姿を見ることができず、再び姿が見られるようになったのは1973年からでした。1990年には皇居内、また港区に位置する赤坂御用地の両方で繁殖が確認され[139]、それ以降もしばしば

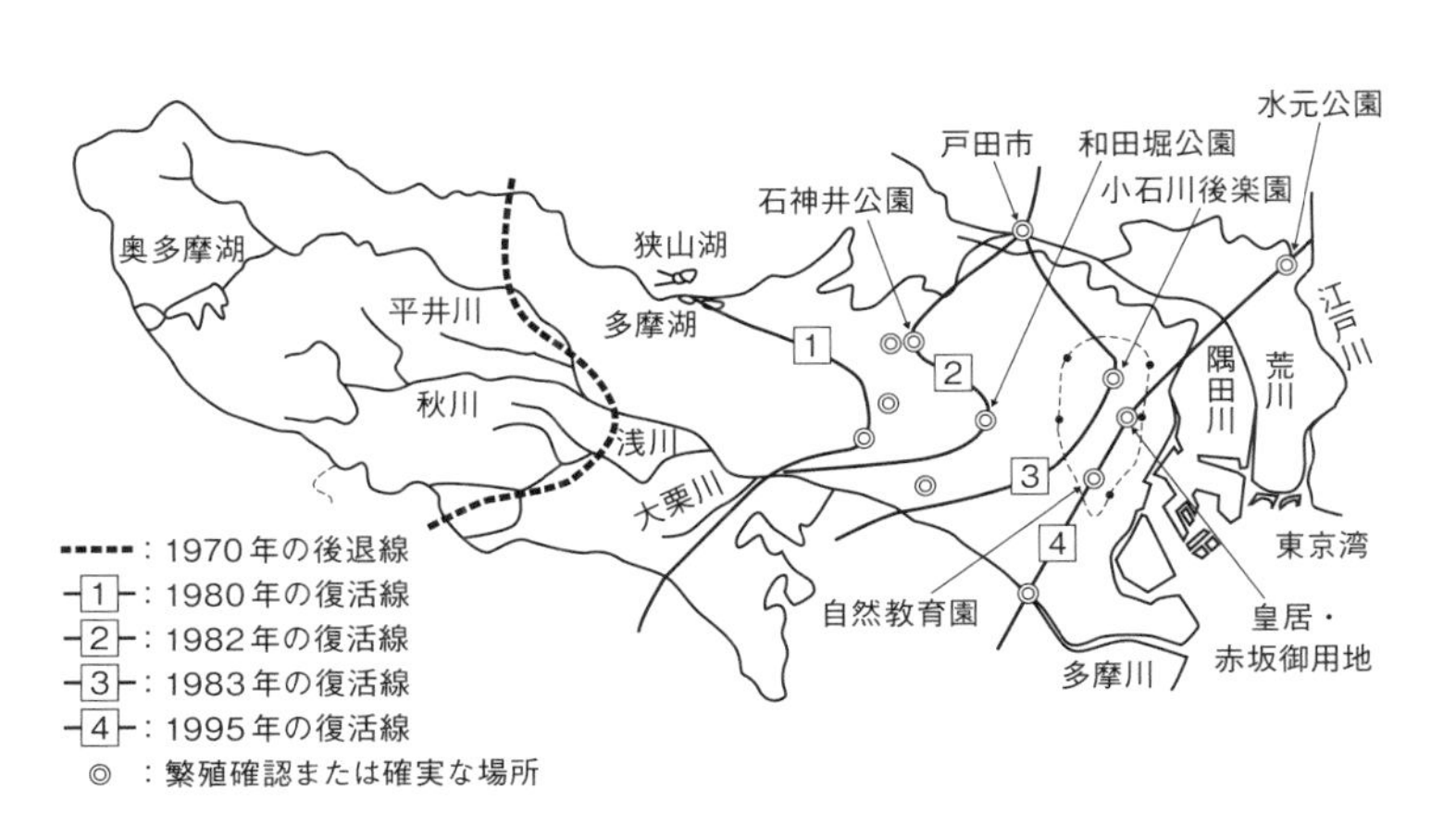

図6-2　東京におけるカワセミ生息の復活図

日本野鳥の会東京によって作成された、1995年までのカワセミの繁殖状況。姿を消したときよりも短期間で、東京の広い範囲にカワセミが戻ってきたことがわかる。
（文献134より引用・改変）

繁殖が見られているようです。

鳥の増減──その傾向は地域か全国か

千曲川のササゴイやヤマセミが、東京都内のカワセミのような復活劇を遂げられるかはわかりませんが、生き物の数の変化を考えるうえで、姿を見なくなる、というのは直接的でわかりやすい事象です。では、以前は朝を賑わしていたスズメの声が、なんだか最近はあまり聞こえてこないかも……という変化はどうでしょうか。感覚的にはそう思えるものの、感覚や記憶というのはあいまいなものですから、たとえば1年前と比べてどれだけ減ったのかと問われたとき、具体的に答えるのは難しいですよね。見える形で情報を共有するには、きちんと数値として記録を残しておく必要があります。

また、1つの地域だけではなく、複数の地域で記録があると、広い範囲で減っているのか、それとも地域によっては増えているのか、といったことなども見えてきます。たとえば、栃木県宇都宮市の栃木県立中央公園では、園内に出現する鳥類の調査が1982年から40年にわたって毎月行われています。ササゴイの記録もあり、

1997年に初めて観察され、2003年には繁殖が確認され、2015年以降は近隣の公園でも繁殖が確認されるようになったそうです[140]。局所的ではありますが、この地域では、ササゴイは増加していそうです。定期的に観察や調査を行うのはとても根気がいる仕事で、東京都の明治神宮における探鳥会の記録もそうですが、このような長期観察記録があることは本当に貴重です。

千曲川では減っているササゴイが、宇都宮市では増えている、それがわかると次に気になるのは全国的な傾向です。近年、バードリサーチや環境省、複数の鳥類にかかわる団体が共同で主催し、全国のバードウォッチャーや研究者らと協力して、全国鳥類繁殖分布調査[*1]が行われました。全国に設定された2344の調査地で、繁殖期に見られる鳥の数を数えた大規模な調査です。2016〜2021年の6年間をかけて実施され、現在インターネット上でその結果を見ることができます。過去に同様の調査が環境省によって行われたのが1990年代ですから、約20年ぶりの全国調査です。その最終とりまとめ報告書では、日本国内を一辺が約20kmのメッシュ（格子）に区切って調査結果を集約した、種ごとの分布が示されています。つまり、分布のあるメッシュの数を過去の調査と見比べることで増減を比較することができます。また、メッシュ内の分布はさらに繁殖の可能性の基準によって「A：繁殖を確認した」「B：繁殖の

＊1 全国鳥類繁殖分布調査　調査の概要や最終とりまとめ報告書のPDFなどは https://bird-atlas.jp/ から閲覧することができる。

確認はできなかったが、繁殖の可能性がある」「C：生息を確認したが、繁殖の可能性は、何ともいえない」の3つのランクに分けられています。AからCに向かって、繁殖しているかどうかがあいまいになっていきますが、鳥たちの長い繁殖期のなかで、人による調査が行われるのはほんの一時です。そこからすべての鳥類の繁殖の確実性を把握することは難しく、生息している、という記録が得られるだけでも貴重な資料となります。

ササゴイの結果を見ると、過去の調査と比較して、分布メッシュの数が減少している種として挙げられていました（**図6-3a**）。千曲川で感じた、ササゴイのような小型（といってもカワセミよりは大きいですが）の魚食性鳥類の減少は、千曲川だけで起きていることではないようです。同様に、千曲川で減少を感じているヤマセミも、1970年代の調査と比べると、全国的な分布は大きく減少傾向にあることがわかりました（**図6-3b**）。また、ゴイサギやコサギなどほかの魚食性鳥類でも、ランクAの繁殖を確認したメッシュ数はそれほど減少していませんが、ランクBやCの分布メッシュ数に減少傾向が見られました（**図6-3c、d**）。一方で、アオサギやカワウなどの大型の魚食性鳥類はぐっと増加傾向にあるようです（**図6-4a、b**）。それでは、やはり魚食性鳥類で小型のカワセミはどうでしょうか。1970年代から見ればランクAのメッシュ数は減少しており、心配な点もありますが、ランクBやCのメッシュは増加傾向にありました（**図6-5**）。全体としては、ササゴイやヤマセミのようにすぐに心配な状況ではなさそうですが、油断はできません。同じ魚食性でありながら、種間でなぜ増減傾向が違っているのかも、気になるところですね。

このように、地域規模もしくは全国規模で増減している鳥たちですが、その数に影

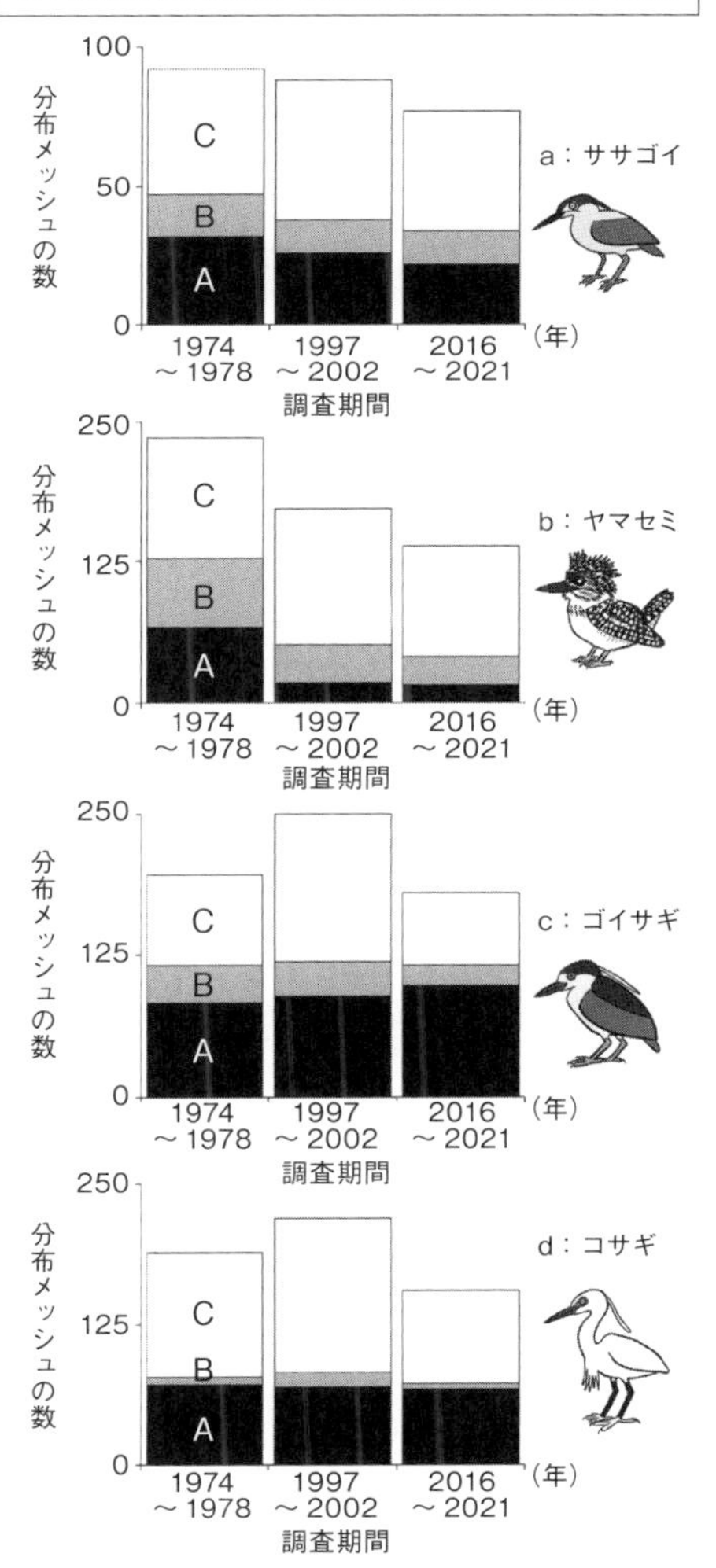

図6-3　全国鳥類繁殖分布調査による分布メッシュ数の変化

減少傾向にある鳥。（文献141をもとに作成。イラスト：井川 洋氏）

響しうる要因は何でしょうか。特に数を減らしている種については、その原因を解明していくことが重要です。営巣可能な環境や食物の減少、捕食者の増加など、地域によってその要因は当然異なると考えられますが、ここでは千曲川を例に考えてみたいと思います。

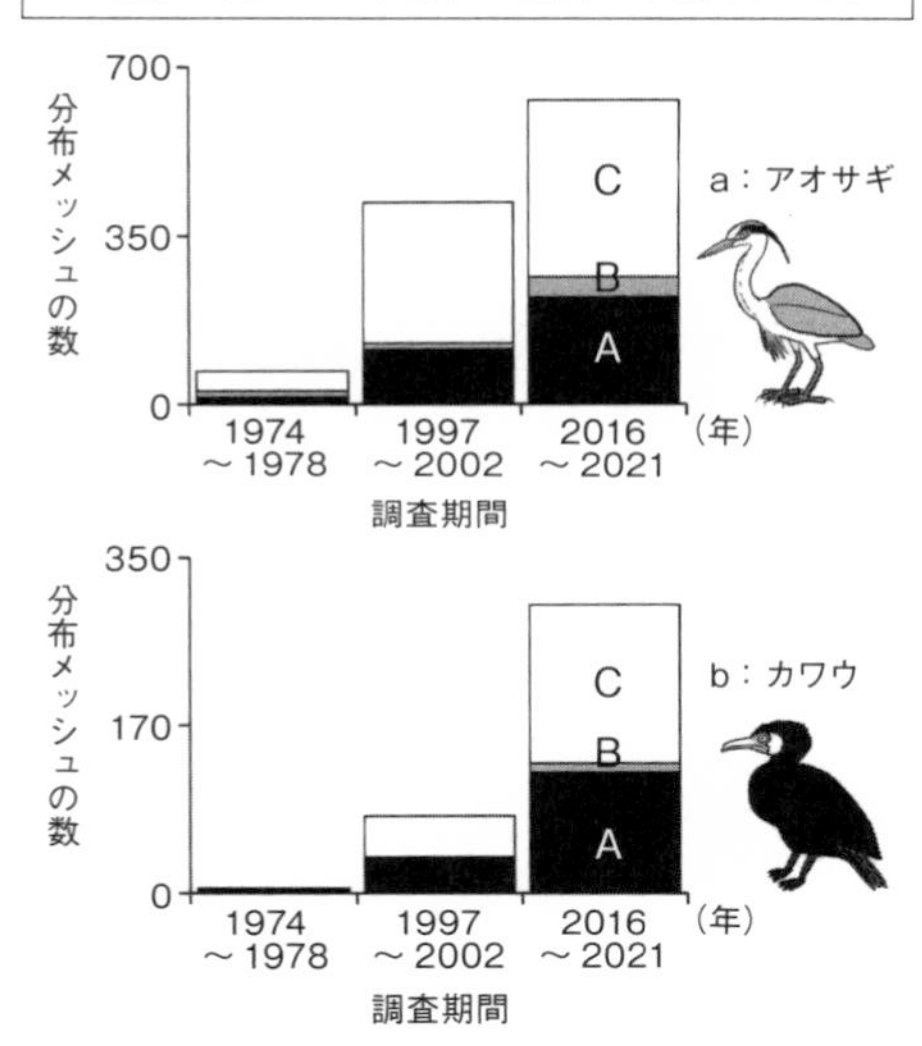

図6-4　全国鳥類繁殖分布調査による分布メッシュ数の変化

増加傾向にある鳥。
（文献141をもとに作成。イラスト：井川 洋氏）

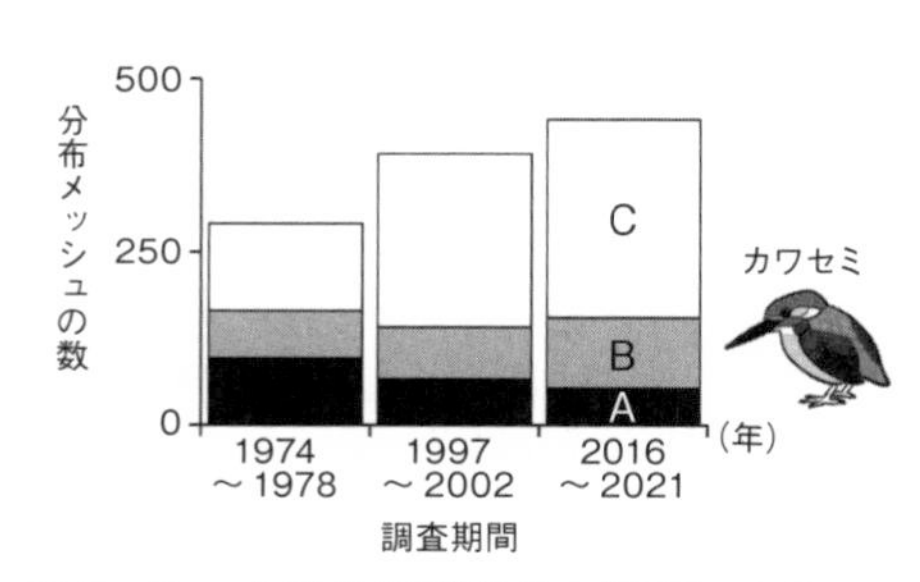

図6-5　全国鳥類繁殖分布調査によるカワセミの分布メッシュ数の変化

A、B、Cの意味は図6-4と同様。
（文献141をもとに作成。イラスト：井川 洋氏）

外来生物の影響

「外来種」もしくは「外来生物」という言葉を耳にしたことはないでしょうか。もともとその地域には生息していなかったのに、人間がペットや展示用、食用などの目的で持ち込んだり、偶然荷物や乗り物に紛れ込むことによって、よその地域から入ってきてしまった生物のことです。なかでも、地域の自然環境に大きな影響を与え、生物多様性を脅かす恐れのある種は「侵略的外来種」とも言われます。カミツキガメ[*2]（**図6-6**）やヒアリ[*3]（**図6-7**）、オオブタクサ[*4]（**図6-8**）などはよく知られた外来種（侵略的外来種）です。[142]

図6-6　カミツキガメ

図6-7　ヒアリ

＊2 カミツキガメ　アメリカ原産の大型カメの一種で、甲羅の長さだけでも50cmほどになる。雑食性で昆虫類、甲殻類、魚類、鳥類、水草などさまざまなものを食べる。四肢は頑丈で鋭い爪をもつ。顎の力が強く、上嘴が鉤状になっており、咬まれると大けがにもなりうる。特定外来種。

＊3 ヒアリ　南アメリカ原産のアリの一種。お尻に毒針があり、刺されると非常に激しい痛みを伴って腫れる。毒に対するアレルギー反応（アナフィラキシーショック）が引き起こされる場合もある。特定外来種。

千曲川でも、とある外来生物が鳥たちの生息によくない影響を与えているのではないか、そう考えさせられる出来事がありました。

２０１５年から、信州大学や長野県環境保全研究所、また複数の国立研究開発法人の研究者の方々と一緒に、私は千曲川における新たな研究プロジェクトに参加していました。そのなかで、河川で繁殖する鳥類の育雛期の食物を調べることになったのですが、ふと思い浮かんだのは、カワセミとヤマセミでした。この2種については２００５年と２００６年にすでに食物調査をしていましたが（第3章、第5章参照）、当時から約10年経過していたこともあり、現在どのような魚を食べているのか、改めて調べてみようと思ったのです。

２０１７年、私は過去に調査した地域を、カワセミとヤマセミの姿を求めて歩きまわりました。この章のはじめの方でもお話ししたように、ヤマセミは姿すら見つけることができなかったのですが、カワセミの巣は複数見つけることができました。過去

図6-8　オオブタクサ
（撮影：著者）

＊4 オオブタクサ　北アメリカ原産のキク科の草本植物。掌状に分かれた大きな葉をもち、生長すると高さは３mにもなる。戦後に静岡県や千葉県で確認された。もともと生息する在来植物との競合のほか、人間にも花粉症などの健康被害を生じさせることがある。

の調査と同じように、親鳥の行動を観察し、発見した巣の繁殖の進み具合を、小型の防水ワイヤーカメラを使って確認していきます。そして育雛まで至ったいくつかの巣では、ビデオカメラによる撮影調査を行い、親鳥が運んでくる食物を調べました。撮影時期は6月中旬で、これも過去の調査とほぼ同時期です。けれども、撮影された映像を解析して得られた結果は、10年前とはずいぶん違ったものでした。

第3章でお話ししましたが、過去の調査では、カワセミの親鳥がヒナに運んだ食物の約半分はオイカワでした。次いで、ウグイ、ドジョウの順で多く、この3種類で食物全体の80%以上を占めました。2017年の調査でも、親鳥が最も多くヒナに運んだ魚種はオイカワだったのですが、その割合は全体の3分の1以下と、過去の調査に比べて大きく低下していました（**図6-9**）。オイカワに次いで多かったのはドジョウ類で、こちらは過

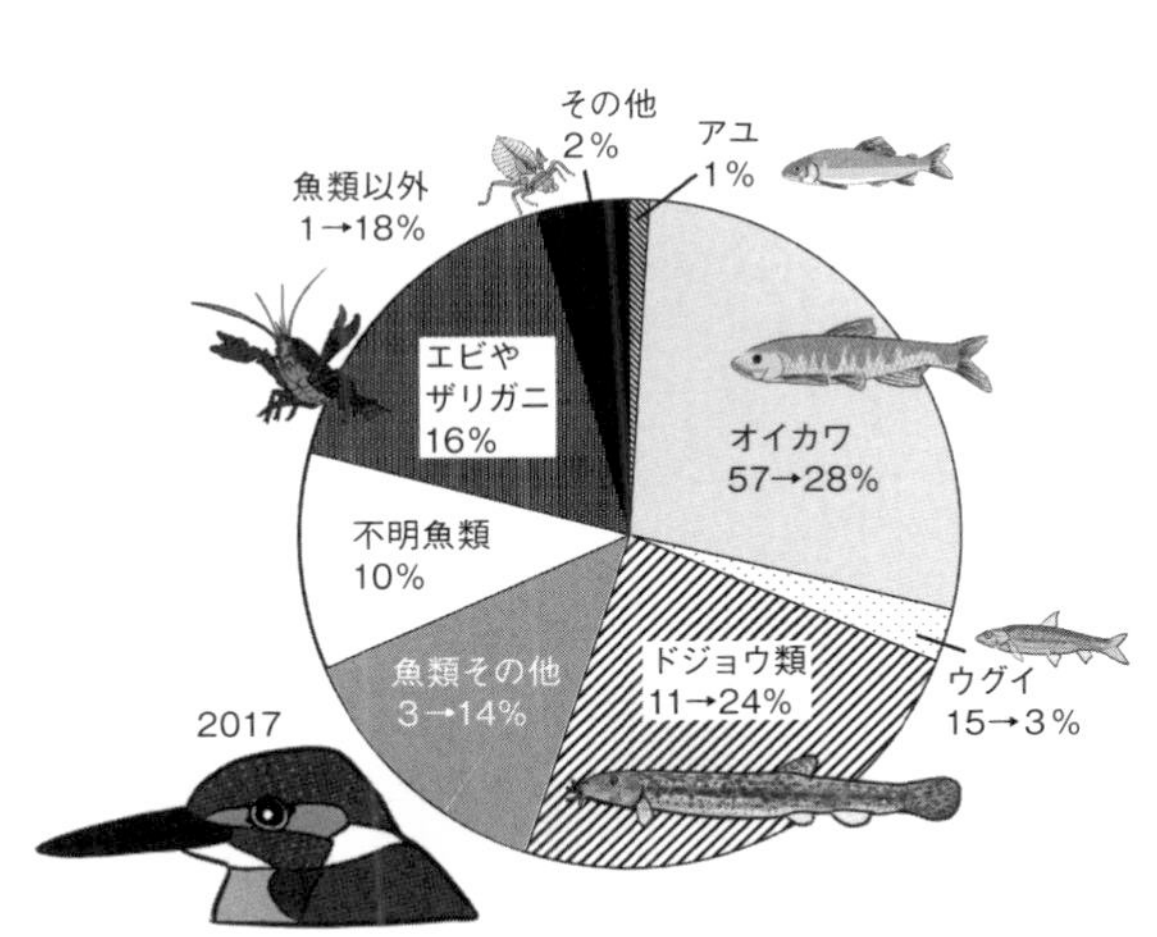

図6-9　千曲川同地域における10年経過後のカワセミの食物と変化

矢印の前後の数字は、それぞれ過去（7巣約680回）と現在（4巣約500回の搬入事例を撮影）での食物全体に占める各食物種の割合を示す。（笠原 未発表。イラスト：井川 洋氏）

去の調査よりもヒナに運ばれる割合が増加していました。ほかにも割合が増加した生き物がいました。魚類ではありません。エビなどの甲殻類で、そのほとんどはアメリカザリガニ（図6-10）でした。この3種類で食物全体に占めた割合はおおよそ70％で、不明魚類を除く残りの約20％には、さまざまな魚種やそれ以外の生き物が含まれていました。一方で、10年前の調査でオイカワに次いでヒナに運ばれていたウグイは、今回調査を行った複数の巣に共通して、ほとんど運ばれていなかったのです。

この結果を最初に見た際には、「今年たまたまそうだったのかもしれない」という考えが浮かびました。しかし、もともとカワセミはそれほど魚種を選ぶ鳥ではありません（第3章参照）。地域が異なるのであればまだしも、同じ河川の同じ地域で、しかも複数の巣で同じように、食物がこんなにも変わるものだろうか、という疑問も生じました。そんなとき、同じ研究プロジェクトに参加していた、長野県環境保全研究所の北野聡さんの魚類調査から、千曲川における魚類相の変化という、新たな可能性を示されたのです。

北野さんの調査によって、現在の千曲川には、過去にカワセミの食物調査を行った際には生息していなかった魚種の存在が浮かび上がってきました。コクチバスです。

図6-10　アメリカザリガニ
（撮影：龍野紘明氏）

厄介なコクチバス

釣りが好きな方はよくご存じかもしれませんが、コクチバス（図6-11）は、オオクチバス（第3章図3-17）とあわせて、しばしばブラックバスと呼ばれます。スズキ目サンフィッシュ科の魚で、もともとは北アメリカに生息しており、日本で増えているのは、何者かによって持ち込まれたからだとされています[142]。コクチバスは、水生昆虫から魚類までさまざまな生き物を食べますが、おおよそ、体の小さな幼魚のときには水生昆虫をよく食べ、成魚となって体が大きくなると、食物に魚類の占める割合が高くなることが知られています[143,144]。同じように肉食魚類であるオオクチバスとともに、その侵入の前と後とで、食物となる魚種や、コクチバスと食物が似る魚種の個体数が大きく減少する可能性が指摘されています。そのため、これら2種の外来魚は、環境省の定めた外来生物法では特定外来生物に指定されており、多くの都道府県で移植や放流が禁止されています。

しかも、コクチバスには駆除が難しいという厄介な問題があります。穏やかな流れを好み、あまり水温が低いところを好まないオオクチバス

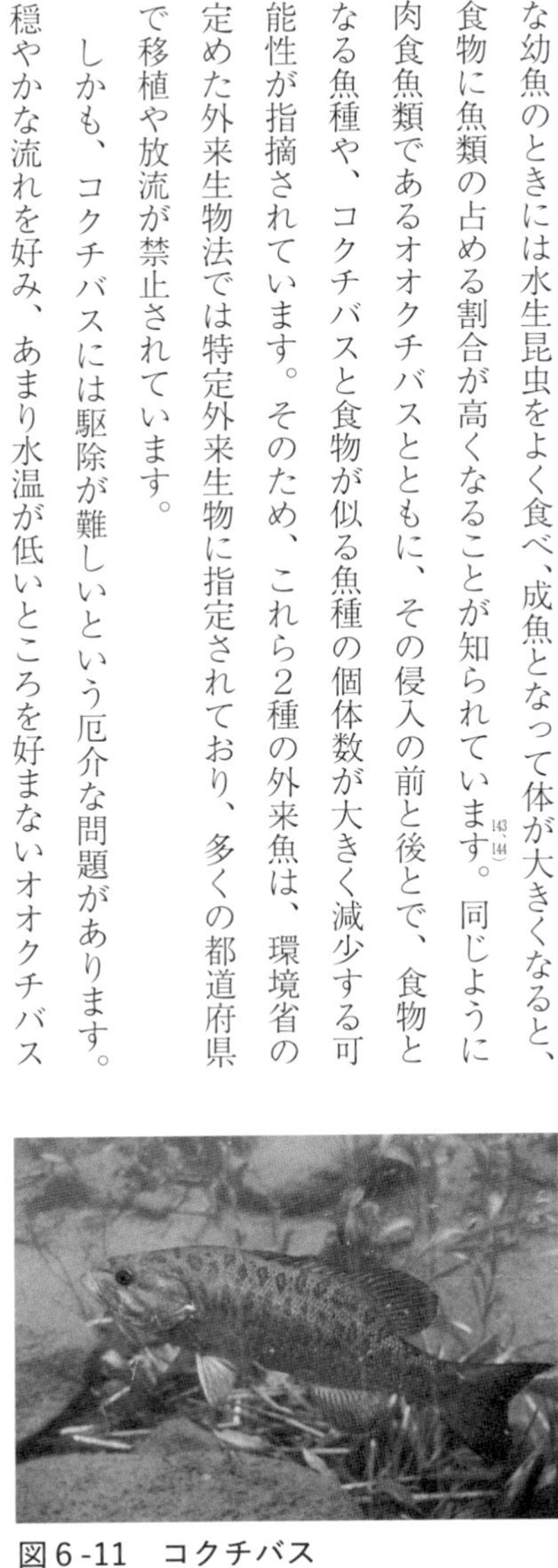

図6-11　コクチバス
（撮影：北野 聡氏）

は、どちらかといえば河川の下流域や湖沼などに生息する傾向があります。池などの場合は、かいぼり[*5]など、池の水をできるだけ抜くことで駆除も可能です。しかしコクチバスは、流れがある環境や、多少水温が低くても活動が可能で[145,146]、河川の上流部にも入り込むことができるのです。現在、日本の数多くの河川でコクチバスは猛威をふるっています。

千曲川でもその支流の1つである浦野川で、2001年に捕獲され[147]、侵入の兆候を見せていました。そして、2009年および2010年年には、私がカワセミの調査を実施したすぐ上流の地域で、コクチバスはオオクチバスやブルーギル[*6]（**図6-12**）とともに数百の単位（3種を合わせると数千！）で捕獲されるなど、すでに生息数を大きく増加させていたのです[148]。

コクチバスが千曲川で増加したことでカワセミの食物内容が変化した、と考えると納得できる部分がありました。それはカワセミが運んできた魚の種類です。ヒナによ

図6-12　ブルーギル
（撮影：龍野紘明氏）

＊5 かいぼり　池などの水を抜いて干したり、底のどろをさらうこと、また魚などの生き物をとることをいう。

＊6 ブルーギル　北アメリカ東部を原産地とするスズキ目サンフィッシュ科の魚。湖や池などの沿岸帯の水生植物帯、河川などでは流れのゆるやかな水草帯に生息する。雑食性で、植物から昆虫類、魚類、貝類、動物プランクトンなどを食物とする。成魚は約25㎝になる。在来魚を捕食したり、食物の競合を起こすなど、地域の生態系に与える影響が大きく、特定外来生物に指定されている。

く運ばれたドジョウ類やアメリカザリガニは、河川の本流というよりは、小川や止水域、水田など、河川以外も含めた流れの穏やかな水環境に生息している生き物です。そして運ぶ量が減ったオイカワやウグイは、どちらかといえば河川の本流に近い環境に生息しています。コクチバスの存在によって、オイカワやウグイがなんらかの影響を受けた可能性はありそうです。

同時に、不思議に感じる部分もありました。**図6-9**からわかるように、調査したカワセミの巣では、コクチバスがヒナに運ばれていなかったのです。第3章でお話ししたように、一般に、カワセミやその仲間は食物を魚種で選ぶのではなく、狩りや運搬が可能な大きさであったり、数の多さであったり、その時々でのとりやすさが影響して食物の種類が決まるとされています。アフリカのビクトリア湖では、外来魚であるナイルパーチが持ち込まれ、その数が増えた際には、生息するヒメヤマセミの食物に占めるナイルパーチの割合が増加したという研究があります[149]。

だとすれば、千曲川で数を増やしているコクチバスを、カワセミが食物としてヒナに運んでもおかしくありません。にもかかわらず、運んでいなかったということは、コクチバスを狩りにくい、もしくはヒナに与えにくいなんらかの理由があることが考えられます。

たとえば、コクチバスはヒレが硬く、先端が鋭い針のようになっているので、カワセミの喉に引っ掛かりやすく、好まれないのかもしれません。しかし、夏にカワセミの成鳥がコクチバスの稚魚もしくは幼魚をとらえたところを観察しており（**図6-13**）、そういうわけでもなさそうです。別の可能性として考えられるのが魚の大きさです。コクチバスはときに60cmにもなる大型の魚です。これはカワセミの体長の3倍以上の大きさですから、親鳥がヒナに運ぶことはまず無理でしょう。夏に稚魚もしくは幼魚がいたということは、それより前のカワセミの繁殖期には、川の中はこれから産卵しようという体の大きな成魚ばかりで、カワセミがとらえられる大きさのコクチバスが、ほとんどいなかったのかもしれません。

食物にすることもできず、しかもカワセミがヒナに運びたい魚を、大きな体のコクチバスが食べてしまっているのだとしたら、千曲川で繁殖するカワセミにとって、コクチバスの存在は脅威であると言えるでしょう。そして、これはまったくの想像ですが、ササゴイやヤマセミなど、千曲川で見られなくなった一部の小型魚食性鳥類の減少にも、このコクチバスの増加がかかわっている可能性があるのではないか、と考え

図6-13　コクチバスを捕食したカワセミ（白矢印）

（撮影：著者）

ています。

このような外来魚の脅威は、他の地域でも報告されています。東京で長年カワセミの調査がなされた国立科学博物館附属自然教育園では、２０００～２００１年頃、園内の池に、いつ誰が放流したかわからない特定外来種のオオクチバスやブルーギルが発見されました。[45] 発見されなかった池と比べて、外来魚が発見された池では在来のモツゴやエビなどの数が壊滅的に減少していました。池のかいぼり浚渫（しゅんせつ）など、自然教育園の皆さんのご尽力によって、２００５年には外来魚の駆除が無事終了したそうですが、２００１年から２００７年まで、カワセミの繁殖が見られなかったそうです。

外来植物

動物だけではなく、植物にも外来生物は多く見られます。たとえば千曲川で河畔林を見れば、樹木の多くは外来植物のハリエンジュ[*7]（**図6－14**）です。また、初夏から夏にかけては、ヨシ群落の

図6-14　ハリエンジュ
（撮影：著者）

＊7 ハリエンジュ　北アメリカ原産のマメ科の落葉高木。別名ニセアカシア。明治時代の初期に緑化活動や街路樹として導入された。春から初夏にかけて開花する白い花からは蜜がとれ、ハチミツの原料となる。強い再生力をもつが、根が浅く倒れやすいため、増水時には流木になりやすく、流下阻害などを引き起こす一因となる。侵略的外来種のなかでは、緑化や養蜂など産業的に利用されていることから、適切な管理が必要な産業上有用な外来種として、産業管理外来種に指定されている。

中に、やはり外来植物のオオブタクサが高く伸び、ヨシやオギとせめぎあいます。その後、群落の上から地上まで、同じく外来植物のアレチウリ[*8]（**図6-15**）などのつる性植物が広がり、びっしりと一面を覆ってしまいます。覆われた植物には陽の光が届かなくなり、光合成ができなくなって枯れてしまいます。アレチウリは樹木にもそのつるを伸ばし、幹や枝に巻きついて立体的に覆ってしまう困りものです。

オオヨシキリなど、ヨシ原で営巣する鳥は、これらの外来植物の影響を受けている

図6-15　アレチウリ
（撮影：著者）

図6-16　オオブタクサを支柱にした オオヨシキリの巣
（撮影：著者）

＊8 アレチウリ　北アメリカ原産のウリ科のつる植物。生育速度が非常に早く、長さは数mから十数mになる。果実には鋭いトゲが密生している。1952年に静岡県で確認され、現在では全国的に分布している。アレチウリが大量にある場所では、他の植物がほとんど生育しないことが知られている。侵略的外来種のなかでも、総合的に対策が必要な総合対策外来種であり、また輸入、飼養・栽培、野外への放出などが原則として禁止されるとともに、特に防除が推進される特定外来生物に指定されている。

可能性があります。たとえば、アレチウリがヨシ原を覆う際にヨシやオギを引き倒してしまうと、巣も一緒に倒されて、卵やヒナが落ちてしまうことがあります。また、オオブタクサは太く丈夫な茎を持っていて、一見ヨシのようにオオヨシキリの営巣場所となりそうですが（**図6-16**）、オオブタクサ群落の巣は、ヨシ群落の巣よりも捕食されやすいことが観察からわかっています。オオブタクサ群落には、ほかの植物があまり生えておらず歩きやすい印象があります。捕食者となる哺乳類などが侵入しやすいのかもしれません。

動物であれ、植物であれ、その生態系にそれまでいなかった種が突然入り込んだ場合には、さまざまな動植物が影響を受けます。外来種の影響がどのように、どこまでおよぶのか、見極めながら対処していくことが必要なのだと感じます。

気候変動

気候変動というと、地球温暖化がまず思い浮かぶのではないでしょうか。真夏日を記録する時期が早まったり、寝苦しい夜や、外で作業するのが危険なほど暑い日が続いたり、過去との変化を肌で感じている方も多いと思います。

報道などでＩＰＣＣ（気候変動に関する政府間パネル）という言葉を見聞きしたことはないでしょうか。ＩＰＣＣとは、人間がもとになって生じた気候変化やその影響を理解し、影響の緩和や人々がとるべき対応策を、科学、技術、社会経済などさまざまな側面から検討し、評価することを目的とした組織です。世界中の科学者が発表する研究成果やデータを収集し、それを政府の推薦などで選ばれた専門家が定期的にまとめて報告書を作成しています。ＩＰＣＣが、２０１３〜２０１４年に発表した第５次評価報告書では、人間活動によって、大気中の温室効果ガスなどの濃度が、将来的にどの程度になるかを、今後とりうる地球温暖化対策の厳しさに基づいて複数想定し、それぞれの場合（シナリオ）で、今世紀末までの地球の気温上昇の程度を予測しています。厳しい温暖化対策をとることを想定した、最も気温上昇の低いシナリオでは、今世紀末の世界の平均気温は０・３〜１・７℃、最も気温上昇が高くなるシナリオ[*9]では２・６〜４・８℃上昇する予

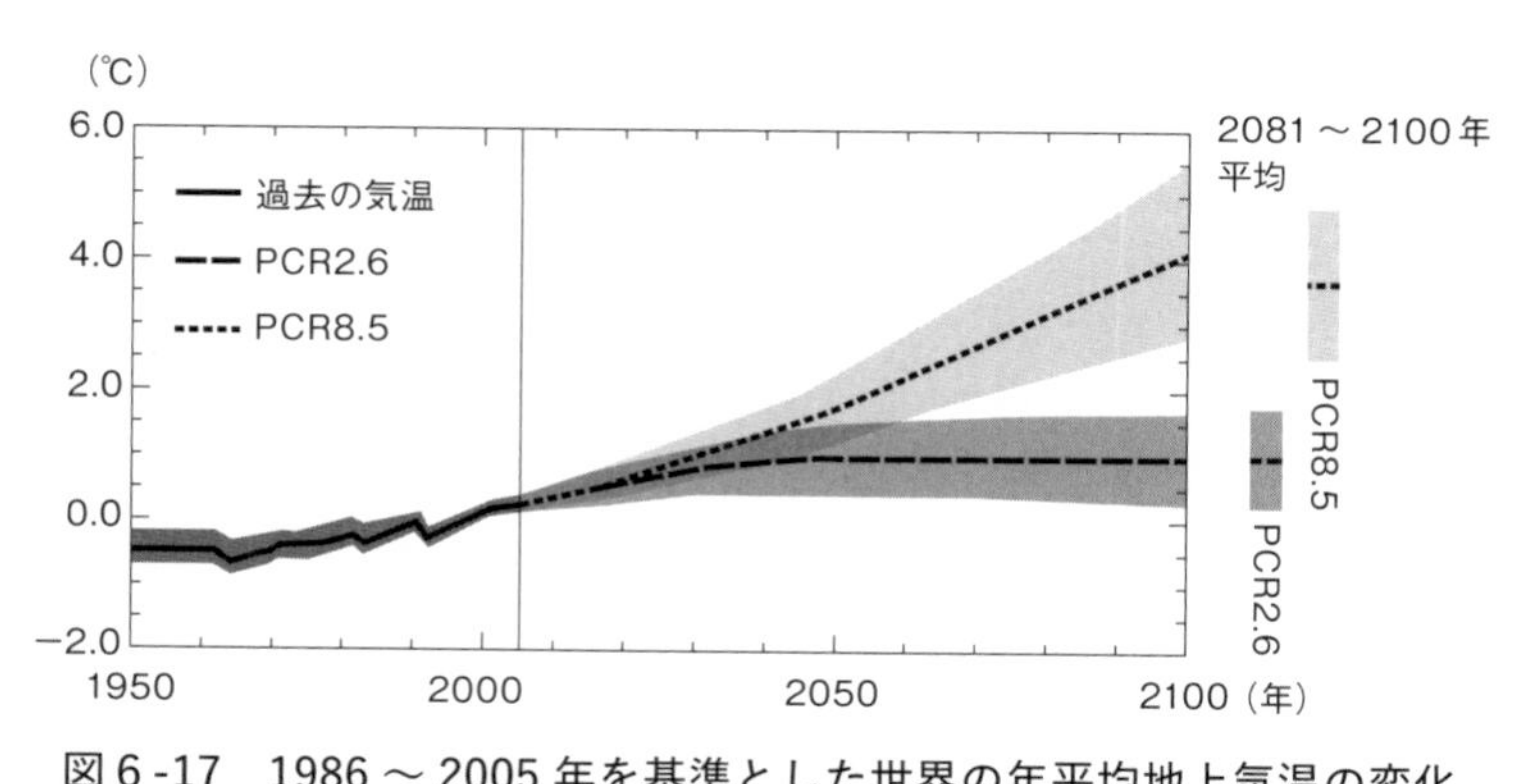

図 6 -17　1986 〜 2005 年を基準とした世界の年平均地上気温の変化

縦軸は基準とした年からどれだけ気温が上下しているかを、横軸は年を示している。有効な温暖化対策をとらなかった場合（RCP8.5)、21世紀末（2081 〜 2100年）の世界の平均気温は2.6 〜 4.8°Cの上昇となり、厳しい温暖化対策をとった場合（RCＰ2.6）は0.3 〜 1.7°Cの上昇に抑えられる可能性が読みとれる。（文献150より引用·改変）

測となりました（**図6-17**）。皆さんがこの本を読む頃にはＩＰＣＣ第6次評価報告書が出て、予測も更新されていることでしょう。地球の未来はどうなっていくのでしょうか。

地球の気温の変化は、人だけでなく、生き物にも大きな影響を与えます。身近な事例としては、桜の開花時期が早まったり、暖かい地域に生息する生き物が気温の上昇で分布を北へと広げたり、逆に寒い地域の生き物の生息環境が縮小してしまう可能性もあります。鳥類を含めた動物では、渡り時期の変化や繁殖時期の変化なども報告されています。[151]

「生息環境の縮小はわかるけど、それ以外のことがどう問題になるの？」と疑問に思う方もいらっしゃるかもしれません。心配なことはたくさんあります。たとえば、これまでその地域に存在していなかった病原菌を媒介する生き物が入り込んできて、免疫をもたない在来の生き物に病気を広げる可能性、分布を広げてきた生き物と在来の生き物の間に生じる競争の可能性、生き物同士の生活史や時間軸が気候変動によってずれ、うまくかみ合わなくなる、といった問題です。最後の例は渡り鳥などで心配されています。渡り鳥の繁殖地への到着時期と、食物となる昆虫などの生き物の出現時期にずれが生じてしまったらどうなるでしょうか。渡り鳥が子育てに十分な食物を

＊9 最も気温上昇が高くなるシナリオ　有効な地球温暖化対策をとらず、現在の石油や石炭に依存した経済活動を続け、温室効果ガスの排出量が最も大きく、将来的な大気中の温室効果ガスなどの濃度が最も高くなる状況を想定した場合。

得ることができず、次世代にうまく命をつなぐことができなくなってしまうかもしれません。

ほかにも、雪解け時期や植物の生育時期などとのずれ、また豪雨の強度や長さなどの気象条件の変化など、鳥類を含め、生き物が受ける影響を幅広く検討していく必要があります。これらの影響のなかには、10年や20年という長い時間をかけた調査で初めてわかるものもあります。

豪雨が増えると

第5章でもお話ししたように、河川に暮らす生き物のなかには、増水による土砂の更新や土崖の刷新が、生息環境の維持に必要な種がいます。とはいえ、増水はいつの時期に起きてもよいわけではなく、次世代の命をはぐくむ繁殖期に起きる増水は、鳥たちにも大きな被害をもたらします。では、河川に生息する生き物にとって都合のよい増水の発生時期があるとすれば、いつでしょうか。生き物の種類によっても異なるので一概には言えませんが、鳥たちからすれば、子育てが終わって自由に動ける秋であれば、台風などで起きる増水が茂った草木を押し流すことは、悪いことではなさそうです。秋冬には植物があまり茂らないので、生息環境の更新や、次の春の繁殖環境の増加につながるからです。ただし、これはあくまでも、河川の生き物たちには貢献はするけれど、人間社会に被害をもたらす氾濫は起こさない規模、の増水の話です。近年の国内での水害の発生状況を考えれば、そのような都合のよい増水を望むのはなかなか難しいかもしれませんが……。

近年、日本国内では、梅雨時期から秋にかけての豪雨や台風による災害が毎年のように生じ、その規模も大きくなっているように感じます。道路が冠水し、茶色い濁流がうねるように周囲を飲み込んでいく水害の様子は、テレビやインターネット上の映像などで、誰もが一度は見たことがあるのではないでしょうか。豪雨による山崩れや河川の氾濫、橋や住宅、農地の流出などの報道には胸が痛くなります。

２０１９年10月に日本を襲った令和元年東日本台風（令和元年台風第19号、ハギビス/Hagibis）によって千曲川でも水害が発生し、大きな被害をもたらしました。長野県上田市では、増水で堤防が崩れたことで、地元の鉄道である上田電鉄別所線

図6-18　令和元年東日本台風（2019年10月）で堤防が崩落し、千曲川に落ちた上田電鉄別所線の鉄橋（白矢印）

ライブカメラ映像。
（提供:国土交通省北陸地方整備局 千曲川河川事務所）

の鉄橋が川に落ち（**図6-18**）、電車の運転再開までに1年5カ月を要しました（運転再開は2021年3月28日）。長野市でも堤防が決壊してJR東日本の長野新幹線車両センターが浸水し、きれいに並んだ新幹線が水に浸かった姿をニュースで目にした方もいるかもしれません。また、広大なリンゴ畑と住宅地も水による甚大な被害を受けました。この地域に最も近い河川の水位や雨量などを記録する立ヶ花観測所[*10]（中野市）での最高水位は12・46m[152]で、これは、この観測所の計画高水位[*11]を2m近く上回っていました。当時、立ヶ花観測所よりも上流の杭瀬下（くいせけ）観測所に設置された川の様子を映すライブカメラを見ていましたが、ぐんぐん上がる水位に、自然の驚異をひしひしと感じていました（**図6-19**）。この台風によって氾濫した河川は千曲川以外にも、福島県を流れる阿武隈川や茨城県を流れる久慈川、埼玉県を流れる荒川や都幾川（ときがわ）などがあり、各地で浸水被害が生じました。

過去数年を遡ってみても、2016年8月の北海道豪雨では空知川や十勝川などが氾濫、2017年7月の九州北部豪雨や2018年7月の平成30年豪雨でも、複数の河川で氾濫が発生し、人命が失われています。2020年の熊本県を中心に九州などで大きな被害を出した令和2年7月豪雨（熊本豪雨）では、球磨川や筑後川などが氾濫し、2021年と2022年にも、7月から8月にかけての大雨で、日本各地で河

＊10 河川の観測所　全国の主要河川では、そのときのその場所における水位や雨量、水質などを観測しデータを蓄積する施設が複数設置されている。この計測値はその河川の流れの特徴を踏まえた河川管理のための基礎資料となる。観測所によっては水位や雨量、ライブカメラによる現場の状況がリアルタイムでインターネット上に公開されており、防災情報としても活用される。

＊11 計画高水位　河川管理上の基準となる水位の1つ。既往増水などから想定される増水時の最高水位を考慮して決められ、堤防の高さを決める重要な要素となる。

川の氾濫が生じています。

河川の中の環境が大きく変わるような増水が、毎年のように梅雨時に発生したとしたら、もともと変動しやすい河川環境に対応して暮らしてきたはずの生き物たちでも、繁殖や生息が難しくなる種が出てくるかもしれません。世界規模で見ても、ＩＰＣＣは２０１８年に１・５℃特別報告書[*12]を発表し、現在のまま地球温暖化が進めば、２０３０～２０５０年には平均の気温上昇が１・５℃に達し、豪雨などの極端な気象現象の頻度や強度、影響を受ける人口が増加するなどの可能性を警告しています。[153] 災

図6-19　令和元年東日本台風での千曲川の水位上昇の様子

長野県千曲市の杭瀬下観測所に設置されたライブカメラの映像。奥の橋は千曲橋。①午前中、川は濁っているが、まだ水位上昇は顕著ではない。右下は堤防近くに設置された水位標。②午後、雨が続き、水位が上昇。水位標の奥に見えていた草木は水没。③水位標も水没し、堤防も見えなくなった。④夜。千曲橋のすぐ下に川の流れが見える。この画像は杭瀬下観測所での最高水位（6.42m）記録時付近のもの。（提供：国土交通省北陸地方整備局 千曲川河川事務所）

害から人の命と社会を守るため、今後の河川管理が治水に向けて強化されていく可能性は高いでしょう。ＩＰＣＣの予測などを思えば、増水は河川生態系の本質ともいえる変動性にかかわる重要なキーワードなんですよ、とは、声を大にしては言いづらくなりそうですが、増水がもつ河川生態系を維持する重要な自然撹乱としての役割と、人間からみた防災との折り合いをどのようにつけていくのか、将来にわたって検討を続けていくべき課題だと思います。

プラスチックごみ問題

２０２０年7月、コンビニエンスストアやスーパーマーケットなどで、それまでは当たり前のように無料で配られていたポリエチレン製のレジ袋が有料化されました。この背景の1つがプラスチックごみ問題です。

プラスチックは軽くて丈夫で、何かを保存するにも持ち運びするにもたいへん便利です。レジ袋やペットボトル、洗剤の容器など、さまざまな形で我々の身近にあふれかえっている素材です。しかし、丈夫であるからこそ、適切に処理されずに投棄（ポイ捨てや不法投棄など）されてしまうと、劣化してボロボロになっても土に還らず、

＊12　**1.5℃特別報告書**　正式な報告書名は「1.5℃の地球温暖化：気候変動の脅威への世界的な対応の強化、持続可能な開発及び貧困撲滅への努力の文脈における、工業化以前の水準から1.5℃の地球温暖化による影響及び関連する地球全体での温室効果ガス（GHG）排出経路に関するIPCC特別報告書」という。英語版の報告書は https://www.ipcc.ch/sr15/ から、日本語版ハンドブック（公益財団法人 地球環境戦略研究機関 2019）は https://www.iges.or.jp/en/pub/ipcc-gw15-handbook/ja から見ることができる。

とどまり続けます。このようなプラスチックごみが、生き物によくない影響を与えることを懸念する声が高まっています。では、どのように影響するのでしょうか。

まずは直接的な影響を考えてみましょう。たとえば、ほつれて細い糸状になったビニール製品や輪状に成型された部品などは、第5章でお話しした釣り糸と同じように、歩きまわる鳥たちの脚や、採食するくちばしに絡んでしまう危険性があります（図6-20）。また、巣づくり中の鳥たちには、細くひも状に裂けたビニールが巣材として魅力的に見えるのでしょうか、しばしば巣に編み込まれているのを見ることがあります（図6-21）。しかしそれが運悪く親鳥やヒナに巻きついてしまうと、引きちぎることも脱出することもできずに死んでしまうことがあります。

プラスチックの影響は、これだけではありません。生き物が誤って食べてしまうこともあります。海にすむクジラやウミガメなどの海洋生物が、プラスチックを誤食する例はとても有名です。すでに世界中の海でプラスチック製品やその断片が漂ったり沈んだりしていることが確認されており、それらが死んだクジラのお腹の中から大量に見つかった事例もありました[154,155]。胃や消化管にプ

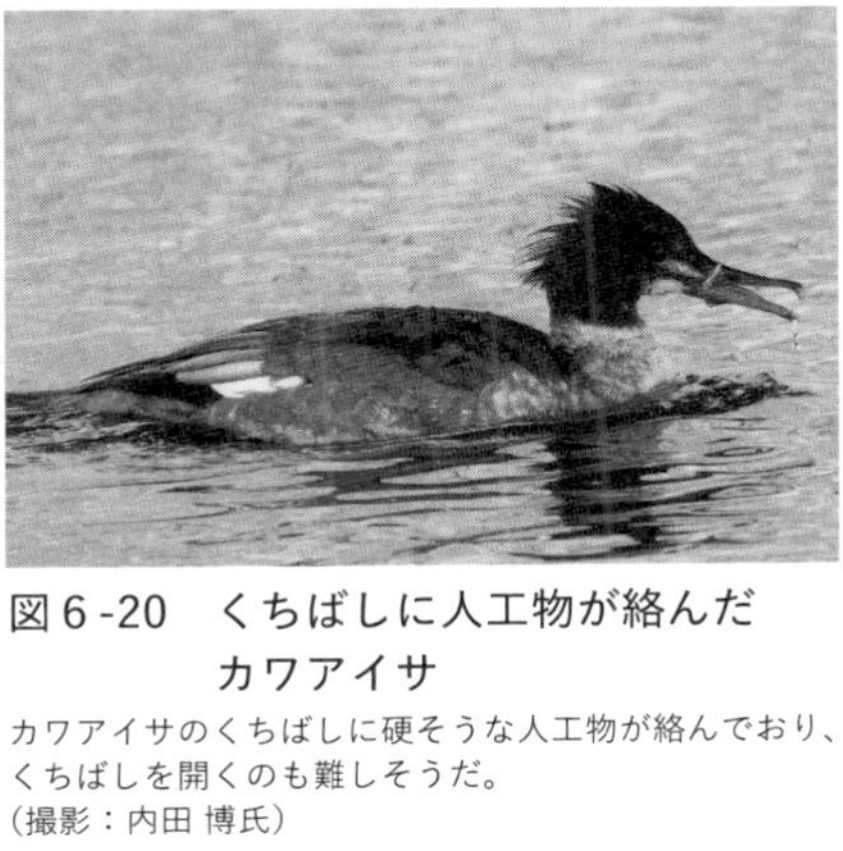

図6-20　くちばしに人工物が絡んだカワアイサ

カワアイサのくちばしに硬そうな人工物が絡んでおり、くちばしを開くのも難しそうだ。
（撮影：内田 博氏）

ラスチック製品の袋が詰まると、本当の食べ物を食べても栄養が吸収できず、けれど、お腹がいっぱいなので、新たに何かを食べようとしなくなります。また誤って食べたプラスチックが消化管を傷つけることもあり、クジラたちは衰弱してしまいます。同様の影響は海鳥でも以前から心配されてきました[156]。死んだ海鳥の胃や消化管からはビニール袋やボトルのふた、劣化して破片になったものまで、さまざまなものが見つかっており、非常に痛々しい話です。残念なことに、胃の中からプラスチックが見つかった海鳥の種の割合は年代を経て増えています。1960年代は5％未満だったそうですが、1980年代には80％の、2015年には90％の種からプラスチックが見つかっていることが報告されています[157]。このまま海に漂うプラスチックの量が増えていったなら、2050年にはすべての海鳥の胃から検出されるのではないか、とも言われています。

なぜ、海鳥はプラスチックを食べてしまうのでしょうか。その理由の一端が解明されています[158]。海に浮遊するプラスチックには、藻類や植物プランクトンが付着しますが、それが分解されるときに出る磯の香りが、海鳥たちの誤飲につながっているのだ

図6-21　ビニールひもが編み込まれたモズの巣

ヒナが入っている巣の白い部分はすべてビニールひもである。ひもがヒナの脚に絡まり死亡した例を観察したこともある。（撮影：著者）

そうです。多くの海鳥は、小さな甲殻類の一種であるオキアミを食物にしていますが、オキアミは藻類や植物プランクトンを食べています。つまり、磯の香りがする場所は、海鳥たちにとってオキアミがいる場所であり、採食場所なのです。匂いに騙されて集まった鳥たちは、自らプラスチックを食べてしまうのだと考えられます。海鳥はヒナに食物を与えるとき、自分が食べたものを吐き出して与えるため、親鳥がプラスチックを食べてしまっていると、ヒナのお腹にも入ってしまいます。それが繰り返されれば、先ほどお話ししたクジラの例と同じように、ヒナは大きく成長するどころか、衰弱してしまうでしょう。

淡水でも、鳥類がプラスチックを食べている可能性が指摘されています[159]。千曲川ではありませんが、私もある湖で拾ったサギ類のペリットを割った際に、1cm角のプラスチックが出てきてたいへん驚いたことがあります。

マイクロプラスチック

近年は、プラスチックのなかでも特にマイクロプラスチックという言葉が注目されています。マイクロプラスチックは、一般に5㎜以下の小さなプラスチックの破片のことを言います（図6-22）。プラスチック製品が壊れたときにできる破片、私たちが普段着ている化学繊維の服から出るちょっとした糸くず、洗顔料や歯磨き粉に入っているスクラブやマイクロビーズ、水をつけるだけで汚れが落ちるスポンジの削れくずなど、マイクロプラスチックは我々の生活のすぐそばで発生します。また、本来はきちんと処理されなくてはいけないプラスチックごみがポイ捨てされることで、川などを通って海に流れ、海岸に大量に漂着し、太陽の力、いわゆる紫外線によって分解されて細かくなり、マイクロプラスチックとなることもあります。

マイクロプラスチックの厄介なところの1つとして、より多くの生き物に誤飲されやすくなることがあります。プラスチックは原料である石油を精製したものに、劣化防止や着色などのため、さまざまな化学物質を添加してつくられます。これらの化学物質のなかには、熱でほかの化合物をくっつける（吸着）、もしくは放出（溶出）する性質をもつものがあります。つまり、海や川に流入したプラスチックごみは、太陽にさらされて熱を帯びたり夜になって冷やされたりすることを繰り返す間に、さまざまな化合物を吸着もしくは放出することになります。化学物

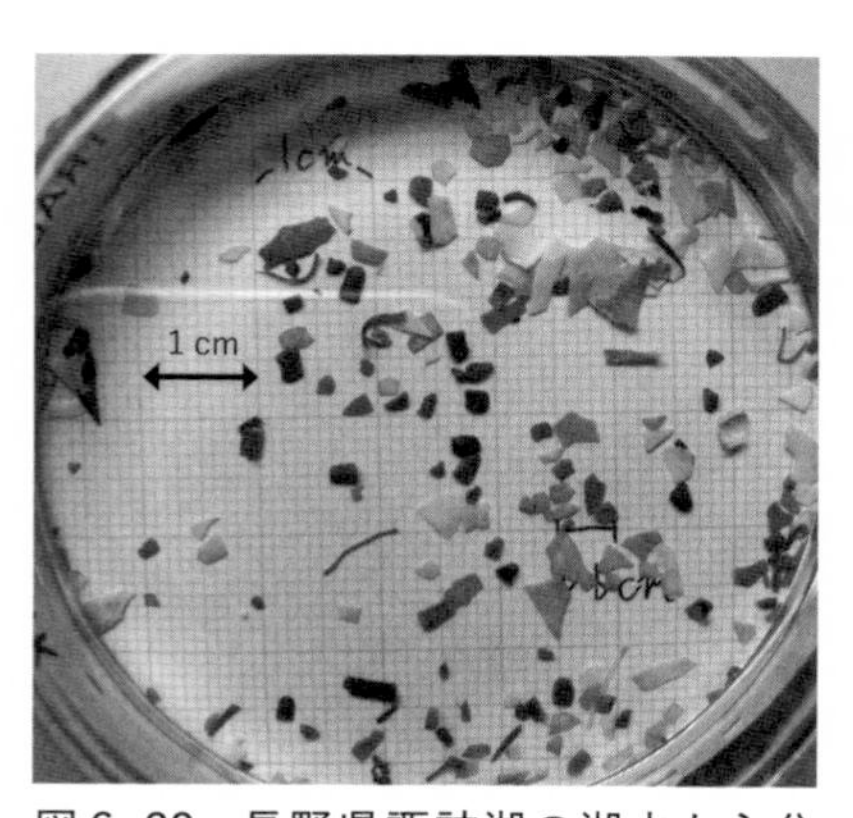

図6-22　長野県諏訪湖の湖水から分離されたマイクロプラスチック

破片状、ひも状などさまざまな形が見られる。（撮影：吉田暁人氏）

質を吸着したマイクロプラスチックが水の中の生き物に取り込まれ、化学物質が体内に蓄積されることが懸念されています[160]。

カワセミのペリットからマイクロプラスチック

２０２０年、イタリア北部で行われた研究から、カワセミのペリットからマイクロプラスチックが発見されたという衝撃の報告がありました[161]。２０１９年3月から10月までに集めた１３３個のペリットのうち、10個のペリットから、12個のマイクロプラスチックが検出されました。その多くはポリエチレンの糸などの繊維でしたが，一辺が１cmを超えるプラスチック破片も見つかったそうです。

糸などの繊維は１mmにも満たない小さなものも多く、人の服などからも水面や水中に混入しやすいので、河川の水や魚類などからも多く検出されるマイクロプラスチックです。カワセミのペリットから検出されることは不思議ではないかもしれません。ただ、その影響、たとえばマイクロプラスチックに付着していた有害物質が、鳥の臓器などにどのように蓄積され、どれだけの量でどのような健康被害や影響が生じるのかは、まだあまりわかっていません。親が取り込んだ有害物質の影響が子孫に表われるまでに、世代を超えて時間がかかったとしたら、子孫に表われた影響とマイクロプラスチックとの因果関係を解明するのはさらに難しくなるでしょう。

カワセミ以外の淡水域にすむ鳥たちからも、マイクロプラスチックは検出されています。たとえば、カナダで行われたミミヒメウ*13の調査では、調べた消化管の86％以上からプラスチックを含むなんらかの人工物（ほとんどは繊維でしたが、なかにはガラスも！）が検出されています。[162] マイクロプラスチックというと、小さく、水面をぷかぷか浮いていて、どちらかといえば水面近くで採食する鳥たちが誤って食べてしまうように思えますが、ウの仲間のように深い場所まで潜水する鳥類からも検出されたことは、その脅威があらゆる場所に存在していることを意味しています。ときには深海からも見つかっており、すでにミジンコ類などの微生物や深海の生物からの検出も報告されています。[163] プラスチックは、大きさを変えてあらゆる場所で生き物同士の食べる - 食べられるの関係に入り込んでいると言えるでしょう。また海洋では、このまいけば、２０５０年には海にいるすべての魚の重さよりも海を漂うすべてのプラスチックの方が重くなる、とも言われています。[164] 生き物を通して検出されるマイクロプラスチックがなくなるような努力が、これから長い時間にわたって必要となるでしょう。

ここに挙げた以外にも、土地利用や耕作方法の変化、感染症、狩猟、天敵（捕食者）

＊13 **ミミヒメウ**　カワウと同じウの仲間の鳥類で、北アメリカに広く分布する。体の大きさもカワウと同程度。潜水して底生魚などを捕食する。

の増加、また不適切な電子廃棄物処理由来の有害物質汚染[165]など、鳥たちの生活を脅かす要因は数多くあります。どの要因が具体的に脅威となるかは、その鳥が生息している環境や何を食べているか、人間社会との距離などによって変わってくるため、種でも、地域でも異なるでしょう。鳥たちに迫る脅威を知ることは、その影響を軽減するためにも重要なことです。脅威のなかには気候変動のように、影響の大きさや因果関係を明確にするには長期間の継続調査が必要なものもあります。身近な自然にすむ鳥たちへの脅威とその原因を考えるうえで、別の地域の事例は参考にはなるかもしれませんが、基本的にはそこに住む私たち人の生活や活動が大きくかかわってきます。私たちはどのように生物多様性と、そして生き物たちの生息場所である河川とつきあっていけばいいのでしょうか。最後の章では、人間と河川とのこれまでのつきあい方や、河川における自然再生事業について、千曲川を事例にお話ししたいと思います。

カワセミと水質

カワセミの数の減少や回復の要因によく挙げられるのは食物となる小魚の豊富さですが、水質そのものからも影響を受けるのでしょうか？ スペインでの研究事例(166)を紹介します。

その研究では、スペイン中央部の5つの河川から、標高も河川の勾配[*14]も水深も異なる27の地点を選び出し、カワセミの数と関係する要因を調査、検討しています。比較のため、それぞれの地点のカワセミの数、生息する魚の数や種類の豊富さ、そして水質の指標として、水中の窒素化合物、リン酸塩、炭酸塩、濁りの指標である濁度、水が酸性かアルカリ性かを判断するpHを調べ、さらに河川の水質低下の指標として周辺の人口密度、害虫の駆除剤や化学肥料の量の指標として農地の多さまで、数多くの要因を検討していました。

その結果、カワセミの数の多さに関係している可能性が高い要因は、魚の数や種類の豊富さでした。しかも、5～8㎝の大きさの魚が多いことが特徴だっ

＊14 **河川の勾配**　川の流れる方向の川底の傾きをいい、一般に、川床勾配という。高さが1m下がる（上がる）ために必要な距離を用いて表す。たとえば勾配＝1/100の場合は、100 m下流（上流）に向かうと、1m川底が低く（高く）なることを示す。一般に河川の上流域では川床勾配は急であり、海に近い下流部では勾配はゆるやかになる。

たそうです。まさしく、第3章でお話しした、カワセミのよく利用する魚の大きさと一致していますね。

たくさんの要因を調べたのに、魚類以外はカワセミの多さと関係していなかったの？　と疑問に思われる方もいるでしょう。結果では、人口密度が高い場所や農地として利用されている場所では、カワセミの密度は低い傾向があったと述べられていました。また水質では、リン酸塩の値が高い場所では相対的にカワセミの数が少ない傾向が見られましたが、それ以外の要因との間には明確な関係は見られませんでした。リン酸塩は、植物に必要な栄養物質で（リン自体、炭素や窒素などとともに生き物の体の主要構成元素です）、一般的には水中には微量しか存在しないのですが、肥料や工場排水、生活排水にも含まれており、河川や湖に流入して植物プランクトンや藻類を増加させ、水域を富栄養化[*15]させる原因となります。植物プランクトンや藻類が増えれば、それを食べる動物プランクトン、また水生昆虫が増え、さらにそれを食べる魚類も増え、カワセミにもよい場所になるのでは？　と思うかもしれませんが、そう簡単ではありません。まず、昼は光合成をする藻類も夜間は酸素を消費します。また、生き物がたくさん増えた状態になれば、排泄物や死骸も多くなり、それを分解

＊15 **富栄養化**　水中で窒素化合物やリン酸塩などの栄養物質が必要以上に増え、それを栄養とする植物プランクトンなどが大量に増殖する状態になること。湖ではアオコ、海では赤潮が発生しやすくなり、これらが発生すると水中の酸素が消費されて少なくなるので、魚類や貝類などが酸素不足で死んでしまうこともある。

するバクテリアなどの活動も活発になり、やはり酸素が消費されます。結果的に、水の中が酸素不足になり、魚類が減少してしまう可能性があります。富栄養化や貧酸素の問題は湖沼などではよく知られていますが、河川でも起こりえます。現在は、工場排水には厳しい規制があり、生活排水は下水処理場で処理されてから放流されることが一般的です。これは想像になりますが、この研究が行われた1990年代、調査を行った地域では周辺の農地や市街地からリンが流入し、河川が富栄養化していたのかもしれませんね。

水質とカワセミの豊富さとの関係を調査した別の研究も紹介しましょう。同じスペインでも北部で行われた研究[167]では、カワセミが繁殖しやすい環境条件として、水中に含まれる酸素が多い、水深が浅い、護岸されていない、また、河床が砂や小石で構成されている、流れが穏やかである、ことなどを挙げていました。この研究ではカワセミの繁殖の有無と小魚の多さの間には明確な関係が見られなかったのですが、水中に含まれる酸素や河床の状況は、そこでの魚類の生息環境として重要な要素ですので、関係していないわけではなさそうです。ほかにも、イギリスで行われた研究[168]では、カワセミの数が多い場所の特徴として、傾斜のゆるさを挙げていました。また、酸性度が相対的に高い河川よりも、中性の河川でカワセミの数が多い傾向があったそうです。地域によって要因が違うのは興味深いですね。

紹介した研究からは、極度に水質汚染が進むことでのカワセミへの影響を推し量ることは難しいかもしれませんが、この章で紹介した東京におけるカワセミの消失や回復には、推測されている通り、河川に生息する小魚の量が関係している可能性が高そうです。そして、別の見方をすれば、カワセミがいる河川には小魚が生息しており、さらに言い換えると、小魚が生息できる水質と環境がある、ということなのかもしれません。

第7章

生き物に配慮した川づくり

研究分野としては比較的新しい？ 河川の生き物

河川で絶え間なく水が流れる様子を眺めていると、この流れはどこからきてどこに行くのだろうか、などと不思議な気持ちになることがあります。もちろん、千曲川についていえば、甲武信ヶ岳から湧き出して日本海に注ぐわけで、源流も最終的な行先も知っているのですが、上流から下流までひたすらに続く流れのなかにもさまざまな水環境とそれを取り巻く陸域環境があり（**図7-1**）、カワセミをはじめ、多くの鳥類や魚類、昆虫類などさまざまな生き物が、互いに関係しながら暮らしているわけです。それを思うと、目の前を流れる水がどのような環境のなかを流れ、支流と合流し、そして生き物たちとかかわっていくのか、なんだか気になってきませんか。

これまで紹介したように、河川にはさまざまな鳥たちがすんでおり、水生昆虫や魚類、植物などと複雑な関係をもつことがわかってきています。しかし、漁業にかかわる魚類などを除けば、日本の河川で生き物の研究が盛んに行われるようになったのは１９９０年代以降で、研究分野としては新しい方かもしれません。なぜでしょうか。

この章では、川にすむ鳥たちの直接的なお話というよりは、河川の生き物の研究が進むきっかけとなった、生き物に配慮した川づくりや河川管理のこと、またそれについて私が思うことなどをお話ししたいと思います。本文の中にカワセミの話はあまり出てきませんが、カワセミがいつまでも在り続ける河川について考えるには、川づくりについても知っておいて損はありません。よろしかったらおつきあいください。

では、まずは河川と人との関係についてお話ししていきましょう。

河川からの恩恵と災害

河川は昔から人に不可欠な飲み水を提供し、食料の調達や生産においても重要な環境でした。また、河川は水だけではなく、上流

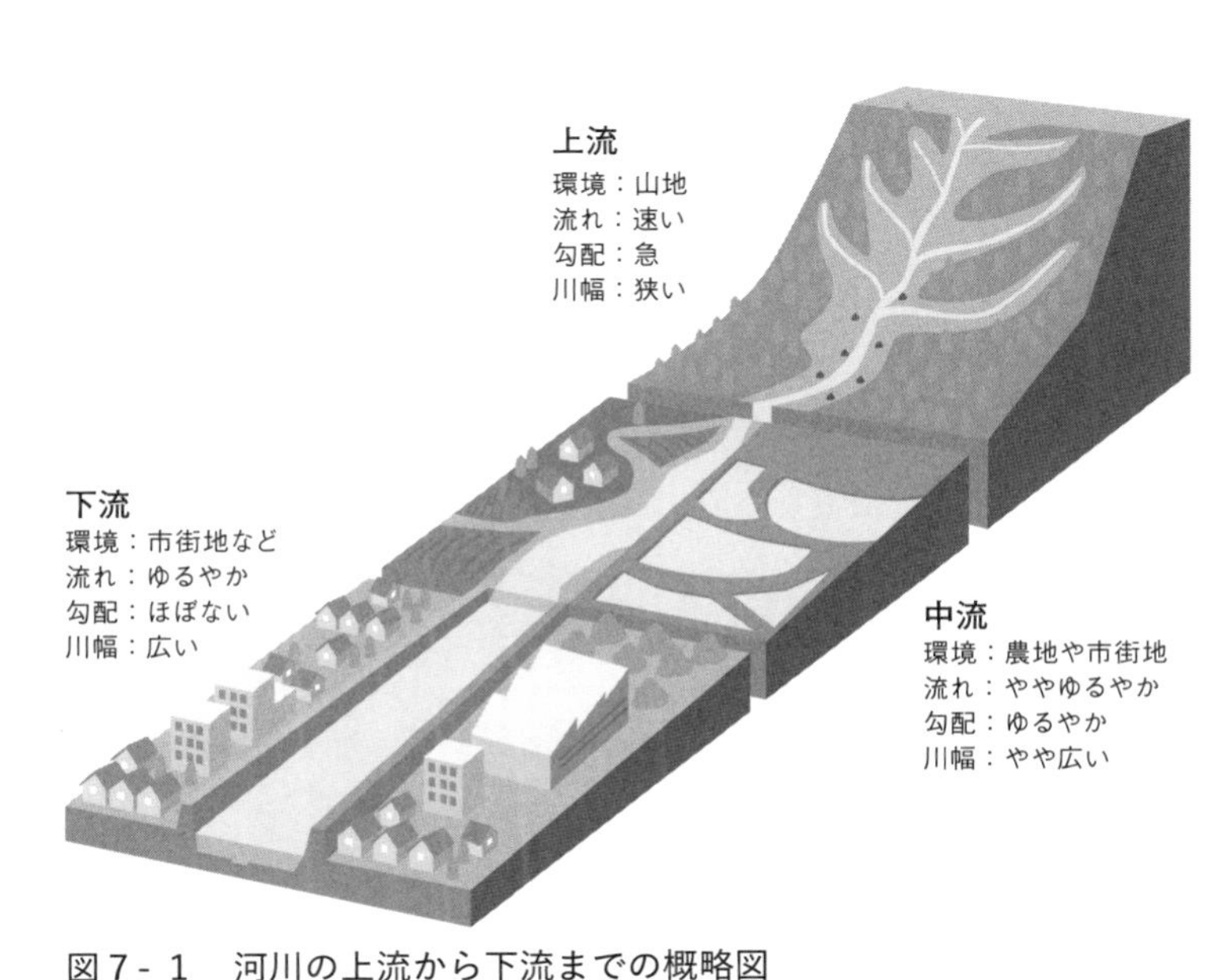

図7-1　河川の上流から下流までの概略図
山岳地帯から農耕地や都市を通り、海に至るまで、さまざまな河川環境がある。
（文献169より引用・改変）

から下流に窒素やリンなどの栄養を運び、河川の氾濫によって周辺にもたらされる土砂は植物が育ちやすい、言い換えれば作物を育てやすい土壌を形成します。このように氾濫時に川の水が河道からあふれて覆われ、運ばれてきた土砂が堆積するような、比較的低く平坦な土地を氾濫原といいますが、はるか古代に栄えた世界の四大文明、エジプト文明、メソポタミア文明、インダス文明、中国（黄河）文明のいずれもが大河の近く、氾濫原で発展しています。日本でも、狩猟をしていた縄文時代、川魚は重要な食物だったでしょうし、稲作文化が始まって以降は、河川の水は作物生産に欠かせないものだったでしょう。車や電車、飛行機が当たり前のようになる前の時代、河川は主要な交通路でもありました（**図7-2**）。いつの時代も、河川は人の生活のすぐそばにあったといえます。

その一方で、河川は大雨や台風などの際には氾濫して水害を引き起こし、農地や人の住居を押し流し、命を奪いもしてきました。現在のように確固たる人工的な堤防が川と住宅地の間に築かれておらず、自然堤防[*1]の中を川がまだ川として自由に蛇行していた時代には、その恵みを受けながらも、人が河川に翻弄されることも多かったでしょう。人々にとって河川からの

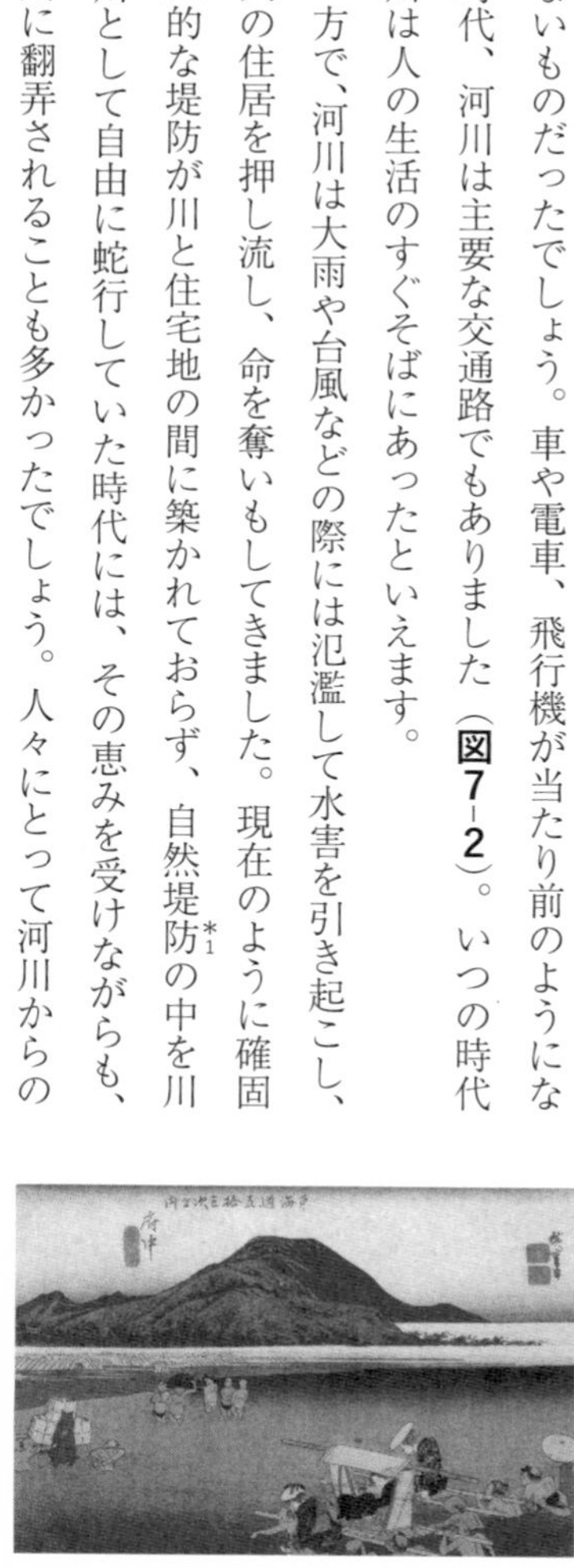

図7-2　河川を描いた浮世絵

左図：歌川広重「東海道五十三次 府中 安部川」、右図：葛飾北斎「富嶽三十六景 御厩川岸より両国橋夕陽見」。

水の恩恵である利水[*2]の歴史は非常に長いのですが、同時に治水[*3]がとても重要だったのです。人と河川の歴史は、氾濫そして水害との闘いの歴史といっても過言ではありません。

河川における治水の歴史

昔の人々の水害対策には、高台に集落をつくる、石垣を積んで土地を高くしたところに家を建てる、集落全体を堤防で囲う、霞堤(かすみてい)のように不連続な二重堤防でうまく川の水を逃がす（**図7-3**）など、さまざまな方法がありました。また、多くの武将が活躍した戦国時代には、治水事業は各地をおさめていた武将や大名が行っていましたが（霞堤は戦国武将の武田信玄が考案したと言われています）、江戸時代以降は幕府のある江戸を中心にさまざまな技術革新が図られ、優れた治水技術、水害対応技術が生み出されました[171]。明治時代になると現代の河川管理につながる重要な法律である、河川法（旧河川法と呼ばれる）が制定されます。明治時代といえば文明開化の頃。国外の技術や文明が流入し、富国強兵が掲げられ、国をあげて鉄道の普及や道路網の整備などの国土開発が進み、人々の移動手段も生活も大きく変化しました。それに伴い、

＊1 自然堤防　氾濫原を流れる河川の両側に、氾濫時に運ばれた土砂などが堆積してできた、周辺よりも少し高い土地。
＊2 利水　河川や湖沼、地下にある水を飲み水や農業、工業などに利用すること。
＊3 治水　河川の氾濫などによる水害を防ぎ、また人が水を利用しやすいように河川などを整備すること。

昭和初期頃までには、河川での舟を用いた交通は徐々に姿を消し、氾濫原は農地に転換されていきました。

一方で明治時代には、明治三大水害と呼ばれる大きな水害も発生しました。旧河川法が制定された明治29（1896）年、明治40（1907）年、明治43（1910）年に発生し、いずれも大きな被害を出しています（**図7-4**）。特に明治43年の増水では、利根川、荒川、江戸川などが氾濫し、東海・関東・東北地方を中心に、死者・行方不明者は、全国で約2500人にのぼりました。このような背景から、明治時代の河川管理では治水に重点が置かれ、河川の氾濫から人の生命を守るために高い堤防がつくられ、増水時に上流から下流まで水が速やかに流れるような人工的な水路の建設、河川の直線

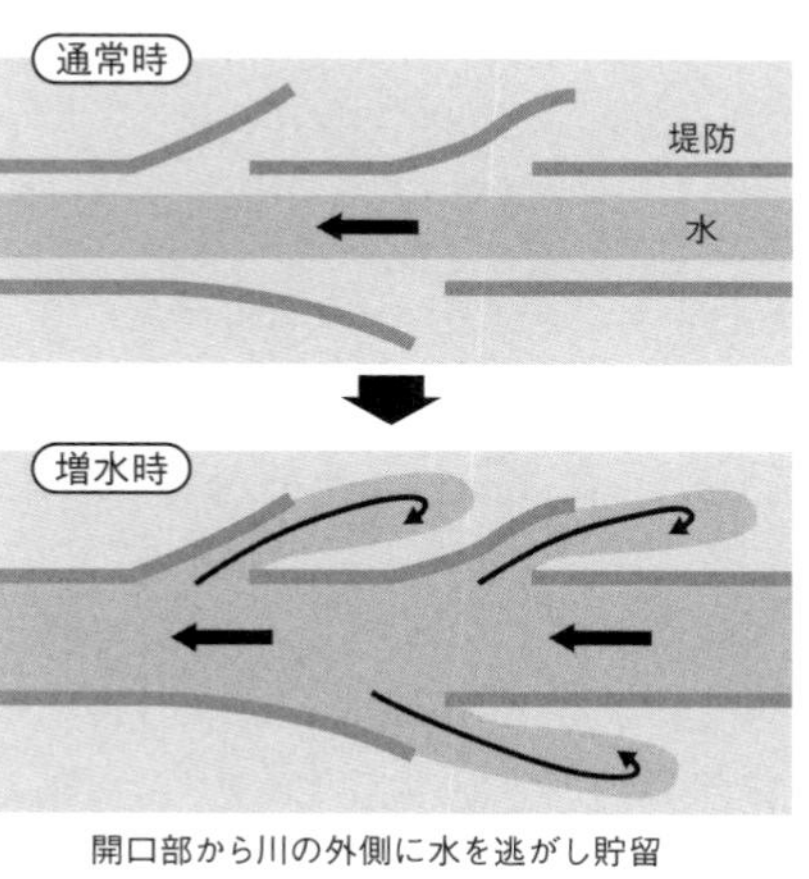

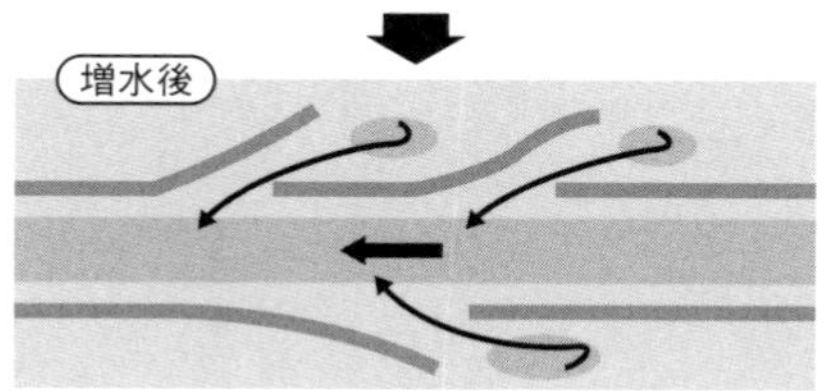

図7-3　霞堤

通常時、水は河道を流れているが、増水時に本流の水位が高くなると、開口部から遊水地などへ水が流れ出て、下流に流れる水の量を減らす。増水後に水位が低下すると、遊水地などにたまった水が速やかに本流に戻る仕組みとなっている。（文献170より引用·改変）

化などが進められました[172]。

昭和に入って戦後には、大規模なダムが次々とつくられ、水力発電、工業用水などの利水にかかわる人間活動が増大したことなどから、河川水の利用にかかわる規定などを整備した新河川法（河川法と呼ばれる）が昭和39（1964）年に制定されました[173]。そこで重視されたのは当然ながら利水であり、河川にいる生き物への配慮はまだ盛り込まれてはいませんでした。それからさらに30年以上が経過した1997年、この河川法が改正されます。この改正で初めて、河川の環境や生き物への配慮が川づくりの考え方に追加されました。ここへきてやっと、河川の管理や整備では、水を速やかにたくさん流す能力だけに着目するのではなく、そこに生きている動植物などのことも考え、河川の生態系が健全に維持できるように配慮しましょう、となったのです。

普及した生物多様性という概念

河川と人間社会との長い歴史のなかで、生き物への配慮が唐突に加わった

図7-4　明治43年の東京大洪水の様子

左図：浅草公園池畔避難ノ混雑、右図：大森付近。（所蔵：東京都立図書館 TOKYOアーカイブ）

ことを不思議に思う方もいるかもしれません。この背景の1つには、世界的な環境問題への関心の高まりがあります。

「生物多様性」という言葉を聞いたことがありますか？　生物多様性を簡単に言うと、それぞれ違う特徴をもった生き物がたくさんいること、そしてそれらが複雑に関係しあっていることです。説明できる人も、聞いたことがあるだけの人も、この本で初めて知った、という人もいるかもしれません。この言葉の認知度について、内閣府は2007年から、不定期に20歳以上（2019年以降は18歳以上）の男女約3000人に対するアンケート[*4]を実施しています。アンケートに回答した人のうち、2007年の時点では、知っている（知っていた）、聞いたことがある（あった）、と答えた人は合計約36・4％（回答数1919）で、半数以上の人が知らないと答えました。その後、2014年には46・4％（回答数1834）の人が、2022年には、回答した1557人のうち、72・6％の人が知っている、もしくは聞いたことがあると答えており、生物多様性という言葉が皆さんの日常に浸透してきたことがうかがえます。

もともとこの言葉は、約40年前、1980年代半ばにアメリカで提唱されました。1980年代から1990年代は、世界的に環境保全への機運が大きく高まった時代

＊4 生物多様性の認知度に関するアンケート　内閣府による世論調査の結果は https://survey.gov-online.go.jp/index.html から閲覧することができる。

です。1970年代から、急速な経済成長や人口増加に伴う環境破壊、食料や資源の不足に対する警鐘が鳴らされ、1980年、当時のアメリカ政府が『西暦2000年の地球』という報告書を提出しました。非常に膨大な量の報告書ですが、そのなかには、これからの20年間、つまり2000年までの間に、現在（報告書がまとめられた当時）のような森林伐採を続けるならば、地球上の生物種の15～20％が絶滅する恐れがある、などの予測も書かれており、世界に大きな衝撃を与えました。また、1980年代初めには、生き物に有害な紫外線を吸収して、地上の生態系を守ってくれる、上空の成層圏にあるオゾン層に穴が開いていることが南極で観測されました。その後、オゾン層の保護も含め、地球環境にかかわる数多くの会議が開催され、複数の国家間での取り決めや協力体制が急速に整っていきます。近年見聞きする機会が増えた「持続可能な社会」も、そのもととなる考え方は、持続可能な開発[*5]という概念であり、これが提唱されたのも1980年代です。そして、生物多様性は、そのような環境保全の流れのなかで生まれ、1992年に行われた国際会議の地球サミット（環境と開発に関する国際会議）で現在の世界のほとんどの国が締結している、生物多様性条約[*6]へとつながっていきました。

日本でも高度経済成長期や公害問題を経て、環境への関心が高まり、人々にとって

＊5 持続可能な開発　1984年に国連に設置された「環境と開発に関する世界委員会」が1987年に公表した報告書『Our Common Future』で示した「将来の世代の欲求を満たしつつ、現在の世代の欲求も満足させるような開発」という考え方。人と地球のための、環境保全を考慮した節度ある開発の重要性を述べている。

河川は治水や利水だけではなく、潤いを求める場としての重要性が増しました。また、多様な生物の生育・生息場所として、そして地域の風土や文化を形成する重要な要素としても認識されるようになりました。先ほど述べた1980年代の世界的な環境問題への高まりを背景に、人間が持続的な社会活動を行っていくためには、生物多様性の維持が重要であることが、国内でも広く理解されていったのです。

新たな川づくり

1990年代に入ると、「多自然型川づくり」と呼ばれる、水害を防ぐ機能を確保しつつ、生息する生き物に配慮した豊かな自然環境を保全・創出する、という河川管理が全国で試みられるようになりました。しかし、最初は迷走します。人間にとっての治水や利水に重点を置いて川づくりにかかわってきた土木の専門家であっても、生き物の生態などについては詳しくない河川管理者にとって、「どうしたら生き物に配慮できるのか」という課題は、どこから手をつけてよいのかわからない難問であっただろうと想像できます。全国の河川に適用できる万能な工法は存在しませんから、さまざまな試行錯誤が重ねられ、ときにはどこかの河川で成功した工法をそのまま適用

＊6 生物多様性条約　生物の多様性を地球規模で包括的に保全し、生物資源を持続可能な形で利用していくための、国際的な枠組みをつくることを目的に結ばれた条約。生物多様性の保全、生物多様性の構成要素の持続可能な利用、そして遺伝資源の利用から生ずる利益の公正かつ衡平な配分、の3つを目的としている。生物資源および遺伝資源とは、人間にとって有用な潜在的可能性をもつ生物や遺伝子の資源のこと。

することも試みられました。しかし、適用先の河川における事前調査の不足や、もともとの特性、季節ごとの特徴、生き物の生活史への理解が足りないまま実施されることも多く、生き物に生息・生育の場を提供できなかった、また生き物のために配置した構造物がうまく機能しなかったなど、さまざまな失敗もあったようです[174]。その後、識者を交えた検討会を経て、2006年にすべての川づくりの基本指針となる「多自然川づくり」が国土交通省から示されました。名称から、「型」が消えていますね。これは、今後は「型」にはまらない川づくりを目指す、という意味もあるようです。

多自然川づくりは、河川が本来有している生き物の生息環境や多様な景観を保全・創出し、治水・利水機能と環境機能を両立させた河川管理を行うことです。そのためには、河川全体の自然の営みを考慮しながら、地域の暮らしや歴史・文化との調和にも配慮することが重要だとされています。なんだか難しそうな印象を受けますが、簡単に言えば、どこかの川の模倣ではなく、その川らしい川を目指そう、ということです。その川を特徴づけるのは、川本来の流れの緩急であったり、そこに生息する生き物たちであったり、そして人がどのようにその川とかかわってきたか、今後どのようにかかわっていきたいか、という歴史と将来への展望です。川づくりは、行政だけではなく、そこに生活する人々にも深く関係する事業なのです。

河川法が改正された頃から、河川での生き物研究も数多く行われるようになり、研究分野の1つとして大きく発展しました。これには、河川生態学術研究会という、生態学や河川工学の研究者など、河川に対する見方も意見もまったく違いそうな人たちが同じ場で議論をしながら、もっと河川について、いろんな角度から一緒に研究をしましょう、という研究会が発足したことも大きかったと思います。河川生態学術研究会が立ち上がった初期の1990年代半ば頃、多摩川（東京都）や木津川（京都府）などとともに共同研究の場となった河川が長野県の千曲川でした。千曲川の鳥類の調査は、信州大学教育学部で教授をされていた中村浩志先生（現在は（一財）中村浩志国際鳥類研究所代表理事）が担当されていました。その後、私が中村先生の研究室に進学したことが縁となって、河川の増水とそこに生息する生き物の関係という位置づけから、私の千曲川での鳥類研究が始まりました。私の千曲川での研究は現在も続けており、鳥類の基礎生態の把握を通して、増水と生き物の関係、河川と人とのつきあい方、そして、河川の生き物に配慮した川づくりに貢献しうる知見を蓄積していけたらと考えています。

「その川らしさ」を千曲川で考える

川づくり、いわゆる河川管理が目指すその川らしい川とは、たとえば千曲川なら千曲川らしい川、となるわけですが、誰かや何かの「らしさ」とはなんでしょうか？これを特定するのはなかなか難しいものです。たとえばあなた自身を例にしてみても、周囲が考えるあなた「らしさ」は、知人、親友、同僚、先生、親、祖父母などの間で違うかもしれません。あなたとの日々のかかわり方やつきあいの深さなどによって、感じる「らしさ」は千差万別です。河川も同様で、非常に多面的なそれを河川管理に活かすには、「らしさ」にかかわるできるだけ根本的な概念を検討し、そこから何かしらの目標、すなわち目指す河川の姿を設定していく必要があります。

目指す河川の姿というと、あの頃は生き物もたくさんいた、というひと昔、もしくはふた昔以上前の時代を思い浮かべ、そこに「らしさ」の目標を見出して、回帰を考えるのも1つの方法かもしれません。ただし、過去の河川の姿は、当時の社会システムや周辺の環境などと深いかかわりがあります。今から社会システムや周辺環境を過去とそっくり同じように戻すことは現実的ではありませんが、目標となる姿から離れてしまった理由を考えることで、河川管理の方向性ともなる目標を設定する、ということはできるかもしれません。千曲川では、その「らしさ」と、それを取り戻す方法を、１９９０年代後半から現在まで、河川管理、工学、土木、生態学などの、さまざまな分野の技術者や研究者らが一緒になって検討してきました。

千曲川に深くかかわってきた人々が知識と経験を総動員した結果、注目したのは、千曲川に昔からなじみ深い風景である広大な砂礫地と、それをつくり出し、生き物の生息環境を維持してきた「増水」でした。第5章で、河川に生息する鳥類のなかには増水が必要な種がいること、そして彼らが必要としている増水は、人間社会にとっての水害とは少し異なることをお話ししました。この本では鳥類に焦点を当てていますが、魚類や植物など他の生き物にも同じように増水で生息環境が維持される種がいます。増水が河川に生息する生き物にとって重要であることは、海外でも早くから注目されており、１９９０年代半ばに実施されたアメリカのコロラド川での人為的な増水実験[175]はとても有名です。世界中の多くの河川にダムが設置され[176]、流量が調整されているなかで、天然の増水による河川環境の維持を望むのは難しい状況かもしれません。しかし、上流に大きなダムをほとんどもたない千

図7-5　千曲川中流域の様子

埴科郡坂城町に位置する鼠橋（ねずみばし）から上流を眺める。（撮影：著者）

曲川では、年間を通して自然に近い水量の増減が見られます。そして増水によって、砂礫地や水際植生など、河川らしい環境が創出され、生態系が維持される、これこそが千曲川らしさだと考えられたのです[177,178]（**図7-5**）。

かつての千曲川、現在の千曲川

増水とそれによってつくりだされる景観が、千曲川の「らしさ」であるなら、川づくりの目標は増水の性質を十分に（といっても人間社会に影響する水害を防ぎつつ）発揮できるようにすること、と設定できるかもしれません。現在その性質が十分に発揮できているかというと、そうでもないからです。

かつて、千曲川は瀬や淵がある多様な流れの中に砂礫地（砂礫河原）が広がり、ヨシ原やヤナギなどが水際に存在していました。しかし現在は、アレチウリやオオブタクサなどの外来植物種が繁茂して砂礫地を覆っており、同じく外来植物のハリエンジュが河畔林を形成するなど、かつての姿とはずいぶん違った風景が広がっています（**図7-6**）。千曲川では、昭和後期ま

図7-6　外来植物に覆われた河川敷
外来種のアレチウリが地上一面を覆い、ハリエンジュ（外来種）林にも侵入して巻きついている。
（撮影：著者）

でに実施された砂利採取などによって川底が掘られて深くなり、それによって水の流れが固定化され、川底がさらに削られて深くなることが繰り返されました[179]（**図7-7**）。その結果、水際から河川敷までのなだらかな傾斜は急な段差となり、しかもその段差が拡大することで、河川敷が水に冠水しにくく、言い換えれば水に浸りにくくなり、土壌が乾燥して陸上の植物が繁茂しやすくなっていったのです。

河川の治水上の理由や、千曲川らしい風景を取り戻し、そこで生活する生き物に配慮するためなどの理由から、千曲川でも水が流れる面積を増やす河道掘削[*7]が頻繁に行

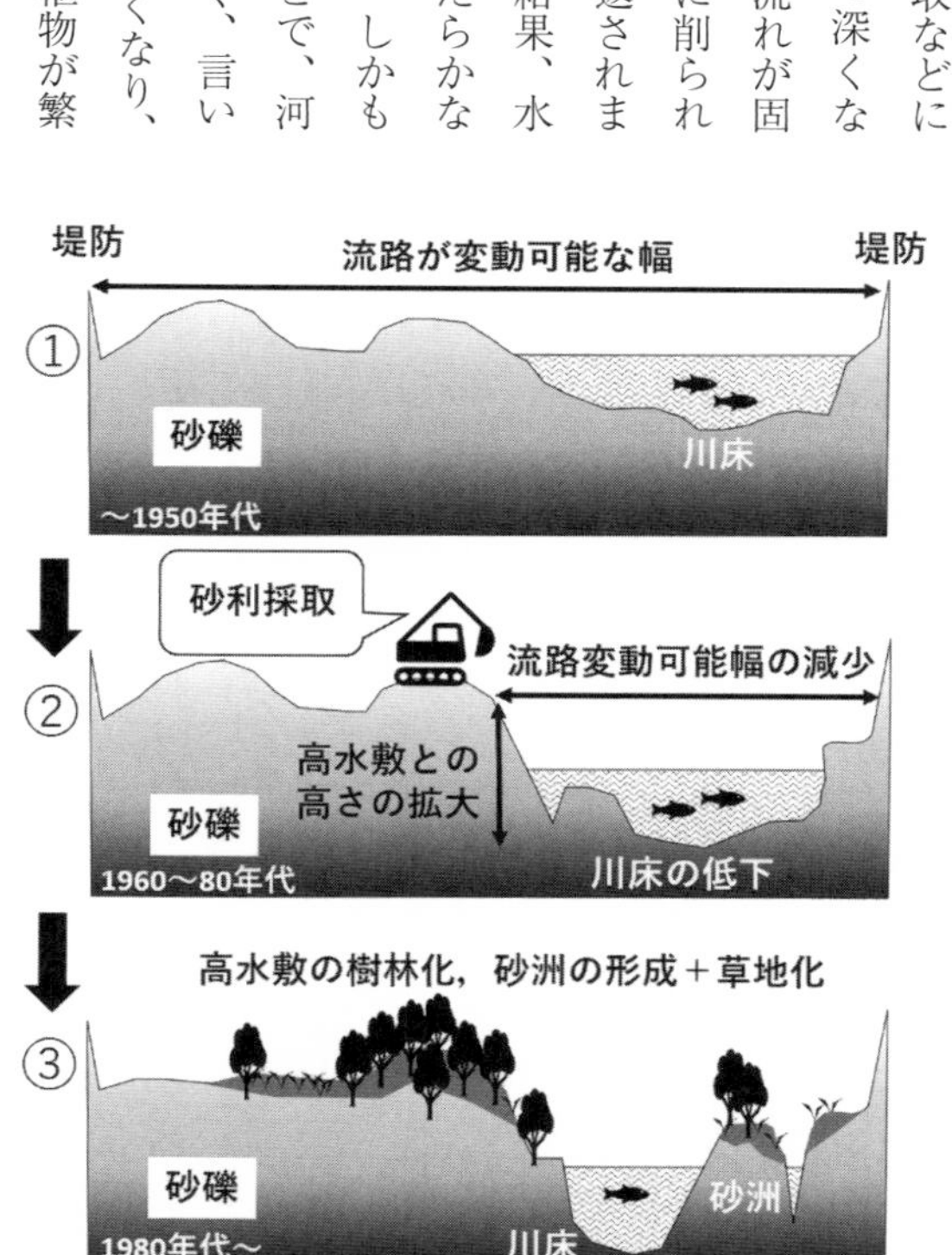

図7-7　千曲川で樹林化が進行した過程

①1950年代頃までは広い流路変動幅（水の流れが移動できる幅）があった。しかし、②1980年代頃までの砂利採取などによって川床が低下し、高水敷との高さの差が大きくなり、また水の流れる場所が固定された。これらにより高水敷が冠水しにくくなり、③その後、増水を受けない場所は草地や樹林へと遷移が進んでいった。（文献179より引用·改変）

われてきました（**図7-8**）。

河道掘削と増水の違い

ここまでのお話で、皆さんは不思議に思っているかもしれません。「人が河道を掘削する際には、ショベルカーなどの大きな重機を使って、河川敷を掘り返したり土を盛ったりしているわけだから、崖や砂礫地など、特定の環境も人為的に造成できるのでは？」と。

確かに河川ではしばしば河道掘削が行われ、地上の植物を除去して地面を切り下げ、ときには樹木の根まで掘り返して除去することもあります。増水による水位の上昇や激しい水の流れによって、地上の植生が除去されることを思えば、似ているように感じるかもしれません。

しかし、千曲川での研究を通して、

図7-8　河道掘削直後の河川敷
もともとは樹木や草が茂っていたが、すべて除去され、土も削られた。重機などで掘削されたため、地上に重機のキャタピラや車のタイヤの跡が残っている。
（写真：著者提供）

＊7 河道掘削　河川に流れる水の量が増えても水位が上昇しづらいように、河川の幅を広げたり、川底の土砂を取り除いたりして、水が流れる面積を広くする工事。

自然の増水と人為的な掘削には違いがあることがわかってきました[180]。1つは、その出来事自体が影響する範囲の違いです。人為的な掘削は、対象場所のみで行われるので、陸上の動物や植物、また水中の水生昆虫や魚類への影響の範囲は相対的に狭く、一時的なものになりやすい傾向があります。砂礫地上の植物の除去を例にすると、人為的な掘削では、その場の土を掘り返しながら地面の高さを削っていくので、そこに生えていた植物も除去されます。最終的には地表面は均され、一見、何も生えていない裸地が広がります。掘削の過程で土中の砂や礫は混合され、おおよそ均一な状態になりますが、実はそこには、発芽できる時をじっと待ちながら生きている種子がたくさん含まれています[*8]。掘削によって地表面の植物がなくなったことで日がさんさんと降り注ぎ、土の中で時を待っていたこれらの種子には発芽の機会が与えられます。つまり、人間が機械を使って地面を削って何も生えていない状態にしたとしても、すぐに植物は生えてくるのです。

千曲川では、掘削によってできた人工的な裸地には、しばしばイカルチドリやコチドリが巣をつくります（**図7-9**）。卵を産んで抱卵を始めた4月下旬頃には巣の周辺の見晴らしもよかったのですが、どんどん草が芽吹いて伸び、5月下旬にヒナが孵化する頃には、コチドリの目の高さを越えて草が生い茂ってしまいました（**図7-10**）。

＊8 埋土種子集団（土壌シードバンク） 土の中で発芽せずに生きている（眠っている）種子の集団は、埋土種子集団もしくは土壌シードバンクと呼ばれる。地上の生息条件が適した状態になると、温度や光などを手がかりに目覚めて発芽する。

繁殖状況の確認に行くたびに変わる掘削地の風景に私も驚きましたが、毎日巣を守っていたコチドリは、きっともっと驚いたことでしょうね。

一方で増水の場合はどうでしょう。第5章でもお話しした通り、増水はその規模にもよりますが、土砂を（ときに植物とともに）押し流し、削り、下流へと運び、この一連の作用によって河川の環境を上流から下流まで巻き込んで更新します。つまり、自然に起きた増水の影響は広範囲に及ぶのです。増水では、水の中の砂礫の状況や、魚類の重要な生息場所となる瀬や淵などの環境が刷新されるほか、増水で押し流されている間に、土砂は砂や礫など、大きさ別に分離され、地表に堆積します。そのうえで、礫のみの場所、砂のみの場所、またそれらが混合した場所な

図7-9　掘削地に営巣したコチドリの巣と卵（矢印）
（撮影：著者）

図7-10　掘削地に営巣したコチドリの巣と卵（矢印）：その後
季節が進むと巣の周りに草が茂ってきた。コチドリとしては思わぬ展開だろう。（撮影：著者）

ど、地表面に多様な環境をつくり出します。礫ばかりが堆積した場所では泥などがたまりにくく、特に植生の回復が遅い傾向がありました。また、水の中でも、たとえば水生昆虫の数が増水後は大きく減り、数の回復にはやはり掘削よりも長い時間がかかりました（**図7-11**）。つまり、増水の影響は長期間継続することがわかったのです。[*9] 自然の力の大きさを実感しますね。

もちろん自然の増水は、人間の都合のよい時期に生じるわけではないので、河川生態系の維持のためには人為的な河道掘削も必要なのですが、掘削にかかる費用は規模により莫大になることがあります。植物の回復速度によっては数年後に再度、もしくは何年かに一度の掘削事業を継続的に繰り返さなくてはいけないかもしれません。掘削を河川の複数の場所で継続的に行うとすれば、将来にわたって、いったいどれだけの費用が必要なのか、見当もつきません。金の切れ目が縁の切れ目、ということはさすがにないでしょうが、継続的に

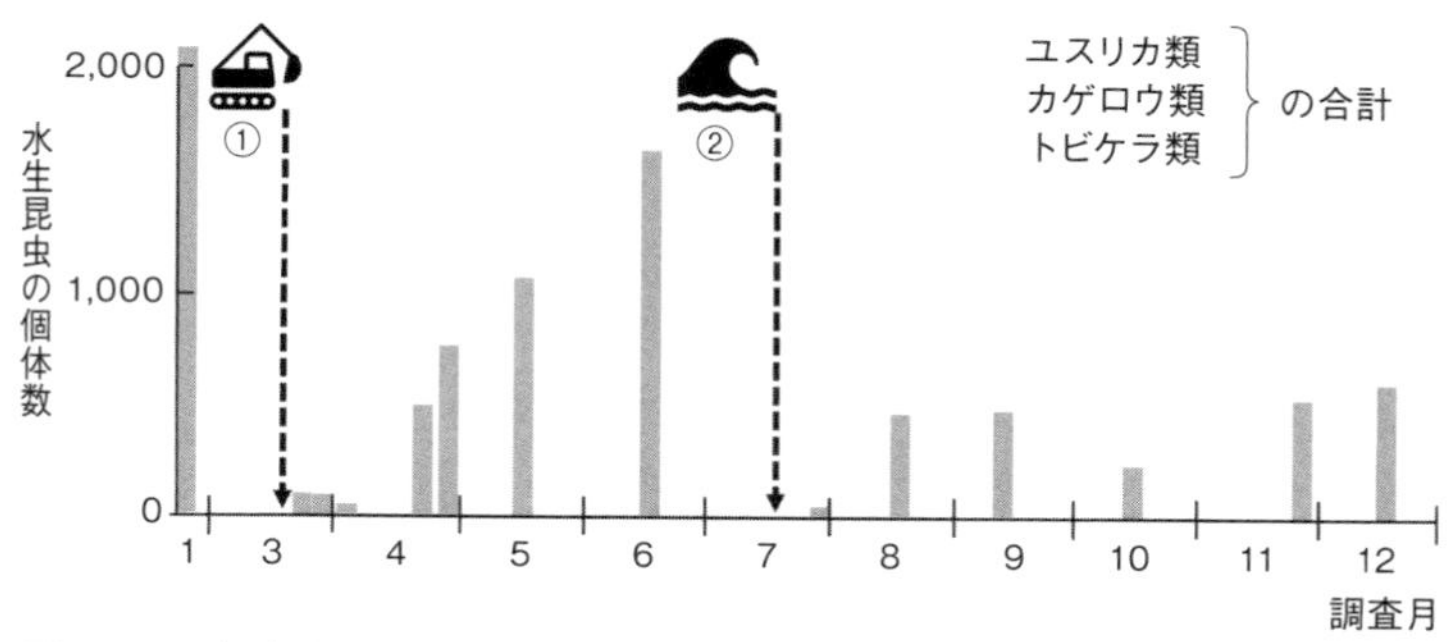

図 7-11　掘削後の水生昆虫の回復状況

掘削以前（1月）に個体数が多かったユスリカなどの水生昆虫は、2～3月の掘削（①）でいったん大きく減ったが、季節の進行とともに回復した。しかし7月の増水（②）後はなかなか回復しなかった。破線矢印は掘削の終了時期と増水の発生時期を示している。
（文献181より引用·改変）

必要な事業であれば、費用が抑えられた方が継続しやすいはずです。そこで、近年取り組まれているのが「千曲川らしさ」でもある、自然の増水の力を借りた自然再生です。増水が生じる時期は川任せではあるものの、生じた際にはその押し流す力の恩恵を受けられるように、掘削地の形状を工夫したのです。

増水の力を借りた河川の自然再生と維持

増水の恩恵を受けるためには、植物が生えている河川敷などが増水時に冠水し、ある程度の水の流れを受ける状況にする必要があります。そのために千曲川では、掘削時に水際を含め陸域の植物をすべて除去し、水面に向かって複数の段を造成しながら切り下げ（**図7-12**）、通常の水位の増減のなかでも冠水しやすい段をつくり出すという試みがされています。水に浸りやすい高さに地面を切り下げることで、春の雪解け水や梅雨、台風などによって生じる中小規模の増水に砂礫地を攪乱してもらい、陸生植物の繁茂を防いで砂礫地や水辺環境を維持することが狙いです。

現在の千曲川では、高水敷が冠水しづらくなっただけではなく、そこに繁茂する外来植物も問題視されています。外来植物はその成長の速さゆえに、なかなかに除去が難しいのですが、この掘削方法では、それらの分布拡大の抑制も期待できることがわ

＊9 千曲川での調査研究の成果　これらの成果は「千曲川らしさを求めて一生態系に配慮した川づくり一」として、インターネット上の国土交通省北陸地方整備局千曲川河川事務所のサイト内から閲覧可能。https://www.hrr.mlit.go.jp/chikuma/kankyo/kenkyukai/index.html

かりました。たとえば、冠水しやすい場所に生えたオオブタクサは、増水で倒れるとそのまま枯れてしまいます。一方で、そのような湿潤な場所には、もともとの河川環境に適応した植物が生育し、現在は希少とされる植物も含まれることがわかったのです。

ほかにも増水の力を利用する方法として、千曲川の広大な砂礫地内に水路を通し、増水時に水の流れをつくることで、撹乱される範囲を拡大する試みなども行われています[182]。このような自然との共存

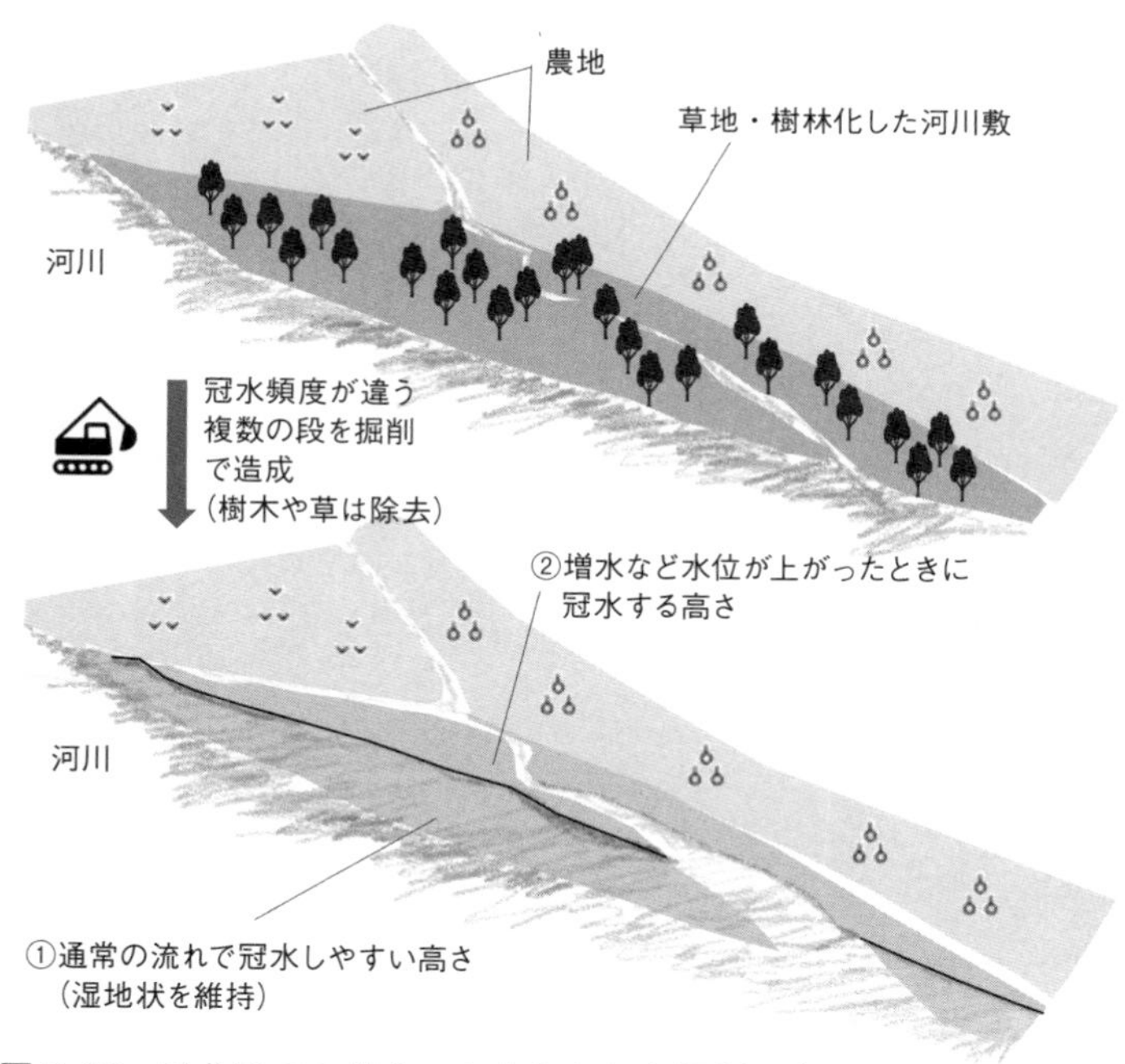

図 7-12　千曲川での増水の力を生かした掘削の事例

水辺に向かって複数の段を造成する。たとえば２段の場合、水際に近い方の段は、普段の流れでも冠水しやすい高さにし、もう１段は梅雨や台風の時の増水で（最低年１回）冠水する高さに造成する。これにより水際は湿地状になり、本来の水辺の植物が生育できるようになる。１段高い場所では、植物が年１回の増水で押し流され、砂礫地の維持が期待できる。
（文献180より引用·改変）

を前提とした河川管理の姿勢は、明治時代以降の川の流れを統制しようとする管理の姿勢から、再び河川の自然の流れと向き合う方向に変化しているようにも感じます。発展を続ける技術と蓄積される知識が、河川と人のつきあい方を時代を経て変えていく……改めて人と河川の長い歴史を感じますね。

生き物同士のつながり、河川間、環境間のつながり

千曲川を例に、生き物に配慮した川づくりや河川管理についてお話ししてきましたが、ここからは少し、私自身の、あくまで個人的な考えをお話ししていきたいと思います。

一般に、河川管理や河川の自然再生は、国や県などの行政が主導し、特定の河川や地域を対象に目標、たとえば目指す姿や求める環境を定めて実施されます。そして目標とした環境の指標になるような生き物（指標種）、もしくは保全対象となる生き物を決め、その生き物が生息可能な環境を考慮しながら環境整備が進められていきます。そう聞くと、「指標種に選ばれた特定の生き物だけが生息していればいいの？」と、

疑問に思われる方もいると思います。とても重要な疑問だと思います。

この疑問について、私はこう考えています。生き物が生き、世代をつないでいくためには、そのために必要な食物となる動植物、採食場所、天敵から身を隠す避難場所、子どもを育てるための営巣場所など、さまざまな環境が整っている必要があります。たとえばカワセミを指標種としたならば、営巣できる崖はもちろん、食物となる魚類が生育・生息できる瀬や淵環境を整えることが重要ですし、魚類の食物となる水生昆虫や藻類の生育環境も考慮しなくてはいけません。また、肉食性外来魚などによる、もともとの魚類相への影響を軽減する必要もあります。くわえて、指標種としたカワセミと食物や営巣場所が競合する種、たとえばヤマセミが近くにいる場合には、その種とのすみ分けや共存が可能な、多様な水環境や営巣環境、そして生物相を整えていく必要があるでしょう。

つまり、指標種がそこにすみ続けられるようにするには、その種が必要とする環境はもちろん、他の生き物との関係を理解することがとても重要です。その知見をもとに環境を整えることで、その種を取り巻く他の種の生存にも貢献できる可能性があります。生き物同士のつながりはとても複雑で、把握することは簡単ではありませんが、読み解いていくことで、生息する生き物たちの将来的な個体数減少の危険性を、少しでも減らすことにつながると考えています。

第6章でお話しした外来種の侵入や気候変動による増水の発生頻度の変化など、生き物を取り巻く環境は常に変化しています。個体数が急激に減ってからでは取り返しがつかない事態に発展してしまうかもしれません。それを考えれば、指標種をもとに自然再生をすることとあわせて、指標種もそうでない種も含めた、生き物同士のつながりや生態系内の種構成を定期的に調査し、評価することが求められると思います。

どの河川のどこにどんな生き物がいるのか、については、国土交通省（当時：建設省）が中心となって1990年代から定期的に実施されている河川水辺の国勢調査で調べられています。この調査は全国の一級水系[*10]および二級水系の主要な河川と一部のダム湖を対象に、底生生物から植物、鳥類、哺乳類など、さまざまな生き物を調査マニュアルに従った統一的な方法で調査・記録するものです。調査結果[*11]はインターネット上で誰でも閲覧することができます。

もともとは5年に1度の頻度、つまり5年で全国の対象河川などを一巡するように調査が実施されてきましたが、2006年以降に開始された4巡目からは、鳥類や植物などを含めた一部の生き物については、調査頻度[*12]が10年に1度に変更されています。費用が莫大にかかる調査なのは理解できますが、千曲川での生き物の変化を見ると、

＊10 一級水系と二級水系 国土の保全や国民の経済上重要な水系のことで、国が指定したものを一級水系、それ以外で都道府県が指定したものを二級水系という。
＊11 河川水辺の国勢調査結果 http://www.nilim.go.jp/lab/fbg/ksnkankyo/（河川環境データベース）
＊12 河川水辺の国勢調査の調査頻度 4巡目以降、調査頻度は、魚介類と底生生物、動植物プランクトンおよび河川環境基図作成で5年おき、植物、鳥類、両生類、爬虫類、哺乳類、陸上昆虫類などで10年おきとなった。

10年に1度の調査では少し心もとなく感じるのも確かです。とはいえ、調査頻度の低下を嘆いても仕方ありませんし、生き物同士のつながりを読み解くには、河川水辺の国勢調査とはまた違った、詳細な調査も必要です。地域の生き物が増えているのか、減っているのか、そして環境や他の生き物とどうかかわり合っているのかは、地域主体で継続的な調査を行い、情報を蓄積していくことが重要だと考えています。

もう1つ今後考えていく必要があると感じているのが、河川間、環境間のつながりです。鳥類は環境指標によく選ばれますが、同時に鳥類の大きな特徴の1つである、飛ぶことによって、地域や県、ときに国をまたぐような大きな移動をし、複数の環境や地域を利用して生活するという生態は、鳥類を指標とした場合の現在の河川管理に、課題を投げかけているように感じます。たとえば、1つの河川で、ある鳥を指標種として自然再生をしたとしても、その鳥が、季節によって長距離を移動し、たとえば繁殖期と越冬期で生息する河川、いっそ環境を変えるような種であったらどうでしょうか。移動先で好ましい環境が減少していたら、うまく子どもを残せなかったり、生き残れないかもしれません。そうなると、せっかく自然再生をした、もとの河川にも帰ってこられなくなるかもしれません。このような種では、繁殖地と越冬地のつながり（連結性）をよい状態で維持していくことが必要です。そのつながりには移動途中の中継地も含まれます。移動する鳥たちが立ち寄る場所や地域、そしてそこの環境や生態系を包括的に整えていく必要があると思っています。近年耳にするようになった、生態系ネットワーク[*13]の考え方に近いかもしれません。

この連結性を考慮しないでいると、鳥類を意識して自然再生をしたはずの河川でも、対象とした鳥の数などが増えないことで「自然再生がうまくいっていない」という評価をされてしまうかもしれません。移動する鳥といえば真っ先に国境を越えて移動するツバメやハクチョウの仲間のような渡り鳥が思い浮かびますが、日本国内を季節的に移動している種も数多くいます。国内の河川の連結性や季節による利用環境の変化について検討するために、河川に生息する鳥類の移動について、現在研究を進めているところです。移動を調べるためには、対象種を捕獲して標識を行ったり、発信機を装着する必要も出てくるでしょう。どうしても生き物に負担をかけてしまう場合があります。試行錯誤しながらも、彼らに負担を強いた分を埋め合わせできるような成果を挙げなくては……そう考えています。

＊13 生態系ネットワーク　野生生物の生息・生育空間の確保などを通して、人と自然の共生や生物多様性を保全・再生するために、保全すべき自然環境や原生的な自然環境などの重要な地域を核として、これらを生態的なまとまりを考慮しながら、有機的につないだもの。ネットワークは地理的に連続している場合とともに、渡り鳥の飛来地のように地理的に連続していない場合も含まれる。

河川の生き物と人とのつきあい方

環境の整備以外にも、河川の生き物があり続けるために必要なことがあります。第5章でヤマセミを例にお話しした通り、河川で繁殖する鳥たちは、人間のレクリエーションによっても影響を受けています。特に都市河川では、人と川とのつきあい方が重要になってくると考えています。

河川が身近にある地域では、住民にとって川が非常に重要な憩いの場になっていることがあります。これまで長野県以外にも、関東や東北、北海道で河川を見てきましたが、都市を流れる河川では、特にその傾向が強いように感じました（若干偏見もあるかもしれません）。関東の河川では、週末に河原に車を乗り入れ、天幕を張り、友人同士や家族でバーベキューをしたり、賑やかに川遊びをしたりする姿をよく見かけます（**図7−13**）。川に親しむのはとてもよいことだと思いますが、その足元にはコチドリやイカルチドリなどの巣や卵があって、釣りを楽しんでいるその背後の崖にはカワセミの巣穴が、そして少し上流に足を踏み入れれば、ヤマセミの採食場所や巣穴もあるかもしれません。特に警戒心の強い種にとって、長時間の攪乱は生息を脅かす主要な要因となりえます。

河川での人間活動を否定しているのではありません。川を楽しむ人たちからすれば、自分の存在がそこで生活している生き物に影響しうるなんて思ってもみないことだと思います。生き物と人との間の目に見えない摩擦が生じてしまう残念な背景の1つには、河川の崖や砂礫地といった、一見、生き物の生活を感じさせない環境に、鳥たちが日々暮らしていることを知る人が少ない可能性が考えられます。第5章の釣り人と同じです。鳥といえば高らかにさえずり、その声は緑の木々の梢から降ってくるもの、そして鳥たちの巣は木の上にあるもの、そういうイメージもあるのかもしれません。そのような人たちからすれば、砂礫地を背景にした隠蔽度の高い巣や、翡翠色の美しいカワセミが土崖に穴を掘って子育てをしていることなどは、想像しづらくとも不思議ではありません。

河川と結びつきの強い生き物の存在と、彼らの必要とする環境を知ることで、同じ河川という環境を共有する生き物同士として身近な存在になれば、人間同士のご近所づきあいと同じように、配慮する気持ちを抱いてもらえるのではないか、そう期待しています。

図 7-13　水辺で楽しむ人々

水辺に親しむのはとても楽しい。そこで暮らすさまざまな生き物の存在を知り、配慮の気持ちを持っていただけたら言うことなし……かも。（撮影：著者）

おわりに

私が河川の鳥類の研究を始めたきっかけは、河川で暮らす鳥たちがどのように日々を過ごし、生きているのかを知りたいと思ったからでした。純粋に生態を調べる楽しさと同時に、彼らの生活には人間活動が大きく影響していることを強く感じてきました。カワセミが採食する魚類に変化が生じ、それが河川の魚類相と関連している可能性がわかったときには、生き物同士の深いつながりが河川環境の変化に大きな影響を受けることを改めて実感しました。上流から下流への広がりと連続性をもつ、自然豊かな河川環境での調査を通して見えてきたものは、河川と人間社会とのつながり、生き物同士のつながり、そしてそれらを維持するための、人と野生の生き物の折り合う点を探る重要性と難しさでした。これは、今も感じています。とはいえ、生物多様性の重要性や価値が広く認識されてきた現在、身近な自然や生き物への関心はますます高まっているように思います。

鳥たちで賑わい、さまざまな生き物の生活を支える河川

河川には鳥類以外の生き物もたくさん生息している。それらのつながりを理解することが、川と人とのつきあいには必要だろう。（イラスト:井川 洋氏）

一研究者として、今後も研究を続け、河川にかかわる皆さんと連携して結果を検討し続けること、そして社会の多くの人々へ河川の生き物の生き様を知らせていくことで、人にとっても生き物にとっても、やさしい河川環境の形成と維持に、少しでも貢献していくことができたらと思います。

カワセミ こぼればなし❻

カワセミは漁業に影響を与えるか

第5章でもお話ししましたが、魚食性鳥類のなかには、漁業者との間にあつれきが生じてしまう種もいます。では、カワセミはどうでしょうか。山階芳麿侯爵が昭和16年に著した『日本の鳥類と其生態』（本書で参照したのは復刻版）では、養魚場の稚魚や、放流したマスやサケの稚魚を奪う害鳥として記述されていました。[65] 近年でも養殖業者によって殺されたり巣を壊されてしまう事例が、海外で報告されています。[42]

２０１０年代のイギリスに、カワセミによる捕食が、タイセイヨウサケの個体群に影響するかについて、詳しく研究した事例がありました[183]。

タイセイヨウサケは、ヨーロッパや北アメリカを中心に生息しており、別名アトランティックサーモンと呼ばれます。サケ類のなかでも比較的大型で、成魚の中には90〜１１０㎝になるものもいます[184]。食用魚としてもたいへん有名です。皆さんもお店などで見かけたことがあるのではないでしょうか。しかし、この食用として取引されているアトランティックサーモンは多くが養殖されたものです。野生個体はどこの国でも生息数の著しい減少が懸念されています。

タイセイヨウサケは日本の本州でよく見られるシロザケや北海道でヒグマが豪快に狩っているカラフトマスと同じように、秋になると生まれた川に遡上して産卵します。稚魚は孵化したのち、河川に1年もしくはそれ以上の期間滞在してから海に降り、海でさらに1年〜数年過ごしたのち産卵のために戻ってきます。このように河川と海を行き来することから、産卵する成魚が遡上しやすいように、河川には魚道（ぎょどう）*14（**図7-14**）が設置され、産卵や孵化に適した産卵床*15が整備されるなど、保全活動が盛んに行われています。

カワセミの体長は約17㎝ですから、体長の何倍もある大きな成魚を狩ること

＊**14 魚道**　河川や湖でダムや堰があると、水の中に位置するコンクリートなどの構造物によって、水の流れに大きな落差が生じる。落差が大きいと魚などの水中の生き物が下流から上流に遡上できなくなるので、この影響を軽減するためにつくられた魚の通り道となる構造物を魚道という。形状はさまざまで、階段式（**図7-14**）のほか、アイスハーバー式、バーチカルスロット式、緩勾配式などがある。どれにも長所、短所があり、導入の際には十分な検討が必要。

はできませんが、孵化して1年未満の全長約3～12㎝程度の幼魚は、カワセミが巣内のヒナに運ぶ魚の大きさに一致しており、十分食物となりそうです（詳しくは第3章参照）。さまざまな国で調べられてきたカワセミの食物のなかにもサケ科魚類はよく見られます。カワセミをはじめとした捕食者の影響を考えてみましょう。タイセイヨウサケが故郷の河川に戻ってきて産卵しても、稚魚や幼魚の期間に捕食される数が多いと海に降りる数が少なくなってしまいます。海に降りた後も、鳥を含めさまざまな生き物から捕食される危険とは常に隣り合わせであり、産卵可能な成魚に成長するまでにも仲間の数は減っていきます。つまり、海に降りる数が減るということは、数年後に河川に戻ってくる数も減少してしまう可能性が高いといえます。

さて、カワセミがタイセイヨウサケの孵化後1年未満の幼魚に与えうる捕

図 7-14　魚道の一例（階段式魚道）
（撮影：著者）

＊15 産卵床　魚などが卵を産む場所のことで、水温、水深、流速、礫の大きさなど、種によって好む環境が異なる。

食の影響ついて調査が行われたのは、イギリス南部の河川です。調査では、河川沿い50㎞ほどを探して見つけたカワセミの巣から育雛期後にペリットを集め、食べられている魚の種類を調べていました。また、夜明けから日暮れまでのビデオ撮影を行って、親鳥がヒナに食物を運んだ回数を調べ、さらに、カワセミが繁殖している河川に生息するタイセイヨウサケの幼魚の数も推定して比較していました。さて、結果はどうだったのでしょうか。

5巣のカワセミの巣のペリット分析をしたところ、最も多かったのはコイ科の小魚で、41〜58%を占めました。また、カジカの仲間やイトヨなども約8〜30%を占め、その地域のカワセミの子育てに重要な魚であることがわかりました。一方で、タイセイヨウサケの幼魚は、0〜6・6%と、食物に占める割合は巣間でばらつきがあったものの、親鳥がヒナに与えるために捕食する頻度は、ほかの魚と比べても低そうだ、という結果が得られました。ヒナに与えられたタイセイヨウサケの幼魚の大きさは7〜9㎝のものが多かったそうです。ビデオ撮影から、1日に親鳥が運ぶ食物の回数は平均で約63回だったこともわかりました。単純に計算すると、25日の育雛期間を通して約1600個体が食物としてヒナに与えられることとなります（このイギリス南部の研究では育雛期間を25日と定義していました。第3章で紹介した研究とは日数が異なりますが、繁殖期間の個体差や地域差をもとに、研究者によって定義する育雛期間が異なることは珍しくありません)。カワセミが年間に平均2・2回繁殖を行うと仮定すると、親鳥が運ぶ食物の合計数は約3500個体、そのうち最大6・6%がタイセイヨウサケの幼魚だったとすると、カワセミの子育てのために消費されるのは、約230個体と算出されます。

では、カワセミによってとられるタイセイヨウサケの幼魚の数は、調査地の河川にいるタイセイヨウサケの幼魚全体から見るとどれだけを占めているのでしょうか。9月に計算された幼魚の数はおおよそ5万8400〜6万9400個体で、カワセミの巣がよく見られた50㎞の範囲にはおおよそ502〜552個体の幼魚がいると推定されました。これは幼魚全体の0・08〜0・8%と、1%にも満たない個体数です。また、第3章でお話しした通り、ヒナに運ばれる食物の数は育雛の時期によって異なりますから、先ほど推定された約230個体という消費量はやや過大評価といえます。この研究を行ったイギリスの研究者もそのことに触れており、実際の影響はさらに少なく、無視できる程度のものといえる、と述べていました。カワセミが育雛のためにタイセイヨウサケの幼魚をとらえても、この魚の個体数全体には大きく影響しない、と結論づけたのです。

このように被害量を具体的な数値として推定することは、魚食性鳥類による魚類への影響を可視化し、対策や共存を考えるうえで重要です。今回のカワセミの研究事例のように、人間の漁業とカワセミの間にはあつれきが生じることはなさそうだ、という結果であればとても平和ですが、影響が大きいと判断された場合には、関連する産業や従事者からその鳥が害鳥とみなされてしまうなど不穏な問題を引き起こします。ここで注意したいのは、被害量として推定される数値は、他の魚種の数や環境変化の影響を受け、そのときどきでも変化するものだということです。もしも研究背景や算出根拠を置き去りに、数値だけがたいへん注目を浴びて、ひとり歩きしてしまったらどうなるでしょうか。たとえばその鳥が人間から害鳥とみなされた場合、長期間にわたって駆除などの管理対象として扱われ、個体数や繁殖にも影響が生じるでしょう。人間社会や産業とあつれきを生じさせる鳥類の存在は確かにあり、双方の共存のために対策が急務な事例は数多くあります。それを踏まえたうえでも、個人的には、生き物が人間社会に与える影響を具合的な数値として示すことは、常に慎重に行われるべきだと考えています。

もう15年近く前のこと、千曲川で漁業者の方にカワセミやヤマセミについてお聞きしたことがありますが、対応は寛容なものでした。「カワセミは大した量をもっていかないから気にしていないし、ヤマセミは珍しいからね」とのことで、魚を食べる鳥類がいても、とりすぎでなければいい、ということでした。漁業者の対応は、神保賢一路さんの著書『ヤマセミの暮らし』[120]（文一総合出版）でも記述があり、養魚場の方はヤマセミに対して寛容だったそうです。人間によるとりすぎ、いわゆる乱獲も問題ですが、現在は乱獲で生じる弊害も認識され、漁業に携わる方々のなかでの管理体制の必要性も広く普及しています。鳥たちと人の間にあつれきが生じることなく利用できる河川、それは言い換えれば魚が豊かな河川といえるかもしれません。全国的に湖や河川の魚は減少していると言われています。鳥たちの研究をするとき、彼らを取り巻く環境や他の生き物との関係の理解も同時に必要になります。それらの理解を深めることは、鳥たちの賑わいとさまざまな生き物の命を支えている、河川環境の変化を理解することにつながります。河川での鳥たちの現状や今後を考え、人間との関係を検討していくうえで、それはとても重要なことだと考えています。

175) Patten DT & Harpman DA, et al.: A managed flood on the Colorado River: background, objectives, design, and implementation. *Ecol Appl*, 11(3), 635-643 (2001)
176) Dynesius M & Nilsson C: Fragmentation and flow regulation of river systems in the northern third of the world. *Science*, 266(5186), 753-762 (1994)
177) 沖野外輝夫 & 河川生態学術研究会千曲川研究グループ(著): 洪水がつくる川の自然—千曲川河川生態学術研究から. 信濃毎日新聞社, 長野 (2006)
178) 国土交通省北陸地方整備局千曲川河川事務所: 千曲川らしさを求めて—生態系に配慮した川づくり〔研究成果パンフレット〕. 河川生態学術研究会千曲川研究グループ. (2008) 〈https://www.hrr.mlit.go.jp/chikuma/kankyo/kenkyukai/imgs/chikumarashisa.pdf〉 2023年1月20日参照
179) 国土交通省北陸地方整備局千曲川河川事務所: River Ecosystem－河川生態系の基礎知識. 河川生態学術研究会千曲川研究グループ. 〈https://www.hrr.mlit.go.jp/chikuma/kankyo/kiso/imgs/seitaikei.pdf〉 2023年1月20日参照
180) 楯 慎一郎 & 小林 稔ら: 千曲川粟佐地区の試験的河道掘削に関する研究. リバーフロント研究所報告, 18, 15-24 (2007)
181) 河川生態学術研究会千曲川研究グループ: 千曲川の総合研究Ⅱ－粟佐地区の試験的河道掘削に関する研究－. (2008)
182) 国土交通省北陸地方整備局千曲川河川事務所: 第4回千曲川中流域砂礫河原保全再生検討会－平成27年度の砂礫河原再生箇所について (2015) 〈https://www.hrr.mlit.go.jp/chikuma/kankyo/saiseikentoukai/4thpdf/4.pdf〉 2023年1月20日参照
183) Vilches A & Arizaga J, et al.: Impact of Common Kingfisher on a salmon population during the nestling period in southern England. *Knowl Manag Aquat Ecosyst*, 410, 03 (2013)
184) Reid JE & Chaput G: Spawning history influence on fecundity, egg size, and egg survival of Atlantic salmon (*Salmo salar*) from the Miramichi River, New Brunswick, Canada. *ICES J Mar Sci*, 69(9), 1678-1685 (2012)

参考文献

1) 山岸 哲 & 森岡弘之ら(監): 鳥類学辞典. 昭和堂, 京都 (2004)
2) Čech P (ed): *Proceedings from the III International Symposium － Common Kingfisher (Alcedo atthis), its Conservation and Research*. Czech Union for Nature Conservation, Vlašim (2017)
3) Chandler D: *RSPB Spotlight Kingfishers*. Bloomsbury Publishing, London (2017)
4) 大西敏一: 世界のカワセミハンドブック. 文一総合出版, 東京 (2015)
5) 上田恵介 & 笠原里恵: 世界の美しいカワセミ. パイインターナショナル, 東京 (2015)
6) 三浦勝子: 気分はカワセミ. 平凡社, 東京 (1993)
7) 中林光生: 柳林のヤマセミたち. 渓水社, 広島 (2020)
8) 神保健次: ヤマセミの四季—珍鳥の観察記録. 神奈川新聞社, 横浜 (1987)
9) 中村光生: あるナチュラリストのロマンス—太田川に遊ぶ1975年～2007年の記録. メディクス, 広島 (2007)

debris. *Mar Pollut Bull*, 69(1-2), 206-214 (2013)
156) Azzarello MY & Van Vleet ES: Marine birds and plastic pollution. *Mar Ecol Prog Ser*, 37, 295-303 (1987)
157) Wilcox C & Van Sebille, et al.: Threat of plastic pollution to seabirds is global, pervasive, and increasing. *PNAS*, 112(38), 11899-11904 (2015)
158) Savoca MS & Wohlfeil ME, et al.: Marine plastic debris emits a keystone infochemical for olfactory foraging seabirds. *Sci Adv*, 2(11), e1600395 (2016)
159) Blettler MCM & Mitchell C: Dangerous traps: Macroplastic encounters affecting freshwater and terrestrial wildlife. *Sci Total Environ*, 798, 149317 (2021)
160) 高田秀重: 海洋プラスチック汚染とその対策. 学術の動向, 24(10), 44-48 (2019)
161) Winkler A & Nessi A, et al.: Occurrence of microplastics in pellets from the common kingfisher (*Alcedo atthis*) along the Ticino River, North Italy. *Environ Sci Pollut Res*, 27(33), 41731-41739 (2020)
162) Brookson CB & De Solla SR, et al.: Microplastics in the diet of nestling double-crested cormorants (*Phalacrocorax auritus*), an obligate piscivore in a freshwater ecosystem. *Can J Fish Aquat Sci*, 76(11), 2156-2163 (2019)
163) Botterell ZL & Beaumont N, et al.: Bioavailability and effects of microplastics on marine zooplankton: A review. *Environ Pollut*, 245, 98-110 (2019)
164) MacArthur DE & Waughray, et al.: *The New Plastics Economy, Rethinking the Future of Plastics*. In World Economic Forum (2016)
165) Wu JP & Peng Y, et al.: Contaminant-related oxidative distress in common kingfisher (*Alcedo atthis*) breeding at an e-waste site in South China. *Environ Res*, 182, 109079 (2020)
166) Peris SJ & Rodriguez R: A survey of the Eurasian Kingfisher (*Alcedo atthis*) and its relationship with watercourses quality. *Folia Zool*, 46(1), 33-42 (1997)
167) Vilches A & Miranda R, et al.: Habitat selection by breeding Common Kingfishers (*Alcedo atthis* L.) in rivers from Northern Iberia. *Ann Limnol-Int J Lim*, 48(3), 289-294 (2012)
168) Ormerod SJ & Tyler SJ, et al.: Censussing distribution and population of birds along upland rivers using measured ringing effort: A preliminary study. *Ring Migr*, 9(2), 71-82 (1988)

第7章

169) 国土交通省東北地方整備局 山形河川国道事務所: 最上川水防災河川学習プログラム ③ -3 〈https://www.thr.mlit.go.jp/yamagata/river/education/flow.html〉 2023年1月20日参照
170) 国土交通省国土技術政策総合研究所: 用語集〜川のことば〜「霞堤(かすみてい)」 〈http://www.nilim.go.jp/lab/rcg/newhp/yougo/words/008/html/008_main.html〉 2023年1月20日参照
171) 末次忠司: 江戸時代の水管理技術. 水利科学, 61(5), 41-52 (2017)
172) 末次忠司: 明治時代の水管理技術. 水利科学, 61(6), 76-88 (2018)
173) 末次忠司: 戦後から昭和末期までの水管理技術. 水利科学, 63(5), 1-16 (2019)
174) 祖田亮次 & 柚洞一央: 多自然川づくりとは何だったのか? *E-journal GEO*, 7(2), 147-157 (2012)

第6章

136） 松田道生: 減少する東京のカワセミ. 野鳥, 36, 300-305（1971）
137） 金子凱彦: たくましい適応力で都心に復活－カワセミ. 週刊朝日百科 動物たちの地球27 鳥類II 3カワセミ・ハチクイほか, 74-77（1991）
138） 黒田長久 & 米田重玄: 皇居内の鳥類 10 年間の調査（1965年4月～1975 年3月）. 山階鳥研報, 15(3), 177-333（1983）
139） 紀宮清子 & 鹿野谷幸栄ら: 赤坂御用地におけるカワセミの繁殖. 山階鳥研報, 23(1), 1-5（1991）
140） 平野敏明: 都市公園におけるササゴイの繁殖成績と営巣樹種の変化. *Bird Res*, 16, A25-A37（2020）
141） 植田睦之 & 植村慎吾（執筆）: 全国鳥類繁殖分布調査報告 日本の鳥の今を描こう 2016-2021年. 鳥類繁殖分布調査会, 東京（2021）〈https://www.bird-atlas.jp/news/bbs2016-21.pdf〉2023年1月20日参照
142） 国立研究開発法人国立環境研究所: 侵入生物データベース 〈https://www.nies.go.jp/biodiversity/invasive/category.html〉2023年1月20日参照
143） 淀 太我 & 井口恵一朗: 長野県青木湖と野尻湖におけるコクチバスの食性. 魚類学雑誌, 50(1), 47-54（2003）
144） 淀 太我 & 井口恵一朗: 長野県農具川における外来魚コクチバスの食性. 水産増殖, 52(4), 395-400（2004）
145） 淀 太我, & 井口恵一朗: 外来種コクチバスの河川内繁殖の確認. 水産増殖, 51(1), 31-34（2003）
146） 中村智幸 & 片野 修ら: コクチバスとオオクチバスの成長における流水と水温の影響. 日水誌, 70(5), 745-749（2004）
147） 片野 修 & 中村智幸ら: 長野県浦野川における魚類の種組成と食物関係. 日水誌, 70(6), 902-909（2004）
148） 片野 修: 侵略的外来魚の分布をこれ以上拡大させないためになすべきこと. 日本水産学会誌, 78(5), 997-1000（2012）
149） Wanink JH & Goudswaard K: Effects of Nile perch（*Lates niloticus*）introduction into Lake Victoria, East Africa, on the diet of Pied Kingfishers（*Ceryle rudis*）. *Hydrobiologia*, 279, 367-376（1994）
150） 気象庁: IPCC 第5評価報告書統合報告書政策決定者向け要約（IPCC 第5次評価報告書 第1作業部会報告書 政策決定者向け要約）（2015）〈https://www.env.go.jp/earth/ipcc/5th〉2023年1月20日参照
151） Seebacher F & Post E: Climate change impacts on animal migration. *Climate Change Responses*, 2, 1-2（2015）
152） 国土交通省北陸地方整備局: 令和元年10月台風第19号出水概要報告（2020）〈https://www.hrr.mlit.go.jp/shinage/shinano-plan/ryuiki/ryuiki/2kai/s-1.pdf〉2023年1月20日参照
153） Hoegh-Guldberg O & Jacob D, et al.: Impacts of 1.5°C Global Warming on Natural and Human Systems. In: *Global Warming of 15 °C An IPCC Special Report*（Masson-Delmotte V, Zhai P, et al.,eds）. Cambridge University Press, Cambridge, New York,（2018）, doi:10.1017/9781009157940.005
154） Tarpley RJ & Marwitz S: Plastic debris ingestion by cetaceans along the Texas coast: two case reports. *Aquat Mamm*, 19(2), 93-98（1993）
155） De Stephanis R, Giménez J, et al.: As main meal for sperm whales: plastics

116) 石部 久: ヤマセミ. 日本動物大百科〈第4巻〉鳥類2(樋口広芳 & 森岡弘之ら 著, 日髙敏隆 編). 平凡社, 東京 (1997)
117) 神保健次 & 新保 忍ら: 日向川下流域に生息するヤマセミの観察(2)—ヤマセミのエソグラムについて—. 神奈川県立自然保護センター調査研究報告, 2, 1-6 (1985)
118) Brown RS & Hubert WA, et al.: A primer on winter, ice, and fish: what fisheries biologists should know about winter ice processes and stream-dwelling fish. *Fisheries*, 36(1), 8-26 (2011)
119) 井上 聡 & 石城謙吉: 冬期の河川におけるヤマメの生態. 陸水学雑誌, 29(2), 27-36 (1968)
120) 神保賢一路: ヤマセミの暮らし. 文一総合出版, 東京 (1997)
121) 石部 久: ヤマセミの飛ぶ渓谷—まぼろしの生態を科学する. 大日本図書, 東京 (1985)
122) 滝沢和彦: ヤマセミの食べる鳥. 週刊朝日百科 動物たちの地球27 鳥類II 3カワセミ・ハチクイほか, 70 (1991)
123) 森誠一&名越誠: オイカワ. 山溪カラー名鑑 改訂版 日本の淡水魚(川那部浩哉 & 水野信彦ら 編・監). 山と渓谷社, 東京 (2001)
124) 酒井治己: ウグイ. 山溪カラー名鑑 改訂版 日本の淡水魚(川那部浩哉 & 水野信彦ら 編・監). 山と渓谷社, 東京 (2001)
125) 国土交通省国土技術政策総合研究所: 河川用語集～川のことば～「瀬・淵(せ・ふち)」〈http://www.nilim.go.jp/lab/rcg/newhp/link/yougo/words/052/052.html〉 2023年1月20日参照
126) 萱場祐一: 河川環境について. 河川生態学(川那部浩哉 & 水野信彦 監, 中村太士 編). 講談社, 東京 (2013)
127) Renila R & Bobika VK, et al.: Hunting behavior and feeding success of three sympatric kingfishers' species in two adjacent wetlands in Southwestern India. *Proc Zool Soc*, 73(4), 392-399 (2020)
128) Chodacki GD & Skipper BR: Partitioning of foraging habitat by three kingfishers (Alcedinidae: Cerylinae) along the South Llano River, Texas, USA. *Waterbirds*, 42(2), 231-236 (2019)
129) 神保健次 & 新保 忍ら: 日向川下流域に生息するヤマセミの観察(3)—ヤマセミとその他の鳥との関係—. 神奈川県立自然保護センター調査研究報告, 3, 13-18 (1986)
130) 神保健次 & 新保 忍ら: 日向川下流域に生息するヤマセミの観察. 神奈川県立自然保護センター調査研究報告, 1, 15-19 (1984)
131) 笠原里恵 & 加藤和弘: ヤマセミ *Ceryle lugubris* の育雛に釣り人の存在が与える影響. 日鳥学誌, 56(1), 51-57 (2007)
132) 落合謙爾: 水鳥の鉛中毒症. 日本野生動物医学会誌, 1(2), 55-69 (1996)
133) 柳井徳磨 & 尾崎文子ら: 鳥類における鉛中毒症. 日野生動物医会誌, 12(1), 41-49 (2007)
134) 川内 博: 大都会を生きる野鳥たち－都市鳥が語るヒト・街・緑・水－. 地人書館, 東京 (1997)
135) 国土交通省北海道開発局札幌開発建設部: 90カワセミ営巣ブロック.〈https://www.hkd.mlit.go.jp/sp/kasen_keikaku/kluhh40000001cpr.html#s1〉 2023年1月20日参照

第5章

95）地質調査総合センター：絵で見る地球科学－泥・砂・礫の区分．〈https://gbank.gsj.jp/geowords/picture/illust/mud_sand_gravel.html〉2023年1月20日参照
96）Wiersma P & Kirwan GM, et al.: Little Ringed Plover（*Charadrius dubius*）, version 1.0. In *Birds of the World*（del Hoyo J & Elliott A, et al., eds）. Cornell Lab of Ornithology, Ithaca（2020）
97）内田 博：バードリサーチ生態図鑑 イカルチドリ．バードリサーチニュースレター 2007年6月（2007）
98）内田 博：日本産鳥類の卵と巣．まつやま書房，東松山市（2019）
99）Colwell MA & Haig SM（eds）: *The Population Ecology and Conservation of Charadrius Plovers*. CRC Press, Boca Raton（2019）.
100）西海 功：バードリサーチ生態図鑑 オオヨシキリ．バードリサーチニュースレター 2007年8月（2007）
101）樋口広芳：ササゴイ．日本動物大百科〈第3巻〉鳥類1（樋口広芳 & 森岡弘之 著，日高敏隆 編）．平凡社，東京（1996）
102）黒沢令子 & 樋口広芳：ササゴイ *Ardeola striata* のまき餌漁の種類とみられる地域の特性．*Strix*, 12, 1-21（1993）
103）Higuchi H: Bait-fishing by the Green-backed Heron *Ardeola striata* in Japan. *Ibis*, 128, 285-290（1986）
104）仁部富之助：野の鳥の生態1．大修館書店，東京（1979）
105）Nota Y: Sexual size dimorphism of the Littke Egret *Egretta garzetta*. *Jpn J Ornithol*, 49, 51-54（2000）
106）井上良和：コサギ．日本動物大百科〈第3巻〉鳥類1（樋口広芳 & 森岡弘之 著，日高敏隆 編）．平凡社，東京（1996）
107）坪島 遊：コサギ *Egretta garzetta* によるくちばしを疑似餌とした採食行動．*Strix*, 13, 221-223（1994）
108）濱尾章二 & 井田俊明ら：サギ類の餌生物を誘引・撹乱する採食行動－波紋をつくる漁法を中心に．*Strix*, 23, 91-104（2005）
109）浜口哲一：アオサギ．日本動物大百科〈第3巻〉鳥類1（樋口広芳 & 森岡弘之 著，日高敏隆 編）．平凡社，東京（1996）
110）Martínez-Vilalta A & Motis A, et al.: Gray Heron（*Ardea cinerea*）, version 1.0. In *Birds of the World*（del Hoyo J & Elliott A, et al., eds）. Cornell Lab of Ornithology, Ithaca（2020）
111）福田道雄：カワウ．日本動物大百科〈第3巻〉鳥類1（樋口広芳 & 森岡弘之 著，日高敏隆 編）．平凡社，東京（1996）
112）亀田佳代子 & 松原健司ら：カワウの基礎研究と応用研究 日本におけるカワウの食性と採食場所選択．日鳥学誌，51(1)，12-28（2002）
113）本田裕子：カワウと住民との共生の実態（研究ノート）－愛知県知多郡美浜町上野間鵜の山の事例から．林業経済，61(6)，1-11（2008）
114）Kazama K & Murano H, et al.: Input of seabird-derived nitrogen into rice-paddy fields near a breeding/roosting colony of the Great Cormorant（*Phalacrocorax carbo*）, and its effects on wild grass. *Appl Geochem*, 28, 128-134（2013）
115）遠藤公男：ミサゴ．日本動物大百科〈第3巻〉鳥類1（樋口広芳 & 森岡弘之 著，日高敏隆 編）．平凡社，東京（1996）

77) Nessi A & Balestrieri A, et al: Kingfisher (*Alcedo atthis*) diet and prey selection as assessed by the analysis of pellets collected under resting sites (River Ticino, north Italy). *Aquat Ecol*, 55(1), 135-147 (2021)
78) Čech M & Čech P: Non-fish prey in the diet of an exclusive fish-eater: the Common Kingfisher *Alcedo atthis*. *Bird Study*, 62(4), 457-465 (2015)
79) Čech M & Čech P: Potrava ledňáčka říčního (*Alcedo atthis*) v závislosti na typu obývaného prostředí: shrnutí výsledků z České republiky. *Sylvia*, 47, 33-47(2011)
80) 河合直樹: 清流へのダイビング―カワセミ―. 野鳥の生活〈続々〉(羽田健三 監). 築地書館, 東京 (1985)
81) 加藤ななえ: カワウのほん―共生ってなんだろう―認定NPO法人バードリサーチ〈http://www.bird-research.jp/1_katsudo/kawau/kawaunohons.pdf〉2023年 1月20日参照

第4章

82) 水田 拓 & 尾崎 清明ら: 日本の鳥類標識調査―その意義と今後の展望. 山階鳥学誌, 54(1), 71-102 (2022)
83) 環境省 自然環境局 生物多様性センター: 鳥類アトラスWEB版(鳥類標識調査 回収記録データ)〈https://www.biodic.go.jp/birdRinging/〉2023年 1 月20日参照
84) Libois R: Migration et déplacements du martin-pêcheur (*Alcedo atthis*) en Europe. *Aves*, 48(2), 65-86 (2011)
85) Martín JA & Pérez A: Movimientos del Martín Pescador (*Alcedo atthis, L.*) en España. *Ardeola*, 37(1), 13-18 (1990)
86) Romero-Suances R: Presence of Common Kingfisher on the coast: the potential importance of shrimp as prey in marine habitats. *Ardea*, 109(2), 258-264 (2021)
87) Mougeot F & Rodríguez Ramiro J: Commensal association of the common kingfisher with foraging Eurasian otters. *Ethology*, 125(12), 965-971 (2019)
88) Rubáčová L & Čech P, et al.: The effect of age, sex and winter severity on return rates and apparent survival in the Common Kingfisher *Alcedo atthis*. *Ardea*, 109(1), 15-25 (2021)
89) Uemura S & Hamachi A, et al.: First tracking of post-breeding migration of the Ruddy Kingfisher *Halcyon coromanda* by GPS data logger. *Ornithol Sci*, 18(2), 215-219 (2019)
90) Libois R & Libois F: Causes de mortalités et survie du Martin-pêcheur *Alcedo atthis* en Europe. *Aves*, 50, 65-79 (2013)
91) Fransson T & Kolehmainen T, et al.: 2010, EURING list of longevity records for European birds〈https://euring.org/data-and-codes/longevity-list〉2023年 1 月20日参照(Longevity list April 2017〈https://euring.org/files/documents/EURING_longevity_list_20170405.pdf〉を併せて参照)
92) 吉安京子 & 森本 元ら: 鳥類標識調査より得られた種別の生存期間一覧 (1961-2017 年における上位 2 記録について). 山階鳥学誌, 52(1), 21-48 (2020)
93) Kasahara S & Yamaguchi Y, et al.: Conspecific egg removal behaviour in Eurasian Tree Sparrow *Passer montanus*. *Ardea*,102(1), 47-52 (2014)
94) Veiga JP: Infanticide by male and female house sparrows. *Anim Behav*, 39(3): 496-502 (1990)

river. *Matica Srpska J Nat Sci,* (130), 105-112 (2016)
59) Turčoková L & Melišková M, et al.: Nest site location and breeding success of Common kingfisher (*Alcedo atthis*) in the Danube river system. *Folia Oecol*, 43, 74-82 (2016)
60) Clancey PA: On the habits of Kingfishers. *Br Birds*, 28(10), 295-301 (1935)
61) 北海道札幌旭丘高等学校生物部: カワセミ(*Alcedo atthis*)の人工営巣場所づくりと生態・繁殖行動の研究－水辺にカワセミが飛び交うために－. 第11回 日本水大賞(日本ストックホルム青少年水大賞)審査部会特別賞(2009)〈http://www.japanriver.or.jp/taisyo/oubo_jyusyou/jyusyou_katudou/no11/no11_jyusyou_katudou.htm〉2023年1月20日参照
62) Rubáčová L & Melišková M, et al.: Five breeding attempts of male Common Kingfisher (*Alcedo atthis*) during the season consisted of pairing with two females. *Tichodroma*, 33, 39-43 (2021)
63) 江口和洋: 鳥類における協同繁殖様式の多様性. 日鳥学誌, 54(1), 1-22 (2005)
64) Reynolds SJ & Hinge MDC: Foods brought to the nest by breeding Kingfishers *Alcedo atthis* in the New Forest of southern England. *Bird Study*, 43(1), 96-102 (1996)
65) 山階芳麿: 日本の鳥類と其生態第二巻(復刻版). 出版科学総合研究所, 東京 (1985)

第3章

66) Crandell KE & Howe RO, et al.: Repeated evolution of drag reduction at the air–water interface in diving kingfishers. *J R Soc Interface*, 16(154), 20190125 (2019)
67) Noor A & Mir ZR, et al.: Diurnal activity pattern and foraging behaviour of common kingfisher (*Alcedo atthis*) in Dal Lake, Srinagar, Jammu and Kashmir. *Int J Interdiscip Multidiscip Stud*, 2(2), 17-23 (2014)
68) Borah J & Ghosh M, et al.: Food-niche partitioning among sympatric kingfishers in Bhitarkanika mangroves, Odisha. *J Bombay Nat Hist Soc*, 109(1), 72-77 (2012)
69) Burley N & Krantzberg G, et al.: Influence of colour-banding on the conspecific preferences of zebra finches. *Anim Behav*, 30(2), 444-455 (1982)
70) 堀江明香: 鳥類における生活史研究の最新動向と課題. 日鳥学誌, 63(2), 197-233 (2014)
71) 熊川真二: 魚食性鳥獣類の消化管内に残る咽頭骨などの魚類組織断片の解析による被食魚類の種判別と体長及び体重の推定. 長野水試研報, 10(3),7-16 (2008)
72) 傳田正利 & 山下慎吾ら: ワンドと魚類群集: ワンドの魚類群集を特徴づける現象の考察. 日生態誌, 52(2), 287-294 (2002)
73) Campos F & Fernández A, et al.: Diet of the Eurasian kingfisher (*Alcedo atthis*) in northern Spain. *Folia Zool*, 49(2), 115-121 (2000)
74) Vilches A & Miranda R, et al.: Fish prey selection by the Common Kingfisher *Alcedo atthis* in Northern Iberia. *Acta Ornithol*, 47(2), 167-175 (2012)
75) Novčić I & Simonović P: Variation in the diet of the Common Kingfisher *Alcedo atthis* along a stream habitat. *Ornithol Sci*, 17(1), 79-85 (2018)
76) Čech M, & Čech P: Effect of brood size on food provisioning rate in Common Kingfishers *Alcedo atthis*. *Ardea*, 105(1), 5-17 (2017)

Study, 24(1), 15-24 (1977)
38) 紀宮清子 & 鹿野谷幸栄ら: 皇居と赤坂御用地におけるカワセミ *Alcedo atthis* の繁殖状況. 山階鳥研報, 34(1), 112-125 (2002)
39) 矢野 亮: 帰ってきたカワセミ－都心での子育て プロポーズから巣立ちまで. 地人書館, 東京 (1996)
40) 黒田清子 & 安西幸栄: 皇居におけるカワセミの繁殖(2009-2013). 国立科博専報, 50, 559-564 (2014)
41) 仁部富之助: 野の鳥の生態２. 大修館書店, 東京 (1979)
42) Naher H & Sarker NJ, et al.: Breeding biology of common kingfisher (*Alcedo atthis*, Linnaeus 1758). *J Asiat Soc Bangladesh Sci*, 47(1), 23-34 (2021)
43) Lee BC & Ki CK: Breeding Biology of the Common Kingfisher *Alcedo atthis* bengalensis Gmelin. *Korean J Ecol*, 8(2), 119-126 (1985)
44) Brown RL: Breeding habits and numbers of Kingfishers in Renfrewshire. *Br Birds*, 27(9), 256-258 (1934)
45) 矢野 亮: カワセミの子育て－自然教育園での繁殖生態と保護飼育. 地人書館, 東京 (2009)
46) 神保健次 & 神保 忍ら: 厚木市におけるヤマセミの生態調査. 神奈川自然誌料, 7, 15-18 (1986)
47) 森茂 晃 & 佐藤仁志: 斐伊川・神戸川水系におけるヤマセミの営巣状況. ホシザキグリーン財団研究報告, 6, 51-58 (2003)
48) 森茂 晃 & 佐藤仁志: ヤマセミの造巣場所選択について. ホシザキグリーン財団研究報告, 8, 247-253 (2005)
49) 中村浩志 & 柏木健一: アカショウビンの繁殖生態と雛への給餌内容. 信州大学教育学部附属志賀自然教育研究施設研究業績, 26, 15-24 (1989)
50) 美島秀夫 & 中村正博ら: アカショウビンがスズメバチの古巣で繁殖. *Strix*, 7, 283-284 (1988)
51) Wisocki PA, Kennelly P, et al.: The global distribution of avian eggshell colours suggest a thermoregulatory benefit of darker pigmentation. *Nat Ecol Evol*, 4(1), 148-155 (2020)
52) 矢野 亮: 自然教育園におけるカワセミの繁殖について. 自然教育園報告, 21, 1-10 (1990)
53) Sparks J: Grey Heron preying on Rabbit and Common Kingfisher. *Br Birds*, 95, 85 (2002)
54) Čech P: Reprodukční biologie ledňáčka říčního (*Alcedo atthis*) a možnosti jeho ochrany v současných podmínkách České republiky. *Sylvia*, 42, 49-65 (2006)
55) Hurner H & Libois R: Etude par radiopistage de la territorialité chez le martin pêcheur (*Alcedo atthis*) : Cas de deux mâles voisins. *Aves*, 42 (1-2), 135-141 (2005)
56) Musseau R & Bastianelli M, et al.: Using miniaturized GPS archival tags to assess home range features of a small plunge-diving bird: the European Kingfisher (*Alcedo atthis*). *Avian Res*, 12(1), 1-10 (2021)
57) Kasahara S & Katoh K: Food-niche differentiation in sympatric species of kingfishers, the Common Kingfisher *Alcedo atthis* and the Greater Pied Kingfisher *Ceryle lugubris*. *Ornithol Sci*, 7(2), 123-134 (2008)
58) Novčić ID: Breeding of the common kingfisher *Alcedo atthis* at the Boračka

In *Birds of the World* (Poole AF, ed). Cornell Lab of Ornithology, Ithaca (2020)
20) Woodall PF: Pied Kingfisher (*Ceryle rudis*), version 1.0. In *Birds of the World* (del Hoyo J & Elliott A, et al., eds). Cornell Lab of Ornithology, Ithaca (2020)
21) Moskoff W: Green Kingfisher (*Chloroceryle americana*), version 1.0. In *Birds of the World* (Poole AF & Gill FB, eds). Cornell Lab of Ornithology, Ithaca (2020)
22) Woodall PF: Laughing Kookaburra (*Dacelo novaeguineae*), version 1.0. In *Birds of the World* (del Hoyo J & Elliott A, et al., eds). Cornell Lab of Ornithology, Ithaca (2020)
23) Woodall PF: Giant Kingfisher (*Megaceryle maxima*) , version 1.0. In *Birds of the World* (del Hoyo J & Elliott A, et al., eds) . Cornell Lab of Ornithology, Ithaca (2020)
24) Woodall PF: American Pygmy Kingfisher (*Chloroceryle aenea*), version 1.0. In *Birds of the World* (del Hoyo J & Elliott A, et al., eds) . Cornell Lab of Ornithology, Ithaca (2020)
25) Moyle RG: A molecular phylogeny of kingfishers (Alcedinidae) with insights into early biogeographic history. *Auk*, 123(2), 487-499 (2006)
26) Andersen MJ & McCullough, et al.: A phylogeny of kingfishers reveals an Indomalayan origin and elevated rates of diversification on oceanic islands. *J Biogeogr*, 45(2), 269-281 (2018)
27) Woodall PF & Kirwan GM: Buff-breasted Paradise-Kingfisher (*Tanysiptera sylvia*), version 1.0. In *Birds of the World* (del Hoyo J & Elliott A, et al., eds). Cornell Lab of Ornithology, Ithaca (2020)
28) Woodall PF: Shovel-billed Kookaburra (*Dacelo rex*), version 1.0. In *Birds of the World* (del Hoyo J & Elliott A, et al., eds). Cornell Lab of Ornithology, Ithaca (2020).
29) del Hoyo J & Collar N, et al.: Mewing Kingfisher (*Todiramphus ruficollaris*), version 1.0. In *Birds of the World* (del Hoyo J & Elliott A, et al., eds). Cornell Lab of Ornithology, Ithaca (2020)
30) Johansson US & Ericson PGP: Molecular support for a sister group relationship between Pici and Galbulae (Piciformes *sensu* Wetmore 1960). *J Avian Biol*, 34 (2), 185-197 (2003)
31) Fry CH: The origin of Afrotropical kingfishers. *Ibis*, 122(1), 57-74 (1980)
32) del Hoyo J & Elliott A, et al.(eds): *Handbook of the Birds of the World Volume 6: Mousebirds to Hornbills*. Lynx Edicions, Barcelona (2001)
33) Boles WE: A kingfisher (Halcyonidae) from the Miocene of Riversleigh, northwestern Queensland, with comments on the evolution of kingfishers in Australo-Papua. *Mem Queensl Mus*, 41, 229-234 (1997)
34) Mayr G: On the middle Miocene avifauna of Maboko Island, Kenya. *Geobios*, 47 (3), 133-146 (2014)

第2章

35) Boag D: *The kingfisher*. Blandford Press, London (1982)
36) 西村昌彦: カワセミとヤマセミの造巣場所選択について. 山階鳥研報, 11(1), 39-48 (1979)
37) Morgan R & Glue D: Breeding, mortality and movements of Kingfishers. *Bird*

引用および参考文献

引用文献

第1章

1) Woodall PF: Common Kingfisher (*Alcedo atthis*), version 1.0. In *Birds of the World* (del Hoyo J & Elliott A, et al., eds). Cornell Lab of Ornithology, Ithaca (2020)
2) 佐野昌男: スズメ. 日本動物大百科〈第4巻〉鳥類2(樋口広芳 & 森岡弘之ら 著, 日高敏隆 編). 平凡社, 東京 (1997)
3) Cramp S (ed): *Handbook of the Birds of Europe, the Middle East, and North Africa: The Birds of the Western Palearctic. Vol. IV: Terns to Woodpeckers.* Oxford University Press, Oxford (1985)
4) Gill FB (原著), 山階鳥類学研究所 (翻訳): 鳥類学. 新樹社, 東京 (2009)
5) 杉田昭栄: 鳥類の視覚受容機構. バイオメカニズム学会誌, 31(3), 43-149 (2007)
6) Lovette IJ & Fitzpatrick JW (eds): *Handbook of Bird Biology*. Wiley-Blackwell, Hoboken (2016)
7) Fry CH & Fry K (eds), Harris A (Illust): *Kingfishers, Bee-eaters and Rollers.* Christopher Helm, London (1992)
8) Gill F & Donsker D, et al. (eds): *IOC World Bird List (v12.2)*. doi : 10.14344/IOC.ML.12.2. (2022)
9) 日本鳥学会: 日本鳥類目録 改訂第7版. 日本鳥学会, 三田 (2012)
10) 嵩原建二 & 高良淳司ら: ミツユビカワセミ *Ceyx erithacus* の国内初記録. 日鳥学誌, 58(2), 208-211 (2009)
11) Woodall PF: Crested Kingfisher (*Megaceryle lugubris*), version 1.0. In *Birds of the World* (del Hoyo J & Elliott A, et al., eds). Cornell Lab of Ornithology, Ithaca (2020)
12) 清棲幸保: 日本鳥類大図鑑 増補改訂版 I. 講談社, 東京 (1978)
13) Woodall PF: Ruddy Kingfisher (*Halcyon coromanda*), version 1.0. In *Birds of the World* (del Hoyo J & Elliott A, et al., eds). Cornell Lab of Ornithology, Ithaca (2020)
14) 中村浩志: アカショウビン. 日本動物大百科〈第4巻〉鳥類2(樋口広芳 & 森岡弘之ら著, 日高敏隆 編). 平凡社, 東京 (1997)
15) 小林さやか & 中森純也ら: 鳥取県鳥取市で確認された亜種リュウキュウアカショウビン *Halcyon coromanda bangsi* の記録. 日鳥学誌, 61(2), 314-319 (2012)
16) Limparungpatthanakij WL & Hansasuta C: Black-backed Dwarf-Kingfisher (*Ceyx erithaca*), version 2.1. In *Birds of the World* (Sly ND & Keeney BK, eds). Cornell Lab of Ornithology, Ithaca (2022)
17) Woodall PF: African Pygmy Kingfisher (*Ispidina picta*), version 1.1. In *Birds of the World* (del Hoyo J & Elliott A, et al., eds). Cornell Lab of Ornithology, Ithaca (2021)
18) Woodall PF: African Dwarf Kingfisher (*Ispidina lecontei*), version 1.0. In *Birds of the World* (del Hoyo J & Elliott A, et al., eds). Cornell Lab of Ornithology, Ithaca (2020)
19) Kelly JF & Bridge ES, et al.: Belted Kingfisher (*Megaceryle alcyon*), version 1.0.

監修を終えて

カワセミは不思議な存在の鳥だと思います。たとえばスズメやカラスは声を聞くだけで誰もがその鳥だとわかるほど人々に近しい存在です。これがキビタキやジョウビタキではどうでしょうか。どちらも色鮮やかな種で、バードウォッチャーなら誰もが知っているレベルの人気の鳥です。こんな人気の種であっても、世間一般では「名前も知らない、聞いたこともない」という人が大半でしょう。つまり、キビタキやジョウビタキは世間にあまり認知されていない鳥ということになります。

では、カワセミはどうでしょう。この鳥は驚くほど世間的に認識されているのではないでしょうか。カワセミの写真やイラストを見た際に「カワセミだ！」と識別できる人が、世の中にはそれなりにいると思うのです。本物のカワセミを見たことがない人が大半のはずなのに、世間のかなりの人数が鳥種をわかっていることになります。これは、ヒヨドリやムクドリなどとは真逆といえます。どの街中にもヒヨドリやムクドリが生息しており、日本人の大半はこれらの種を毎日のように目にしているはずですが、姿を見ても識別できない人は多いでしょう。これが「カワセミは不思議なポジションの鳥だ」と私が感じる理由です。

そしてバードウォッチングにおいても、カワセミはとても人気の高い鳥です。私自身、子ども時代に野鳥観察を始めた頃、「見たい！」とあこがれた種の1つでした。当時、カワセミを探しに川べりや田んぼの水辺へ出かけましたが、歩けども歩けども見ることができず、何年経っても幻の存在でした（今にして思えば、第6章にあるように、カワセミが激減した時期だったので、なおさら見つからなかったのでしょう）。数年後、ようやく初めて出会うことができたとき、とても興奮した……のですが、嬉しいのと同時に「何だか思っていたのと違う」と複雑な心境になったことを覚えています。なぜなら、海岸でテトラポットの上にとまり海面をのぞき込み飛び込む、というあまり見ないシチュエーションだったからです。このカワセミならぬウミセミというべき特殊な状況に、どうにも複雑なモヤモヤした感覚が残ってしまいました。その後、渓流などで何度か見る機会を得て「そうそう、カワセミはこうでなきゃ」とスッキリしたのです。なお、どれも距離が遠かったり、水面を飛んでいく一瞬だけしか見ることができなかったりと、姿をじっくりとは見られませんでした。それゆえ観察が難しい鳥という印象も強いのです。

カワセミの和書や研究はかなり限られた数しかなく、テキスト中心の読み物的な書籍がこれまであまりなかったのは、こうした観察の困難さが一因でしょう。その人気ゆえにカワセミ類の写真集や、限られた場所でじっくりと観察し写真を多用するビジュアル的な刊行物は出版されていますが、本書はそれらとは異なる方向性の一冊になったと思います。その著者が笠原里恵さんです。ご本人は「はじめに」にてカワセミの専門家ではないと謙遜されていらっしゃいますが、そんなことはありません。本書の執筆者候補を検討した際、他の選択肢はなく、私には笠原さん以外には考えられませんでした。なぜなら、広域にカワセミの繁殖や生態を調べ上げているだけでなく、発見すら難しく警戒心がとても強いヤマセミを多数個体レベルで調査した研究者は、彼女以外にはいないからです。

これら笠原さんの研究は誰もがマネできるものではありません。その千曲川での研究の歴史はとても長いものです。笠原さんと私は、都市公園の研究やスズメの研究などで長年一緒に仕事をしてきた仲間ということもあり、モズやカワセミといった千曲川での研究成果を聞く機会に恵まれ、彼女の真面目で丁寧な性格を反映した仕事ぶりに感心しきりでした。ただし現地を訪れる機会がなかなかなかったのです。ようやく、近年一緒に行っているシギチドリ類の研究サポート作業のために千曲川へ初めて訪れる機会を得たのですが、そのときの印象は強烈でした。とにかく調査域が広いのです。

数十キロもの範囲を車で移動し、何羽もの調査対象の個体を見つけ出さねばなりません。見つけたあとも大変です。調査地点を移動しては、腰まである長靴（胴長）を履いて、川に入ってゆくのです。歩くだけで大変なことは言うまでもなく、好天のときは強い日差しを浴びクラクラしてしまうし、雨が降ればびしょぬれです。こうした作業が連日、早朝から夕方まで続きます。環境がキツいだけでなく、移動量、運動量、精神力のどれもが必要で、かなりハードなのです。もっぱら山岳森林で鳥類研究をしている私にとってもかなりキツい仕事で、「これはとてもマネできない」と感嘆しました。笠原さんは、こうした水辺の鳥たちの野外調査を通じて、河川生態系の全体像を研究し続けています。監修作業では、著者の人柄がにじみ出た柔らかな文章と、そうした苦労の背景を感じさせず、むしろカワセミやヤマセミをイメージさせる、流れる青い水のような読後感が印象的でした。最後に、本書の作成にご尽力くださった関係者（図や写真をご協力くださった皆さん、および島田明子氏、石井秀昌氏をはじめとする緑書房の皆さん）と、本書を手にしてくださった読者の皆さんにお礼を申し上げて、筆を置くこととします。

森本　元

写真・イラスト・音声提供者一覧（掲載順）

本書の制作にあたり、下記の方々には貴重な写真、イラストおよび音声のご提供を賜りました。ここに厚く御礼申し上げます。

吉野俊幸 様

内田　博 様

Audrey Sternalski 様

公益財団法人
山階鳥類研究所 様

上沖正欣 様

井川　洋 様

認定NPO法人
バードリサーチ 様

松原　始 様

今野美和 様

龍野紘明 様

北野　聡 様

中嶋瑞美 様

森口紗千子 様

植松永至 様

今西貞夫 様

植村慎吾 様

下村晃大 様

国土交通省北陸地方整備局
千曲川河川事務所 様

吉田暁人 様

著　者

笠原里恵（かさはら さとえ）

信州大学理学部附属湖沼高地教育研究センター
諏訪臨湖実験所 助教

1976年長野県生まれ。信州大学大学院教育学研究科修士課程を経て、2009年東京大学大学院農学生命科学研究科博士課程修了。博士（農学）。立教大学理学部博士研究員、弘前大学農学生命科学部研究機関研究員などを経て、2019年より現職。専門は鳥類生態学や保全生態学など。おもに河川や湖沼に生息する鳥類を対象とした研究に従事している。

監修者

森本 元（もりもと げん）

（公財）山階鳥類研究所 研究員
東邦大学 客員准教授 ほか

1975年新潟県生まれ。東邦大学大学院理学研究科修士課程を経て、2007年立教大学大学院理学研究科博士後期課程修了。博士（理学）。立教大学博士研究員、国立科学博物館支援研究員などを経て、2012 年に山階鳥類研究所へ着任し2015年より現職。専門分野は、生態学、行動生態学、鳥類学、羽毛学など。鳥類の色彩や羽毛構造の研究、山地性鳥類や都市鳥の生態研究、バイオミメティクス研究、鳥類の渡りに関する研究などを主なテーマとしている。

知って楽しい
カワセミの暮らし

2023年4月10日　第1刷発行

著　者……………………笠原里恵
監修者……………………森本 元
発行者……………………森田浩平
発行所……………………株式会社 緑書房
〒103-0004
東京都中央区東日本橋3丁目4番14号
TEL　03-6833-0560
https://www.midorishobo.co.jp

編　集……………………島田明子、石井秀昌
デザイン……………………メルシング
カバーデザイン……………尾田直美
印刷所……………………図書印刷

ISBN 978-4-89531-884-6　Printed in Japan